U. G. E. **10|18**
12, avenue d'Italie - Paris XIIIe

Du même auteur
dans la collection 10/18

C<small>HRONIQUES</small> tome 2, n° 1383 ; tome 3, n° 1384.

CHRONIQUES 1
22 octobre 1876 - 23 février 1882

PAR

Guy de MAUPASSANT

Préface d'Hubert Juin

10 18

« *Fins de Siècles* »
créé par Hubert Juin

Si vous désirez être régulièrement tenu au courant
de nos publications, écrivez-nous :
Éditions 10/18
12, avenue d'Italie
75627 Paris Cedex 13

ISBN 2-264-01975-1

PRÉFACE

Les chroniques de Guy de Maupassant sont restées un trop long temps méconnues. Maintenant que la mesure est prise de sa stature d'écrivain, il est nécessaire de joindre à ses ouvrages élaborés ces notes prises sur le vif, et qui firent les beaux jours de divers journaux. Il y a, ici, à l'œuvre, une aisance et un emportement des plus remarquables.

Le journalisme, cette carrière obligée pour les auteurs de la fin du siècle, ne réussit pas à quelques-uns, qui y dilapidèrent leur talent et s'y perdirent. Maupassant est à l'inverse. Le journalisme lui est provende, et exercice. Cet homme dont on a dit et répété qu'il était homme du regard essentiellement affine son regard par la pratique du journalisme : c'est sa gymnastique, si l'on veut, mais c'est également l'endroit et l'espace où l'écrivain forge son art d'écrire. La chronique, c'est un peu le « gueuloir » de Guy de Maupassant.

Il remarque, dans un article de 1884 : « Elle n'est point près de finir la grande querelle des romanciers et des chroniqueurs. Les chroniqueurs reprochent aux romanciers de faire de médiocres chroniques et les romanciers reprochent aux chroniqueurs de faire de mauvais romans. » Il conclut : « Ils ont un peu raison les uns et les autres. » Oui! mais pour lui? Eh bien, il réussit ce tour de force de livrer à la fois de beaux romans et de bonnes chroniques. Mieux : tout s'enchaîne, romans, contes et articles; tout s'entre-

5

mêle, s'entrepénètre. Le romancier vient se nourrir aux découvertes du journaliste. *Bel-Ami* nécessite les articles sur les événements de l'Afrique du Nord, suppose les incessantes dénonciations de Maupassant, ses attaques contre la guerre, l'affairisme, l'agiotage, le parlementarisme, les mœurs de la presse. Ces éléments sont donnés en vrac dans les chroniques, lesquelles, ainsi, expliquent les œuvres proprement romanesques de Maupassant, tout en dévoilant l'époque : coup double!

Il ne juge pas, d'ailleurs, que les chroniques qu'il donne aux journaux soient en marge de son travail d'écrivain, et ne méritent pas de survivre à l'éphémère : il les reprend et en fait trois de ses livres : *Au soleil, Sur l'eau* et *la Vie errante*. Il est probable que si la folie et la mort ne s'étaient pas jetées si tôt sur l'écrivain, il eût composé, semblablement, d'autres recueils. C'est donc à bon droit que les éditeurs de Maupassant, et des chercheurs consciencieux, se sont efforcés de rameuter le plus grand nombre possible de chroniques de Maupassant. Le dernier en date de ces éditeurs, et celui dont le rassemblement demeure le plus complet est le regretté Pascal Pia. Qu'on veuille bien tenir la présente édition pour un hommage rendu au merveilleux érudit.

***

Il importe d'appliquer à la lecture des *Chroniques* de Guy de Maupassant diverses « grilles » de déchiffrement. La première, bien sûr, touche à l'époque elle-même. L'homme du regard, ici, nous restitue avec une acuité magistrale les événements du temps, la silhouette des femmes et des hommes qui le peuplèrent, le goût qui l'animait, les indignations qui le traversaient, les ambitions qui le travaillaient. Témoin, Maupassant est insurpassable. Commentateur, il devient faux témoin. Je m'explique. Maupassant est à l'image de la fin du siècle. Ce naturaliste est un décadent. Venu de sa Normandie, il entre avec éclat dans le snobisme. Voyageur impénitent, il se veut homme à la mode. Les « petites comtesses » sont là, dans l'angle du tableau, avec des mines de chattes et des ameublements à la des Esseintes. Cet homme-là, qui ne peut un seul jour oublier la mer et les barques, s'enracine, de biais, dans les pavés du boulevard. Il choque ceux — et celles — à qui il veut plaire, mais il veut plaire. Il n'y réussit pas? Si! par à-coups...

Témoin donc. Mais faux témoin. Par cette vague trahison, il nous devient précieux. Sa pensée ne se distingue en aucune façon de la pensée qu'une certaine classe sociale portait alors sur la société. Quelle classe? Celle, en gros, des employés. Celle de la moyenne bourgeoisie. Maupassant a horreur de diverses choses : la guerre, le colonialisme mal compris, le mariage, l'éducation des enfants et des adolescents, le socialisme et toutes les idées égalitaires, la banque et la Bourse. Il est antisémite sans l'être vraiment, mais avec naturel. Il est pessimiste avec détermination. Lecteur de Schopenhauer, disciple parricide de Gustave Flaubert, les souvenirs de la guerre de 1870 le poursuivent et ceux de son passage dans l'administration le hantent. Il est vrai que les œuvres élaborées donneront une coloration autre, et plus forte, à de graves hantises et laisseront la place aux fantasmes.

Exprimant tout cela, Maupassant à la fois s'intègre à cette classe — qui est semblablement de parvenus — et s'en distingue. Ce qu'il dit appartient à un discours commun à ceux qui dénigrent et ne construisent pas (j'entends : sur le terrain social) : il y a là comme un anarchisme de salon, et la mise en scène de cette idée : que la société est mauvaise, et qu'il n'existe à cette maladie mortelle aucun remède. Il peste, il tonne, il s'insurge contre ce qui est, — mais il ne conçoit pas un changement radical, et, au fond de lui, d'un tel changement (s'il était possible) il ne veut pas.

Cependant, il va plus loin — et plus profond — que le discours commun. Ce discours, il est vrai, il le révèle, mais aussitôt il le dépasse. C'est que l'homme du regard aigu est aussi un voyageur. Stratège du « Café du

Commerce », il est — dans le même temps — celui qui s'en va, loin, là où les événements se dessinent. Il est habile comme pas un à démontrer — on le verra, lisant les *Chroniques* — ce qui unit la banque aux conquêtes coloniales. Est-il pour autant anticolonialiste ? Certes, non. A bien examiner son propos, on peut dire qu'il est un colonialiste des Lumières. C'est un pessimiste humaniste. Les Algériens, par exemple, conjuguent les caractères de la femme et de l'enfant : il faut les protéger, et non les asservir. Voilà sa limite. Mais c'est aussi, dans cette époque de la guerre des Kroumirs, sa grandeur. A lire ces passages, isolés de l'ensemble, on jurerait qu'il est socialiste. Erreur ! Rien ne l'écœure plus que les doctrines de l'égalitarisme. Il le dira à Jules Vallès : il n'écrit pas pour les masses, il écrit pour une élite. D'ailleurs, les ouvriers ? Connais pas ! Le peuple ? C'est ce qu'on est avant de conquérir ce que l'on devient. Les mineurs ? Voire ! Les employés subissent un sort plus lamentable encore. Et ainsi de suite.

Il est de sa faction avec tant de foi qu'il en devient pathétique. En effet, cette faction va tantôt disparaître. Maupassant entre dans le kitsch avec ravissement. Edmond de Goncourt, malgré *la Maison d'un artiste* — dira du logement de Guy de Maupassant, rue Montchanin, en 1884, que l'ameublement et l'arrangement du lieu sont dignes d'un *souteneur caraïbe*. Maupassant est tout entier dans le monde des rentiers, des parvenus et des affairistes. Des jeunes femmes du bord de Marne, il glisse insensiblement mais pitoyablement vers l'univers frelaté des « jeunes comtesses ». Parti de Flaubert il tente d'aboutir à Paul Bourget. Le héros du *Très Russe* (il prit très mal le portrait) de Jean Lorrain s'enliserait dans les boudoirs, n'étaient ses maux d'yeux et le mal qui lui ronge le crâne. Il a des allures de maquignon, — et des traits touchants, qui seraient d'un enfant pauvre et triste. Il demande à son domestique de lui donner, long comme le bras, des « Monsieur le Comte », et puis il s'en va sur l'eau, tout seul.

Puis il revient, et, une fois encore, il regarde. Mais ce

regard est d'une épaisseur étrange, qui lui vient du souvenir. Lorsque Guy de Maupassant chroniqueur parle du monde, il se raconte. Doublement. D'abord, il s'ouvre à sa mémoire, monte sur son propre théâtre, s'exhibe. Ensuite, il se confesse obliquement, s'offre au lecteur attentif, bref! s'avoue.

Les rapports de Guy de Maupassant avec les écrivains de son époque apparaissent clairement dans les *Chroniques*. Il y a, bien entendu, Gustave Flaubert qui vient en tête, Flaubert « le patron ». A Zola, en mai 1880 : « Je ne saurais vous dire combien je pense à Flaubert, il me hante et me poursuit. Sa pensée me revient sans cesse, j'entends sa voix, je retrouve ses gestes, je le vois à tout moment debout devant moi avec sa grande robe brune, et ses bras levés en parlant. C'est comme une solitude qui s'est faite autour de moi, le commencement des horribles séparations qui se continueront maintenant d'année en année, emportant tous les gens qu'on aime, en qui sont nos souvenirs, avec qui nous pouvions le mieux causer des choses intimes. Ces choses-là nous meurtrissent l'esprit et nous laissent une douleur permanente dans toutes nos pensées. » Il y a Zola également, et les autres naturalistes. Il y a Goncourt. Il y a Tourguéniev. Et l'éloge ultime qu'il écrira pour son vieil ami, il n'est pas nécessaire de le lire de près pour s'apercevoir qu'il définit aussi bien le fantastique du Russe que celui de son admirateur...

Bien que les hantises de Maupassant ne soient pas clairement inscrites dans les *Chroniques,* et n'apparaissent que dans le filigrane des contes et des romans, il serait illicite de n'en pas tenir compte en lisant les *Chroniques* justement. Quelque chose d'insidieux palpite dans le texte — quel qu'il soit — de Maupassant : c'est la terreur. Il est terrorisé, et il terrorise. La cruauté lui est une contrée d'autant plus familière qu'il la redoute. Il y a d'abord le miroir. Il y a ensuite le refus d'être photographié. Son visage reproduit, parce qu'il l'interroge, lui fait peur. Mais vient d'abord le premier des miroirs, celui dans lequel on peut s'enfoncer, celui qui se referme sur le vivant pour en faire un cadavre : c'est l'eau. L'entrain de Maupassant lorsqu'il parcourt la Seine, puis lorsqu'il aura ses bateaux pour des courses plus longues, ne doit pas cacher, ni masquer le trouble qu'il ressent, l'inquiétude dont il témoigne, l'incertitude où il est. Sous le miroir de l'eau, il y a la mort : voilà le vrai Maupassant.

Mais l'eau, c'est autre chose encore : c'est l'élément féminin par excellence. L'eau est complice du corps : elle le dénude, le caresse, le donne à voir, le révèle. Guy de Maupassant aime les courtisanes et les filles publiques parce qu'elles sont complices de l'eau. Elles font du bain et des ablutions répétées mieux qu'une coutume ou qu'une obligation : un rite. Ici, il s'agit de l'eau heureuse : celle du repos et des parfums. Celle qui inaugure et qui dévoile. Dans *Notre cœur,* le héros a une servante sur laquelle il jette à peine les yeux, jusqu'au jour où il la surprend étendue dans sa baignoire, et c'est « *allongé dans l'eau, les bras flottants et les seins frôlant la surface de leurs fleurs, le plus joli corps de femme qu'il eût aperçu de sa vie* ». Il va en faire aussitôt une Messaline. La femme est comme l'eau : inconstante. Pacifique et dangereuse. Paisible et meurtrière. Oublieuse.

D'ailleurs, l'éveil de l'enfant et de l'adolescent, à Etretat, au monde du réel, au monde du féminin et au monde des rêveries s'accomplit par le truchement de l'eau. La mésentente des parents, qui vivent éloignés l'un de l'autre, abandonne Guy de Maupassant à de longues heures vides, qui sont cependant des heures studieuses d'où sortira une partie de sa mythologie intime. Les études du jeune homme? Examiner ce conflit : le corps de la femme lorsque l'eau le cerne et le dessine. Il s'enthousiasme pour cette façon qu'a l'eau de faire paraître le vrai et le charnu du corps lorsqu'elle plaque le vêtement de bain contre la chair, la donnant ainsi à connaître jusque dans son intimité.

La complicité entre la femme et l'eau se fait complète, mais, la maladie aidant, c'est l'eau qui triomphera. La mer deviendra pour Maupassant, lorsqu'il partira pour des croisières aventureuses, le sexe féminin lui-même, immense, insatiable, fascinant. Mais l'eau se rebiffe : elle frappe, elle fouette, elle gifle. Maupassant aimait être soumis aux jets violents qui sont pratiqués, sur certains malades, dans les maisons de cures. C'est un point qui, sans qu'il le sache, va le rapprocher d'un homme connu par hasard, et qui le marquera par son étrangeté : Algernon-Charles Swinburne.

En 1864, à Etretat, et nous voici reconduits aux *Chroniques!* Guy de Maupassant va rencontrer l'auteur de *Laus Veneris,* et son ami Powell. Swinburne est un homme d'une maigreur terrifiante, atteint d'un tremblement perpétuel de tous les membres. Il a été (en quelque sorte) l' « inventeur » le plus célèbre du « vice anglais », c'est-à-dire l'envahissement des pratiques érotiques par la pratique du fouet. Mais ce que Maupassant ignore, et ignorera toujours, c'est que Swinburne a découvert les vertus étranges de cet instrument par les coups de mer qu'il affrontait étant enfant, et par les châtiments physiques que lui méritaient de telles audaces.

Swinburne et Powell vivaient dans une villa qu'ils avaient baptisée : Villa Dolmancé. Ils avouaient avoir un culte pour le marquis de Sade, duquel Swinburne avait écrit qu'il était l'illustre bienfaiteur d' « une ingrate humanité ». Maupassant ne se rendit que deux fois à la Villa Dolmancé. Il comprit vite les périls hors nature qu'on voulait lui faire courir, en l'excitant par des boissons fortes et l'exposition de gravures et de photographies d'une audace extrême. Cependant, ces deux visites le marquèrent pour toujours. La Villa Dolmancé fut l'espace où une partie de ses rêveries devait, jusqu'au bout, s'ancrer. A tel point qu'au moment où les collections qu'abritait la Villa Dolmancé furent dispersées, Maupassant fit l'achat d'une main de pendu qui ne le quitta plus, et qu'on retrouve — objet fantôme, mais fantasme — au détour de plusieurs de ses écrits. L'eau : la femme. La main de pendu : le fantastique.

Dès lors, Guy de Maupassant va faire de la perversité un art de vivre, empruntant — par exemple — à tel de ses amis un Sade illustré pour pousser au vice une petite cuisinière aguichante. Dans l'art d'écrire, il laissera fuser des cruautés certaines qui se partagent entre les caprices sexuels, les portraits de criminels et le massacre des animaux. Il frôle l'intolérable, puis se retranche, et laisse le « non-dit » envahir la scène et s'emparer du lecteur. Les traits, ici, sont nombreux à la fois dans *Les Contes de la Bécasse* et dans *Mademoiselle Fifi*. L'eau devient saphique; l'amour, meurtrier. La mort brutale d'une bête se hausse au niveau du supplice. L'étreinte dépasse le spasme : morsures et cris deviennent autant de signes de la vraie mort...

Qu'on relise *Marocca*, qu'on relise *les Tombales*, ou bien *la Morte*, ou encore *la Tombe*, ou bien *la Chambre*, et l'on verra partout paraître ce funéraire dont la Villa Dolmancé a laissé, depuis le départ, un goût certain à Maupassant. La nécrophilie n'est pas épargnée, mais, et avec quels raffinements, elle est décrite, louangée : elle devient hantise. C'est parce que Marocca rêve de tuer son mari que ses étreintes sont aussi sauvages. Une femme ne sait pas qu'il y a sous le lit où elle songe à s'ébattre avec son amant un cadavre, mais cela importe peu : le goût de la mort, sa subtile odeur la rendent presque folle. Elle arrache ses vêtements, se met nue avec des sursauts d'une impudeur étrange. D'autres joueront les jeunes veuves et trouveront leur « pratique » dans les cimetières, donnant ainsi aux frissons de leurs partenaires une qualité et une perfection suprêmes. Ailleurs, c'est un amant qui déterre le corps de sa maîtresse. Maupassant avide — et qui glisse déjà, mauvais passant, vers la maison des fous, et le tombeau!

***

On a dit très souvent que Maupassant était le Tchékhov français : il y a beaucoup de vrai dans cette comparaison. Une communauté d'écritures entre les deux est d'évidence : même façon de donner en quelques lignes l'épaisseur, la touffeur, la saveur du réel ; même manière de rendre inoubliable un personnage secondaire (le « passant »). Mais on oubliait, parlant ainsi, ce qui distingue l'un de l'autre, et ce qui enracine Guy de Maupassant dans cela que l'on prend coutume de nommer la Belle Epoque, — et que Louis Forestier, avant moi, a dit clairement être l' « avant-siècle », le siècle exténué : une délectation sournoise, à goût de cadavre — et d'éther...

Il ne faut pas oublier que Maupassant fut victime d'un vice éternel : les femmes, — mais il fut également le zélateur des poisons modernes : le tabac, dont il pensait devoir (comme Pierre Louÿs) mourir ; l'alcool, qu'il aimait ferme et dru, et dont il consommait des quantités importantes ; le haschich, l'opium, certes ! mais surtout l'éther (comme Jean Lorrain, ce qui créa entre les deux une concurrence dont ni l'un ni l'autre n'eut le dessus). L'éther ! Maupassant pensait que cette drogue était bonne à tout. Il avait tort, cela va de soi. Mais il avait raison en ceci, que l'éther éveille, donne le « coup de fouet », provoque le « je ne sais quoi », se révèle fugace, — mais, malheureusement, comme tout ce qui est fugace, s'avoue contraignant et mortel. Maupassant, croyant conjurer le vrai, nommait « médecine » ce qui devait s'appeler « drogue ». Croyant vaincre, il perdait. Mais tant d'horribles maux ! Qu'on ouvre ce recueil où interfèrent les *Chroniques,* celui qui a pour titre : *Sur l'eau* (1888), et qu'on lise ceci : « La migraine, l'horrible mal, la migraine qui torture comme aucun supplice ne l'a pu faire, qui broie la tête, rend fou, égare les idées et disperse la mémoire ainsi qu'une poussière au vent, la migraine m'avait saisi. » Tout, — plutôt que ces tenailles-là !

Les petites femmes des bords de la Seine et de la Marne lui donnèrent un autre poison. Il n'admit jamais le tréponème pâle. Et très tôt commence la litanie de son malheur : ses yeux pleurent sable et sel; son estomac, ses intestins sont hantés de miasmes; sa mère — affirme-t-il — est aux origines de sa mystérieuse maladie. C'est alors qu'on le voit fuir. C'est alors que l'on voit les fantômes charmants de ses premiers âges se muer en fantômes véritables. Il dit, il prétend que des fantômes le suivent le soir aux abords des cimetières. Mais qui, ces fantômes? et quoi? rien, ni personne : de là naîtra un texte fabuleux : *le Horla*.

La rencontre du *Mau,* pour mauvais (et c'est Maupassant), avec le *Hor,* qui signifie l'en-dehors, l'ailleurs qui terrifie, le au-dehors qui condamne! Jeu de miroirs : l'absence du Horla reflète l'intolérable présence de Maupassant à lui-même. Voilà l'espace où Maupassant, à la fin, à sa fin, doit combattre les fantômes : un espace où Maupassant, échappant à Maupassant, avec Maupassant se confronte.

L'eau, les femmes. Le double va surgir, un double invisible. Quelqu'un qui hante dans l'intérieur et depuis l'intérieur. Maupassant était occupé, bien qu'ennemi de la religion (comme le démontrent les *Chroniques*), par des choses vagues, et qu'il souhaitait résoudre par la conquête du « troisième œil ». Il lui vint l'idée que le monde du visible est traversé par le monde de l'invisible; que les anges sont là, parmi nous. Mais comment saisir, voir, percevoir ces présences étranges? Par le miroir. Autrement dit : par l'eau du miroir. Et Maupassant interroge son plus terrible ennemi : ce reflet glacé qui lui est terreur depuis l'enfance. Le miroir reste muet : c'est le Horla.

Mais quoi, dès lors?

Suis-je fou? question lancinante, obsédante, qui traverse de part en part l'œuvre de ce Normand qui se voulait la vie même, et qui fut, au long de ses jours, accablé par la mort.

***

14

Ceci n'apparaît pas en clair, sauf par de brefs tremblements à un détour de paragraphe, dans les *Chroniques,* mais les *Chroniques* ont la vertu de désigner le vécu qui anime les contes et les romans : c'est ce qui leur confère une valeur supplémentaire, et les rend indissociables de la totalité de l'Œuvre. Le laboratoire est ici, — parce que, ici, tout se forge.

Par ailleurs, le lecteur des *Chroniques* verra détruites plusieurs idées reçues — et dommageables. Celle-ci, par exemple : que Maupassant, tout d'instinct, manquait de jugement. On a répété qu'il se détournait de la peinture, voire : que les progrès de la littérature le requéraient peu. C'est faux.

Oui! malgré son admiration pour *la Tentation de saint Antoine* et pour *A Rebours,* il se méfie du Symbolisme naissant. Oui! malgré les comptes rendus qu'il donne de divers Salons, il se veut le sage laudateur d'un impressionnisme modéré. Mais il sait de quoi il parle, — et c'est dans les *Chroniques* justement que l'on voit s'élaborer son jugement et se faire, sinon sa doctrine, au moins son choix.

***

Les premières chroniques publiées parurent sous le pseudonyme de Guy de Valmont. Maupassant occupait alors de modestes fonctions à la direction des Colonies, une section du ministère de la Marine. L'usage du pseudonyme lui était dicté par la prudence. Elles parurent, comme on verra, dans *la République des Lettres* où régnait Catulle Mendès, et dans *la Nation* du député normand Raoul Duval.

Dès 1880, c'est *le Gaulois* qui accueille le jeune auteur. Bien qu'il ait décidé de quitter l'administration, il ne signe toujours pas ses premiers papiers. Dès la fin du mois d'octobre 1881, Guy de Maupassant collabore également à *Gil Blas.* Bien entendu, la politique sépare du *Gil Blas* l'autre feuille, et son directeur, Arthur Meyer, ne permet pas à ses collaborateurs de publier ailleurs que chez lui. Maupassant signe Maupassant dans *Le Gaulois,* et il signe Maufrigneuse à *Gil Blas.* Personne ne peut cependant s'y tromper, ce Maufrigneuse-là donnant à *Gil Blas,* outre des chroniques d'actualité, des contes qui paraissent ensuite dans les recueils signés Guy de Maupassant!

Dans le même temps, la *Revue politique et littéraire,* ou bien *Le XIXe Siècle,* ou encore *l'Echo de Paris* sollicitent et obtiennent la collaboration de cet auteur fécond qu'a révélé *Boule de Suif.* Certaines de ces chroniques deviendront des préfaces, voire — ainsi le texte consacré à Emile Zola — des publications séparées. D'autres enfin, non reproduites ici, seront intégrées à des ensembles élaborés par Maupassant lui-même et publiés par ses soins.

Bref! Ce qui est essentiel, c'est le mouvement qui se dessine, et qui n'a rien perdu de sa verve; c'est le témoignage porté sur le temps; c'est la mise au jour (au jour le jour) d'une pensée politique et littéraire qui est la pensée *avouée* de Maupassant. Je l'ai dit : une double clef. L'auteur s'y dévoile. La fin du siècle s'y contemple. C'est un miroir. Le seul sans doute que Guy de Maupassant pouvait supporter et ne pas détester.

Hubert JUIN.

GUSTAVE FLAUBERT

I

De temps en temps, parmi les écrivains qui laisseront leur nom à la postérité, il s'en trouve qui se font une place spéciale par la perfection et par la rareté de leurs œuvres. D'autres, à côté, produisent abondamment, mêlant le rare au banal, les choses trouvées aux choses communes, et forçant le critique et le lecteur à un travail considérable pour démêler ce qui doit rester de ce qui doit disparaître. Mais eux, par un enfantement laborieux et patient, produisent une œuvre absolue, parfaite dans l'ensemble et dans les détails. Et si tous les ouvrages de ces auteurs n'obtiennent pas auprès du public un succès absolument égal, il y a toujours au moins un de leurs livres qui reste dans l'histoire des lettres avec l'étiquette de chef-d'œuvre, comme ces tableaux des grands maîtres qu'on place au Louvre dans le salon carré.

M. Gustave Flaubert n'a encore produit que quatre livres et tous resteront. Il se peut qu'un seul soit qualifié de chef-d'œuvre, et cependant les autres ne l'auront certes pas moins mérité que celui-là.

Tout le monde a lu *Madame Bovary*, *Salammbô*, *l'Education sentimentale* et *la Tentation de saint Antoine*; tous les journaux ont fait si souvent l'analyse de ces ouvrages que je n'ai point l'intention de la recommencer. Je veux parler d'une manière générale de l'œuvre de

M. Flaubert, et y chercher des choses que tout le public n'y a peut-être pas vues jusqu'à présent.

II

Les gens qui jugent tout sans rien savoir, et qui s'empressent, aussitôt que vient de paraître un livre d'un genre nouveau et inconnu, d'y attacher, comme une pancarte, la bêtise de leur jugement qu'ils croient être éternel, ont proclamé bien haut, à l'apparition de *Madame Bovary,* que M. Flaubert était un réaliste, ce qui, dans leur esprit, signifiait matérialiste.

Depuis il a publié *Salammbô,* un poème antique, et *Saint Antoine,* une quintessence des philosophies; cela ne fait rien; des journalistes compétents l'avaient baptisé matérialiste, et matérialiste il est resté pour les cerveaux rudimentaires des gens bien pensants.

Ce n'est point ici la place de faire l'histoire du roman moderne et d'expliquer toutes les causes de l'émotion profonde soulevée par l'apparition du premier livre de M. Flaubert. Il me suffira de faire ressortir la plus importante.

Depuis l'origine des temps, le public français buvait avec délices l'onctueux sirop des romans invraisemblables. Il aimait les héros et les héroïnes et les choses qu'on ne voit jamais dans la vie, pour l'unique raison qu'elles sont irréalisables. On appelait les auteurs de ces livres des idéalistes, simplement parce qu'ils se tenaient toujours à des distances incommensurables des choses possibles, réelles, matérielles. — Quant à des idées, ils en avaient peut-être encore moins que leurs lecteurs. Balzac est venu, et c'est à peine si on y a fait attention dans le commencement. — C'était pourtant un innovateur étrangement puissant et fertile et un des maîtres de l'avenir, écrivain imparfait, sans doute, gêné par la phrase, mais inventeur de personnages immortels qu'il faisait mouvoir comme dans un grossissement d'optique, les rendant par cela même plus frappants et en quelque sorte plus vrais que la réalité! — *Madame Bovary* paraît, et voilà tout le monde bouleversé. — Pourquoi? Parce que M. Flaubert est un idéaliste, mais aussi et surtout un artiste, et que son livre était cependant un livre vrai; parce que le lecteur, sans s'en rendre compte, sans savoir, sans comprendre, a subi la toute-puissante influence du style, l'illumination de l'art qui éclaire toutes les pages de ce livre.

En effet, la première qualité de M. Flaubert, qui pour moi éclate aux yeux dès qu'on ouvre un de ses ouvrages, c'est la forme; cette chose si rare chez les écrivains et si inaperçue du public; je dis inaperçue, mais sa force irrésistible domine et pénètre ceux qui y croient le moins, comme la chaleur du soleil échauffe un aveugle qui n'en voit cependant point la lumière.

Le public entend généralement par « forme » une certaine sonorité des mots disposés en périodes arrondies, avec des débuts de phrases imposants et des chutes mélodieuses. Aussi ne s'est-il presque jamais douté de l'art immense enfermé dans les livres de M. Flaubert.

Chez lui, la forme c'est l'œuvre elle-même : elle est comme une suite de moules différents qui donnent des contours à l'idée, cette matière dont sont pétris les livres. Elle lui fournit la grâce, la force, la grandeur, toutes ces qualités, qui, pour ainsi dire, dissimulées dans la pensée même, n'apparaissent que par le secours de l'expression. Variable à l'infini comme les sensations, les impressions et les sentiments divers, elle se colle sur eux, inséparable. Elle se plie à toutes leurs manifestations, leur apportant le mot toujours juste et unique, la mesure, le rythme particulier pour chaque circonstance, pour chaque effet, et crée par cette indissoluble union ce que les littérateurs appellent le style, fort différent de celui qu'on admire officiellement.

En effet, on appelle généralement style une forme particulière de phrase propre à chaque écrivain, ainsi qu'un moule uniforme dans lequel il coule toutes les choses qu'il veut exprimer. De cette façon, il y a le style de Pierre, le style de Paul et le style de Jacques.

Flaubert n'a point son style, mais il a le style ; c'est-à-dire que les expressions et la composition qu'il emploie pour formuler une pensée quelconque sont toujours celles qui conviennent *absolument à cette pensée,* son tempérament se manifestant par la justesse et non par la singularité du mot.

III

« Hors le style, point de livre », telle pourrait être sa devise. Il pense, en effet, que la première préoccupation d'un artiste doit être de faire beau ; car, la beauté étant une vérité par elle-même, ce qui est beau est toujours vrai, tandis que ce qui est vrai peut n'être pas toujours beau. Et par beau je n'entends point le beau moral, les nobles sentiments, mais le beau plastique, le seul que connaissent les artistes. Une chose très-laide et répugnante peut, grâce à son interprète, revêtir une beauté indépendante d'elle-même, tandis que la pensée la plus vraie et la plus belle disparaît fatalement dans les laideurs d'une phrase mal faite. Il faut ajouter qu'une partie du public hait jusqu'au mot « forme », comme on hait toujours ce qu'on est incapable de comprendre.

Donc M. Flaubert est avant tout un artiste ; c'est-à-dire : un auteur impersonnel. Je défierais qui que ce fût, après avoir lu tous ses ouvrages, de deviner ce qu'il est dans la vie privée, ce qu'il pense et ce qu'il dit dans ses conversations de chaque jour. On sait ce que devait penser Dickens, ce que devait penser Balzac. Ils apparaissent à tout moment dans leurs livres ; mais vous figurez-vous ce qu'était La Bruyère, ce que pouvait dire le grand Cervantes ? Flaubert n'a jamais écrit les mots *je, moi.* Il ne vient jamais causer avec le public au milieu d'un livre, ou le saluer à la fin, comme un acteur sur la scène, et il ne fait point de préfaces. Il est le montreur de marionnettes humaines qui doivent parler par sa bouche, tandis qu'il ne s'accorde point le droit de penser par la leur; et il ne faut pas qu'on aperçoive les ficelles ou qu'on reconnaisse la voix.

Fils d'Apulée, fils de Rabelais, fils de La Bruyère, fils de Cervantes, frère de Gautier, il a bien moins de parenté avec Balzac, quoi qu'on en ait dit, et encore moins avec le philosophe Stendhal.

Flaubert est l'écrivain de l'art difficile, simple et compliqué en même temps : compliqué par la composition savante, travaillée, qui donne à ses œuvres un caractère frappant d'immutabilité; simple dans l'apparence, tellement simple et naturel qu'un bourgeois, avec l'idée qu'il se fait du style, ne pourra jamais s'écrier en le lisant : « Voilà, ma foi, des phrases bien tournées. »

Il devine juste comme Balzac, il voit juste comme Stendhal et comme bien d'autres; mais il rend plus juste qu'eux, mieux et plus simplement; malgré les prétentions de Stendhal à une simplicité qui n'est en somme que de la sécheresse, et malgré les efforts de Balzac pour bien écrire, efforts qui aboutissent trop souvent à ce débordement d'images fausses, de périphrases inutiles, de relatifs, de « qui », de « que », à cet empêtrement d'un homme qui, ayant cent fois plus de matériaux qu'il n'en faut pour construire une maison, emploie tout parce qu'il ne sait pas choisir, et crée néanmoins une œuvre immense, mais moins belle et moins durable que s'il avait été plus architecte et moins maçon; plus artiste et moins personnel.

L'immense différence qu'il y a entre eux est là en effet tout entière : c'est que Flaubert est un grand artiste et que la plupart des autres n'en sont point. Il est impassible au-dessus des passions qu'il agite. Au lieu de rester au milieu des foules, il s'isole dans une tour pour considérer ce qui se passe sur la terre, et, n'ayant plus la vue bornée par les têtes des hommes, il saisit mieux les ensembles, il a des proportions plus définies, un plan plus ferme, des horizons plus développés.

Lui aussi il construit sa maison, mais il sait les matériaux qu'il doit employer, et il rejette les autres sans hésitations. Aussi son œuvre est-elle absolue, et on n'en pourrait enlever une parcelle sans détruire l'harmonie totale; tandis qu'on peut couper dans Balzac, couper dans Stendhal, couper dans tant d'autres : et bien fin qui s'en apercevrait.

IV

Il ne pense pas, comme quelques-uns, que l'intelligence et l'inspiration, que le hasard et le tempérament suffisent pour faire un livre, que le renseignement soit inutile et la longue recherche méprisable, car il est de la race ancienne des gens qui savaient beaucoup. Au lieu d'ignorer que le monde existait avant 93, et qu'on savait écrire avant 1830, il a médité comme Pantagruel sur tous les docteurs d'autrefois. Il connaît l'histoire mieux qu'un professeur, parce qu'il l'a apprise dans beaucoup de livres où ils ne vont point la chercher; et il a étudié pour ses ouvrages la plupart des sciences, seulement accessibles aux spécialistes. Mieux que les vieux savants courbés, il sait les généalogies des villes mortes et des peuples disparus, avec leurs coutumes, leurs mœurs, les étoffes dont ils se couvraient et les mets bizarres qu'ils mangeaient de préférence. Il possède le Talmud comme un rabbin; les Evangiles comme un prêtre; la Bible comme un protestant; le Coran comme un derviche. Il sait l'enchaînement des croyances, des philosophies, des religions et des hérésies. Il a fouillé toutes les littératures, prenant des notes dans beaucoup de livres inconnus, les uns parce qu'ils sont rares, les autres parce qu'on ne les lit point. Il connaît les écrivains de génie presque ignorés que produisirent les décadences des peuples, les commentateurs et les bibliographes, les libres profanes comme les livres sacrés, les vies des saints, les pères de l'Eglise et les auteurs que les hommes pudiques n'osent pas nommer. Il a rassemblé pour nous les communiquer, dans quelque jour d'indignation et de colère, un volume entier fait avec les fautes des écrivains sans style, les barbarismes des grammairiens, les erreurs des faux savants, toutes les vanités et tous les ridicules qui passèrent inaperçus et dont il soufflettera le monde.

V

Les journalistes ne connaissent pas sa figure.

Il trouve que c'est assez de livrer ses écrits au public et il a toujours tenu sa personne bien loin des popularités, dédaignant la publicité bruyante des feuilles répandues, les réclames officieuses et les exhibitions de photographies aux vitrines des marchands de tabac, à côté d'un criminel fameux, d'un prince quelconque et d'une fille célèbre.

Il n'est guère accessible qu'à un petit nombre d'amis, hommes de lettres, dont il est aimé comme on ne l'est jamais d'un confrère et comme on l'est rarement d'un parent, car il soulève autour de lui les affections profondes. Mais comme il ne livre pas sa personne aux curiosités des foules, avides de regarder aux vitres des hommes connus comme à la cage d'un animal curieux, des légendes circulent autour de sa maison, et il se peut que, chez quelques-uns de ses concitoyens, on l'accuse sérieusement d'avoir mangé du bourgeois, ce qui serait dans tous les cas aussi vrai que le fameux dîner de charcuterie, chez Sainte-Beuve, un vendredi saint, dîner qui, sous la plume de journalistes bien informés, mais surtout bien inspirés, a fini par devenir une intolérable « scie ».

Enfin, pour contenter les gens qui veulent toujours avoir des détails particuliers, je leur dirai qu'il boit, mange et fume absolument comme eux : qu'il est de haute taille, et que, lorsqu'il se promène avec son grand ami Yvan Tourgueneff, ils ont l'air d'une paire de géants.

(*La République des Lettres*, 22 octobre 1876.)

BALZAC D'APRÈS SES LETTRES

Avez-vous quelquefois rêvé que vous parcouriez un pays merveilleux et nouveau; que vous traversiez des villes mortes pleines de surprises, des campagnes pleines de verdure, des cités pleines de peuples inconnus; que des spectacles se déroulaient, et que du haut des montagnes vous aperceviez des lointains que personne n'avait jamais vus?

Telle est l'impression que l'on ressent en ouvrant la correspondance de Balzac, car il n'est point de pays plus magnifique que le cerveau d'un grand écrivain. On se promène à travers la multitude et la variété de ses imaginations, et, comme des paysages inattendus, apparaissent à tout moment les horizons de sa pensée, les surprises et les perspectives de son génie.

Nous avons rencontré dans ce livre tant de choses diverses et curieuses que nous ne pourrions les raconter toutes. Nous ne ferons que les parcourir rapidement, en nous arrêtant de place en place.

Ce qui apparaît d'abord, c'est une bonté immense, un cœur grand, loyal, sans détour, et tendre comme une âme de jeune fille; un esprit naïf et simple.

Avide d'affection, il en demande à tous ceux qui l'entourent et il les aime tellement qu'il nous les fait aimer aussi. C'est d'abord sa sœur, Mme Laure Fréville qu'il nous montre si charmante; puis sa mère, excellente femme, mais qui ne le comprit jamais bien, et le fit souvent souffrir par de mesquines exigences, comme son insistance à recevoir des lettres longues et fréquentes alors que pour sortir des embarras terribles où il était tombé, il travaillait vingt-quatre heures de suite et n'en dormait que cinq. C'est à propos d'elle qu'il écrivait un jour à sa sœur : « Personne ne voudra donc jamais vivre à cette bonne flanquette », et plus tard, « mais dis-lui bien qu'il faut se prêter au bonheur et ne jamais l'effaroucher ». Il ne savait comment leur exprimer les tendresses qui l'étouffaient, et on pourrait faire un recueil des fins de lettres amoureuses qu'il inventa pour elles. Il y trouvait des choses douces et remuantes, et il y avait des emportements de caresses : « Je me jette sur ton cœur... Je baise tes yeux chéris. » Il a traversé des misères atroces et accompli des travaux tels qu'on ne comprend pas comment il les a pu supporter. Il avait toujours besoin d'argent, mais encore plus besoin de temps : « Les jours me fondent dans les mains comme de la glace au soleil », disait-il.

Jamais il ne rêve, il pense. Alors qu'il était jeune, il dit une fois : « Je suis tantôt gai, tantôt rêvassant, il faudra que je me défasse de ma compagnie. » Et il s'en est défait pour toujours. Durant le reste de sa vie, en effet, il a parcouru l'Europe presque tout entière, et il n'y a guère vu ou médité autre chose que les conceptions qu'il portait dans sa tête. Il ne s'attendrit jamais devant une ruine chargée de souvenirs ; devant un coin de bois, un rayon de soleil, une goutte d'eau, comme le fait si bien Mme Sand : il ne s'oublie point en ces superbes tableaux, en ces charmantes descriptions de nature dont est prodigue Théophile Gautier. Plus tard pourtant, il écrivit : « Depuis que je mélancolise, j'ai remarqué que l'âme s'ennuie des figures et qu'un paysage lui laisse bien plus de champ. »

Chez lui tout est cerveau et cœur. Tout passe en dedans ; les choses du dehors l'intéressent peu, et il n'a que des tendances vagues vers la beauté plastique, la forme pure, la signification des choses, cette vie dont les poètes animent la matière ; car il est fort peu poète, quoi qu'il en dise.

Il avoue qu'en visitant la galerie de Dresde, il est resté froid devant les Rubens et les Raphaël, parce qu'il n'avait point dans sa main celle de sa chère comtesse Hanska, qui plus tard devint sa femme.

C'est avant tout un remueur d'idées : un spiritualiste; il le dit, l'affirme et le répète. C'est un inventeur prodigieux bien plus qu'un observateur; seulement il devinait toujours juste. Il concevait d'abord ses personnages tout d'une pièce; puis, des caractères qu'il leur avait donnés il déduisait infailliblement tous les actes qu'ils devaient faire en toutes les occasions de leur vie. Il ne visait qu'à l'âme. L'objet et le fait n'étaient pour lui que des accessoires.

Ecoutons-le parler du rôle de l'écrivain : — « Il faut toujours revenir au beau... A quoi donc servirait l'intelligence, si ce n'est à placer quelque chose de beau sur une roche élevée où rien de matériel et de terrestre ne puisse atteindre. »

Il admire Racine, Voltaire et ses tragédies, Corneille qu'il appelle notre général, Gœthe, et surtout Walter Scott près duquel il trouve que Byron n'est rien ou presque rien. Il met Auguste Barbier et Lamartine au-dessus de Victor Hugo auquel il ne reconnaît que des moments lucides!!!!! Ainsi il est peu sensible à la poésie même, et ne cherche que les idées qui répondent aux siennes, puisqu'il place Racine au même rang que le grand Corneille, qu'il apprécie les tragédies de Voltaire à l'égal des splendeurs de Gœthe, et les poétiques mais ennuyeuses lamentations de Lamartine plus que les poèmes immenses de Victor Hugo.

Ses premières lettres sont pleines d'esprit. Ceci n'en est-il pas? « Nous avons, dit-il, un colonel, qui passe pour une bouteille pleine d'essence de chenapan. » Autre part, comme sa sœur habitait Bayeux et que sa mère le chargeait de s'informer près d'elle quelles toilettes il fallait emporter pour passer quelque temps dans cette ville, il écrivit : « Qu'est-ce que Bayeux? Faut-il y porter des nègres, des équipages, des diamants, des dentelles, des cachemires, de la cavalerie ou de l'infanterie, c'est-à-dire des robes décolletées ou colletées... Sur quelle clé chante-t-on? Sur quel pied danse-t-on? Sur quel bord marche-t-on? Sur quel ton parle-t-on? Quelles personnes voit-on? Tontaine, ton, ton. » Il a ainsi beaucoup de lettres fort amusantes.

Mais l'esprit disparaît bientôt, car la misère et le malheur l'écrasent. « Je n'ai même pas eu de revers, dit-il, j'ai toujours été courbé sous un poids terrible. » — On ne trouve plus dans ses lettres que de la grandeur et de la tendresse.

Il traversa des jours de désespoir, mais son courage surhumain ne l'abandonna jamais tout à fait. Il disait dès sa jeunesse : « Non, maman, je ne fuirai pas ma bonne vache enragée. J'aime ma vache. »

Hélas, sa vache le lui rendit bien.

Il eut cependant, au milieu de ses adversités, toutes les plus douces consolations que pouvait désirer son âme. Elles lui vinrent des femmes, ses fidèles amies. Il était avide de leur tendresse; il la chercha toute sa vie. Presque adolescent encore, il écrivait : « Mon assiette est vide, et j'ai faim. Laure, Laure, mes deux seuls et immenses désirs, être célèbre et être aimé, seront-ils jamais satisfaits. » Puis plus tard : « Me consacrer au bonheur d'une femme est pour moi un rêve perpétuel. » Une autre fois, après une de ces périodes de travail fou qui l'ont tué, lassé d'écrire, il se tournait vers cet amour qu'il appelait sans cesse et il s'écriait : « Vrai, je mérite bien d'avoir une maîtresse; et tous les jours mon chagrin s'accroît de n'en point avoir, parce que l'amour, c'est ma vie et mon essence. »

Il en rêvait, sans fin, et, avec une naïveté d'écolier qui attend le prix du devoir terminé, il le considérait comme la récompense réservée et promise par le ciel à ses labeurs.

Rien de matériel n'entrait dans cette soif de la femme. Il aimait leur cœur, le charme de leur parole, la douceur de leurs consolations, l'abandon un peu tendre de leur commerce, peut-être aussi leurs parfums, la finesse de leurs mains pressées, et cette tiédeur molle qu'elles répandent dans l'atmosphère qui les entoure. Il avait pour elles une tendresse d'enfant malade qui a besoin d'être soigné; il se jetait sur leur affection, l'implorait, s'y réfugiait dans ses tristesses, lorsqu'il était blessé par quelque injustice de ces parisiens « chez qui la moquerie remplace ordinairement la compréhension ». Jamais une pensée charnelle ne lui vint.

Il s'en défend avec violence. « Moi un homme chaste depuis un an..., qui regarde comme entachant tout plaisir qui ne dérive pas de l'âme et qui n'y retourne pas. »

Enfin son vœu le plus ardent fut exaucé. Il aima et fut aimé. Alors ce furent des épanchements sans fin d'adolescent à son premier amour; des débordements de joie infinie; des délicatesses de langage extraordinaires; des quintessences et des puérilités de sentiment. Lorsqu'elle est loin, il hésite à manger les fruits qu'il aime parce qu'il ne veut point goûter un plaisir qu'elle ne partage pas. Lui qui se plaignait si fort de perdre tant de temps aux lettres que réclamait sa mère, passe des nuits entières à écrire à celle qu'il adore, il ne travaille plus et court à la poste à tout moment pour chercher les réponses venues de Russie. Puis, lorsqu'il ne les trouve pas, il a des accès de découragement, presque de folie. Il reste tantôt immobile; tantôt il s'agite sans but, il ne sait que faire, s'irrite et s'exaspère. « Le mouvement le fatigue et le repos l'accable. »

Il lui écrit, dans cet éternel étonnement des amoureux : « Je ne suis pas encore habitué à vous connaître après des années. » Il se plonge dans le souvenir des jours heureux qu'il a écoulés près d'elle. Il ne sait comment exprimer ce qu'il ressent lorsque lui revient la pensée de quelque bonheur lointain. Il s'écrie alors : « Il y a de ces choses du passé qui me font l'effet d'une fleur gigantesque, que vous dirai-je? d'un magnolia qui marche, d'un de ces rêves du jeune âge trop poétiques et trop beaux pour être jamais réalisés. »

Il fut réalisé, son rêve, mais trop tard.

Celle qu'il avait tant aimée et qu'il nous fait tant

admirer put enfin devenir sa femme après des obstacles sans nombre. Une maladie de cœur l'avait miné depuis longtemps. Au lieu de partager les gloires de son mari et de goûter le bonheur que lui promettait son grand amour, Mme Honoré de Balzac n'eut plus qu'un mourant à soigner.

La fin de cette vie est affreuse; il perdit les yeux « ses pauvres yeux, si bons » et ne put que signer sa dernière lettre à Théophile Gautier.

On songe en fermant ce livre à la tristesse des derniers jours de cet homme de génie qui eut à peine le temps de se savoir célèbre, et n'eut pas celui d'être heureux.

(*La Nation*, 22 novembre 1876.)

LES POÈTES FRANÇAIS DU XVIᵉ SIÈCLE

L'éditeur Alphonse Lemerre vient d'augmenter l'admirable collection qui sera pour nos descendants ce que sont aujourd'hui pour nous les Elzévir, du premier livre de Sainte-Beuve, intitulé : « Tableau historique et critique de la poésie française et du théâtre français au XVIᵉ siècle. »

Sainte-Beuve a la gloire d'avoir été, sinon le premier explorateur, du moins le vulgarisateur de l'ancienne poésie française. Jusques à lui on la connaissait à peine, seulement par ouï-dire, et comme on connaît certaines contrées fort éloignées par les récits fantaisistes de voyageurs qui prétendent les avoir parcourues. Mais lui, après y avoir pénétré, l'a ouverte à tout le monde ; il en a fait les honneurs, se déclarant son champion, la réhabilitant du discrédit où Malherbe et Boileau l'avaient jetée, et rompant des lances en sa faveur comme un chevalier pour sa dame.

Aujourd'hui que Villon, Clément Marot, Ronsard et sa pléiade, Magny, Desportes, Bertaut et leurs émules nous sont aussi connus que Chénier, Musset et Victor Hugo, il est curieux de relire l'histoire critique qu'en fait Sainte-Beuve, d'apprécier ses jugements et d'étudier ses conclusions. Comme tout inventeur pour sa découverte, il a peut-être une tendresse trop grande pour notre poésie primitive. Le monde cependant a généralement ratifié son admiration ; mais il est à croire qu'on en reviendra quelque peu.

Il nous introduit dans son étude en nous présentant d'abord le doucereux Charles d'Orléans ; puis Villon, le poète populaire, qu'il appelle fripon et libertin. Un des caractères frappants de l'ancienne poésie française, en effet, est de naître hardie, polissonne, graveleuse et roucoulante. C'est une enfant précoce développée pour la « paillardise » ou une certaine sentimentalité printanière, mais qui ignore le plus souvent l'inspiration élevée, le sentiment vrai et la grandeur. Elle est bouffonne, complimenteuse et gentille, presque jamais belle.

Généralement, à l'origine des littératures, domine une simplicité naïve : chez nous ce fut l'effronterie cynique qui était dans les mœurs. On dirait que notre poésie n'a vu le jour que parce qu'elle prêtait un tour ingénieux aux contes érotiques et à la galanterie ; elle n'est guère sortie de là pendant plus d'un siècle. Sans doute, aussi, les poètes éprouvaient un besoin vague de faire des vers ; pris d'attendrissement devant un beau jour de printemps, ils rimaient interminablement sur des rythmes élégants, une kyrielle de strophes aimables qui n'ont qu'un défaut, celui de finir sans raison, comme elles avaient commencé. En effet, on peut continuer indéfiniment de telles variations ; lorsqu'on a passé en revue toutes les fleurs, les plantes et les arbres, depuis la « rose vermillonnette, nouvelette, l'aubépine et l'églantin et le thym », ainsi que tous les oiseaux à commencer par le « gentil rossignolet, nouvelet », il reste encore à parler d'un nombre de choses incalculable qu'il faudrait des années pour énumérer.

Ces litanies de la nature, jointes à une quantité d'élégances où il est question de l'enfant Amour, de sa mère Vénus, d'Apollo, de Mercure, du temple de Cupido et de toute une allégorie mythologique et surannée depuis l'Antiquité payenne, forment le fond ordinaire de l'*inspiration* poétique de cet âge. Il n'y manque pas une certaine grâce, sans doute, mais cela ne suffit point, et cette littérature n'a qu'un côté vraiment original, c'est l'esprit, le bon mot, la gaillardise,

31

la saillie ingénieuse et gaie. Elle est gauloise et française enfin : notre génération ne l'est peut-être plus assez.

On ne doit pas chercher autre chose chez Clément Marot, auquel Sainte-Beuve lui-même n'accorde qu'une « causerie facile semée de mots vifs et fins, des compliments bien tournés, etc. ». Sa fable du Lion et du Rat est, en ce genre, un vrai bijou.

Avec Joachim du Bellay apparaissent pour la première fois le sentiment et l'émotion vraie. Il précéda Ronsard dans la réforme littéraire, et c'est chez lui qu'on commence à trouver l'image, cette âme de la poésie, qui est le critérium du génie des écrivains.

Sainte-Beuve en cite ce vers pour exemple :

Du cep lascif les longs embrassements

en ajoutant que ses devanciers ne s'en seraient jamais avisés : ce qui est absolument vrai.

Joachim du Bellay employa souvent l'alexandrin, cette forme devenue aujourd'hui si magnifique, méconnue alors et méprisée même par Ronsard, qui l'exclut comme sentant la prose trop facile, comme flasque et manquant de nerf. La cause de cette exclusion est aisée à comprendre. Chez le chef de la Pléiade comme chez ses disciples, le plus souvent, la mignardise remplaçait la grâce, et l'affectation la grandeur, et les vers de dix, de huit syllabes, même de moins, beaucoup plus faciles à faire bons, se prêtaient bien davantage à leur émaillerie poétique.

Chez Ronsard cependant apparaît parfois un talent véritable, exquis, imagé et plein de mouvement.

Ces vers que Sainte-Beuve ne cite pas, ne sont-ils point charmants?

Tel un chevreuil, quand le printemps détruit
Du froid hiver la poignante gelée ;
Pour mieux brouter la feuille emmiellée,
Hors de son bois, avec l'aube, s'enfuit.
Et seul et sûr loin des chiens et du bruit,

Or sur un mont, or dans une vallée,
Or près d'une onde à l'écart recélée,
Libre s'égaye où son pied le conduit.

Le plus grand mérite de ce poète c'est justement le contraire de ce que lui ont reproché Malherbe et Boileau, dont il ne faut pourtant point mépriser la sévérité excessive; ils étaient dans leur rôle de censeurs comme Ronsard est dans son rôle d'écrivain. C'est d'avoir rompu la vieille monotonie du langage, d'avoir innové, osé des mots et des images, enrichi le dictionnaire. Il se trouve toujours des Malherbe qui sont d'utiles et académiques grammairiens; mais ce qui est plus rare et plus désirable, ce sont les grands audacieux, les Ronsard avec du génie!

Les poètes de la Pléiade, Dorat, Amadis Jamyn, Joachim du Bellay, Remi Belleau, Etienne Jodelle, Pontus de Thiard et leurs innombrables disciples, offrent à différents degrés, les mêmes qualités et défauts que leur chef.

Leur école que combattit le joyeux Jean Passerat, en revenant à la vieille gaieté première, était décidément tombée dans l'afféterie la plus absolue, lorsque parut, enfin, un homme débordant d'une inspiration véhémente, satirique terrible et poète superbe par moments, l'ardent Mathurin Régnier. Chez lui, le vers devient roide et vibrant comme la corde tendue d'un arc, et il s'en échappe comme des flèches, des indignations et des violences admirables.

Son image est généralement courte, juste et colorée.

Sainte-Beuve cite ce vers qu'il vante avec raison :

Ainsi que notre poil blanchissent nos désirs.

Régnier attaqua avec tout l'emportement de son libre génie le rigide et méticuleux Malherbe; celui-ci, du reste, eut l'esprit de rendre justice à son rival.

Enfin Malherbe vint et le premier en France
Fit sentir dans les vers une juste cadence,

a dit Boileau.

Sainte-Beuve s'efforce de garder entre les deux écoles un équilibre bien difficile. Son balancier penche tantôt d'un côté et tantôt de l'autre; il s'empresse de reprendre par ici ce qu'il a cédé par là; aussi ne parvient-on guère à dégager nettement sa pensée et on pourrait presque lui reprocher d'être trop impartial.

Peut-être a-t-il, en certaines places, méconnu la question? et, en voulant être absolument juste, finit-il par ne plus l'être? Il compare trop et ne distingue pas assez.

Il énumère tous les bienfaits dont la langue est redevable à Malherbe. Il en cite des enseignements excellents qui touchent par plus d'un endroit à la remarquable poétique de M. Théodore de Banville, tels que celui-ci : « On trouve de plus beaux vers en rapprochant des mots éloignés qu'en joignant ceux qui n'ont quasi qu'une même signification. » Puis il se demande si de semblables hommes ne frappent pas d'impuissance une littérature naissante, en ne lui laissant que cette devise : « Abstiens-toi. » Il lui reproche d'être un arrangeur de syllabes et de n'avoir pas toujours compris ses devanciers.

Tout cela est fort juste sans doute : mais qu'on se dise bien que Malherbe est encore moins un poète que Boileau; qu'il faut lire ses préceptes et non ses œuvres; que c'est un grammairien, un faiseur de prosodies et non un faiseur de vers; et que, malgré sa sévérité exagérée, il a laissé une quantité d'inestimables enseignements. On ne frappe point une langue de stérilité en lui imposant des règles; le génie audacieux et libre saura toujours bien l'en affranchir comme de lisières inutiles; elles ne peuvent gêner que les poètes médiocres en les forçant à devenir supportables.

Sainte-Beuve dit un peu plus loin :

« Le vers, à notre sens, ne se fabrique pas de pièces et

de morceaux plus ou moins adaptés entre eux, mais il s'engendre au sein du génie par une création intime et obscure. — Le génie n'agissant pas toujours avec une force suffisante, il arrive qu'à côté des parties complètes il s'en trouve d'autres ébauchées à peine. »

Non seulement le génie n'agit pas toujours avec une puissance égale, mais il serait ridicule et déplacé d'avoir partout et toujours du génie. Après les passages sublimes qu'il emplit de son souffle, où toutes les hardiesses sont permises, arrivent forcément des périodes de calme et de transition. C'est alors que le poète doit user d'un art suprême pour que ces parties, au lieu d'être ébauchées à peine, comme dit Sainte-Beuve, soient au contraire parfaites, grâce à la science absolue du langage : c'est alors aussi que deviennent nécessaires les préceptes de Malherbe qui enseignent le moyen de suppléer par le talent acquis à l'inspiration défaillante.

Le plus grand reproche qu'on puisse adresser à cet austère pédagogue, c'est que, n'ayant point lui-même de génie, il a tout à fait oublié que d'autres en pouvaient avoir, et que si les lois qu'il établissait étaient une barrière pour la foule, elles ne devaient pas en être une pour ces hommes-là.

Il a presque éteint le rire autour de lui, mais le vieux bon mot spirituel succombait déjà sous les fleurs d'une rhétorique précieuse et fade, et je ne sache pas qu'il ait mis un frein à la formidable gaieté que devait réveiller Molière.

Il a enchaîné les galantes métaphores qui étouffaient la jeune poésie, mais n'a pas arrêté les élans du grand Corneille.

En somme il a entrevu ce que pouvait être le vers, alors que beaucoup ne s'en étaient pas douté ; ce qui n'empêche point qu'il ait été souvent aveugle, qu'il ait manqué de jugement, de grandeur et de compréhension et partagé bien des erreurs. La plus grande qu'on puisse reprocher à presque tous les écrivains de ce temps, c'est d'avoir cru que la poésie se trouvait dans certaines choses à l'exclusion de toutes les autres, ainsi le printemps, la rosée, les fleurs, le soleil, la lune et les étoiles, et encore ne les invoquaient-ils, le plus souvent, que pour faire des comparaisons aux dames; lorsqu'ils abordaient des sujets érotiques, ils se contentaient de les traiter avec esprit, et ne cherchaient point, comme impossible, à en faire jaillir l'inspiration.

La femme a envahi toute cette période littéraire, et son influence y fut néfaste au lieu de s'y montrer créatrice. On croirait presque que la nature ne devenait charitable qu'à cause d'elle, comme cadre de sa beauté et accessoire de sa grâce; et on songe en relisant tant de fadeurs sentimentales, aux beaux vers de Louis Bouilhet :

Je déteste surtout le barde à l'œil humide
Qui regarde une étoile en murmurant un nom,
Et pour qui la nature immense serait vide
S'il ne portait en croupe ou Lisette ou Ninon,
Ces gens-là sont charmants qui se donnent la peine,
Afin qu'on s'intéresse à ce pauvre univers,
D'attacher des jupons aux arbres de la plaine
Et la cornette blanche au front des coteaux verts...

La beauté est en tout, mais il faut savoir l'en faire sortir; le poète véritablement original ira toujours la chercher dans les choses où elle est le plus cachée, plutôt qu'en celles où elle apparaît au-dehors et où chacun peut la cueillir. Il n'y a pas de choses poétiques, comme il n'y a pas de choses qui ne le soient point : car la poésie n'existe en réalité que dans le cerveau de celui qui la voit. Qu'on lise, pour s'en convaincre, la merveilleuse « Charogne » de Baudelaire.

Peut-être notre jugement a-t-il paru bien sévère pour le Parnasse du XVIᵉ siècle.

Voici quelle sera notre excuse.

L'Italie, déjà veuve du Dante, avait le Tasse et l'Arioste; l'Espagne, Lope de Vega; l'Angleterre, le géant des poètes, l'immense, le merveilleux Shakespeare.

Au milieu de cet épanouissement de génies, de cette éclosion de chefs-d'œuvre, à côté de la magnificence des littératures voisines, combien pâles apparaissent les gentillesses printanières, les bouquets galants, les spirituels fabliaux de nos ingénieux tourneurs de vers.

Heureusement pour l'honneur des lettres françaises qu'un homme aussi grand que le Dante, le Tasse ou l'Arioste, profond comme Cervantes et créateur comme Shakespeare s'était levé sur notre pays. En lui le génie national s'incarna pour jusqu'à la fin des siècles : en lui, selon l'expression de Chateaubriand, devait puiser toute notre littérature à venir. Il dressa des héros énormes comme ceux d'Homère et d'une originalité surprenante. Il répandit sur eux, avec un incomparable style, l'esprit le plus prodigieux, une attendrissante simplicité, un savoir universel et toute la sagesse des philosophies.

Comme un vieux colosse inébranlable, il domine toujours notre littérature, et sa renommée grandit encore à mesure que vieillit son œuvre.

Il illumina tout son siècle; et la terre qui enfanta maître François Rabelais n'avait plus rien à envier aux gloires des nations ses rivales.

(*La Nation*, 17 janvier 1877.)

L'INSTRUCTION OBLIGATOIRE

On nous dit : nous avons des écoles dans presque tous les villages et le nombre des enfants inscrits est considérable. Mais l'inscription prouve-t-elle l'assiduité?

Ceux mêmes qui vont à l'école y passent quatre ou cinq semaines d'hiver pour disparaître au printemps et revenir vers l'automne tout aussi ignorants que les premiers jours. Après trois ou quatre ans de cette instruction insuffisante, ils quittent la classe à tout jamais et, ne sachant pas assez lire pour prendre plaisir à un livre, se trouvent au bout de peu de temps aussi illettrés que s'ils n'avaient jamais tenu un alphabet.

Dans beaucoup de maisons de paysans, il n'y a ni plume ni papier, ni crayons ni ardoises.

L'école ne suffit donc pas sans l'enseignement obligatoire, et l'intervention de l'Etat est nécessaire.

Est-elle légitime? N'y a-t-il pas attentat contre la liberté du père de famille, si on le force à envoyer son enfant à l'école? Ce sont les adversaires de la liberté qui presque toujours réclament celle de l'enseignement.

En premier lieu : qui dit Etat constitué dit liberté restreinte. L'Etat surveille la liberté, accomplit ce qu'elle est impuissante à faire; il a une mission et par conséquent un droit. L'Etat porte atteinte à la liberté de posséder par la perception des contributions; il porte atteinte à la liberté individuelle par le service militaire : et personne ne réclame. Il aurait donc le droit d'imposer la caserne et non celui d'imposer l'école? Il donne lui-même l'enseignement, surveille celui qu'il ne donne pas, oblige les communes et les départements à le donner; il n'a plus qu'un pas à faire pour forcer les enfants à le recevoir.

(Texte publié par Pierre Borel,
Le Temps, 27 février 1927.)

LES SOIRÉES DE MÉDAN

COMMENT CE LIVRE A ÉTÉ FAIT

A M. le Directeur du *Gaulois*.

Votre journal fut le premier à annoncer les *Soirées de
Médan,* et vous me demandez aujourd'hui quelques
détails particuliers sur les origines de ce volume. Il vous
paraîtrait intéressant de savoir ce que nous avons
prétendu faire, si nous avons voulu affirmer une idée
d'école et lancer un manifeste.

Je réponds à ces quelques questions.

Nous n'avons pas la prétention d'être une école. Nous
sommes simplement quelques amis, qu'une admiration
commune a fait se rencontrer chez Zola, et qu'ensuite
une affinité de tempéraments, des sentiments très
semblables sur toutes choses, une même tendance
philosophique ont liés de plus en plus.

Quant à moi, qui ne suis encore rien comme
littérateur, comment pourrais-je avoir la prétention
d'appartenir à une école ? J'admire indistinctement tout
ce qui me paraît supérieur, à tous les siècles et dans tous
les genres.

Cependant, il s'est fait évidemment en nous une
réaction inconsciente, fatale, contre l'esprit romantique,
par cette seule raison que les générations littéraires se
suivent et ne se ressemblent pas.

Mais, du reste, ce qui nous choque dans le romantisme, d'où sont sorties d'impérissables œuvres d'art, c'est uniquement son résultat philosophique. Nous nous plaignons de ce que l'œuvre de Hugo ait détruit en partie l'œuvre de Voltaire et de Diderot. Par la sentimentalité ronflante des romantiques, par leur méconnaissance dogmatique du droit et de la logique, le vieux bon sens, la vieille sagesse de Montaigne et de Rabelais ont presque disparu de notre pays. Ils ont substitué l'idée de pardon à l'idée de justice, semant chez nous une sensiblerie miséricordieuse et sentimentale qui a remplacé la raison.

C'est grâce à eux que les salles de théâtre, pleines de messieurs véreux et de filles, ne peuvent tolérer sur la scène un simple fripon. C'est la morale romantique des foules qui force souvent les tribunaux à acquitter des particuliers et des drôlesses attendrissants, mais sans excuse.

J'ai pour les grands maîtres de cette école (puisqu'il s'agit d'école) une admiration sans limites, jointe souvent à une révolte de ma raison; car je trouve que Schopenhauer et Herbert Spencer ont sur la vie beaucoup d'idées plus droites que l'illustre auteur des *Misérables*. — Voilà la seule critique que j'oserais faire, et il ne s'agit pas ici de littérature. — Littérairement, ce qui nous paraît haïssable, ce sont les vieilles orgues de Barbarie larmoyantes, dont Jean-Jacques Rousseau a inventé le mécanisme et dont une suite de romanciers, arrêtée, je l'espère, à M. Feuillet, s'est obstinée à tourner la manivelle, répétant invariablement les mêmes airs langoureux et faux.

Quant aux querelles sur les mots : réalisme et idéalisme, je ne les comprends pas.

Une loi philosophique inflexible nous apprend que nous ne pouvons rien imaginer en dehors de ce qui tombe sous nos sens; et la preuve de cette impuissance, c'est la stupidité des conceptions dites idéales, des paradis inventés par toutes les religions. Nous avons donc ce seul objectif : l'Etre et la Vie, qu'il faut savoir comprendre et interpréter en artiste. Si on n'en donne pas l'expression à la fois exacte et artistiquement supérieure, c'est qu'on n'a pas assez de talent.

Quand un monsieur, qualifié de réaliste, a le souci d'écrire le mieux possible, est sans cesse poursuivi par des préoccupations d'art, c'est, à mon sens, un idéaliste. Quant à celui qui affiche la prétention de faire la vie plus belle que nature, comme si on pouvait l'imaginer autre qu'elle n'est, de mettre du ciel dans ses livres, et qui écrit en « romancier pour les dames », ce n'est, à mon avis du moins, qu'un charlatan ou un imbécile. — J'adore les contes de fées et j'ajoute que ces sortes de conceptions doivent être plus vraisemblables, dans leur domaine particulier, que n'importe quel roman de mœurs de la vie contemporaine.

Voici maintenant quelques notes sur notre volume.

Nous nous trouvions réunis, l'été, chez Zola, dans sa propriété de Médan.

Pendant les longues digestions des longs repas (car nous sommes tous gourmands et gourmets, et Zola mange à lui seul comme trois romanciers ordinaires), nous causions. Il nous racontait ses futurs romans, ses idées littéraires, ses opinions sur toutes choses. Quelquefois il prenait un fusil, qu'il manœuvrait en myope, et tout en parlant, il tirait sur des touffes d'herbes que nous lui affirmions être des oiseaux, s'étonnant considérablement quand il ne retrouvait aucun cadavre.

Certains jours on pêchait à la ligne. Hennique alors se distinguait, au grand désespoir de Zola, qui n'attrapait que des savates.

Moi, je restais étendu dans la barque la *Nana*, ou bien je me baignais pendant des heures, tandis que Paul Alexis rôdait avec des idées grivoises, que Huysmans fumait des cigarettes, et que Céard s'embêtait, trouvant stupide la campagne.

Ainsi se passaient les après-midi; mais, comme les nuits étaient magnifiques, chaudes, pleines d'odeurs de feuilles, nous allions chaque soir nous promener dans la *grande île* en face.

Je passais tout le monde dans la *Nana*.

Or, par une nuit de pleine lune, nous parlions de Mérimée, dont les dames disaient : « Quel charmant conteur! » Huysmans prononça à peu près ces paroles : « Un conteur est un monsieur qui, ne sachant pas écrire, débite prétentieusement des balivernes. »

On en vint à parcourir tous les conteurs célèbres et à vanter les raconteurs de vive voix, dont le plus merveilleux, à notre connaissance, est le grand Russe Tourgueneff, ce maître presque français; Paul Alexis prétendait qu'un conte écrit est très difficile à faire. Céard, un sceptique, regardant la lune, murmura : « Voici un beau décor romantique, on devrait l'utiliser... » Huysmans ajouta : « ... en racontant des histoires de sentiment ». Mais Zola trouva que c'était une idée, qu'il fallait se dire des histoires. L'invention nous fit rire, et on convint, pour augmenter la difficulté, que le cadre choisi par le premier serait conservé par les autres, qui y placeraient des aventures différentes.

On alla s'asseoir, et, dans le grand repos des champs assoupis, sous la lumière éclatante de la lune, Zola nous dit cette terrible page de l'histoire sinistre des guerres, qui s'appelle l'*Attaque du Moulin*.

Quand il eut fini, chacun s'écria : « Il faut écrire cela bien vite. »

Lui se mit à rire : « C'est fait. »

Ce fut mon tour le lendemain.

Huysmans, le jour suivant, nous amusa beaucoup avec le récit des misères d'un mobile sans enthousiasme.

Céard, nous redisant le siège de Paris, avec des explications nouvelles, déroula une histoire pleine de philosophie, toujours vraisemblable sinon vraie, mais toujours réelle depuis le vieux poème d'Homère. Car si la femme inspire éternellement des sottises aux hommes, les guerriers, qu'elle favorise plus spécialement de son intérêt, en souffrent nécessairement plus que d'autres.

Hennique nous démontra encore une fois que les hommes, souvent intelligents et raisonnables, pris isolément, deviennent infailliblement des brutes, quand ils sont en nombre. — C'est ce qu'on pourrait appeler :

l'ivresse des foules. — Je ne sais rien de plus drôle et de plus horrible en même temps que le siège de cette maison publique et le massacre des pauvres filles.

Mais Paul Alexis nous fit attendre quatre jours, ne trouvant pas de sujet. Il voulait nous raconter des histoires de Prussiens souillant des cadavres. Notre exaspération le fit taire, et il finit par imaginer l'amusante anecdote d'une grande dame allant ramasser son mari mort sur un champ de bataille et se laissant « attendrir » par un pauvre soldat blessé. — Et ce soldat était un prêtre.

Zola trouva ces récits curieux et nous proposa d'en faire un livre.

Voilà, Monsieur le directeur, quelques notes, vite griffonnées, mais contenant, je pense, tous les détails qui peuvent vous intéresser.

Veuillez agréer, avec mes remerciements pour votre bienveillance, l'assurance de mes sentiments les plus dévoués.

(*Le Gaulois*, 17 avril 1880.)

ÉTRETAT

Quand, sur une plage pleine de soleil, la vague rapide roule les fins galets, un bruit charmant, sec comme le déchirement d'une toile, joyeux comme un rire et cadencé, court par toute la longueur de la rive, voltige au bord de l'écume, semble danser, s'arrête une seconde, puis recommence avec chaque retour du flot. Ce petit nom d'Etretat, nerveux et sautillant, sonore et gai, ne semble-t-il pas né de ce bruit de galets roulés par les vagues?

La plage dont la beauté célèbre a été si souvent illustrée par les peintres, semble un décor de féerie avec ses deux merveilleuses déchirures de falaise qu'on nomme les *Portes*. Elle s'étend en amphithéâtre régulier dont le Casino occupe le centre; et le village, une poignée de maisons plantées dans tous les sens, tournant leurs faces de tous les côtés, maniérées, irrégulières et drôles, paraît jeté du ciel par la main de quelque semeur et avoir pris racine au hasard de la chute. Poussé aux bords des flots, il ferme l'extrémité d'une adorable vallée aux lointains ondoyants et dont les collines, de chaque côté, sont criblées de chalets disparaissant sous les arbres de leurs jardins.

Aux environs, de petits vallons sans nombre, des ravins sauvages pleins de bruyères et d'ajoncs s'étendent dans tous les sens; et souvent, au détour d'un sentier, on aperçoit là-bas, dans une échancrure profonde, la vaste mer bleue, éclatante de lumière, avec une voile blanche à l'horizon.

On marche dans la senteur des côtes marines, fouetté par l'air léger du large, l'esprit perdu, le corps heureux de toutes ces sensations fraîches, quand des rires vous font tourner la tête ; et des femmes élégantes, à la taille mince, au grand chapeau de paille tombant sur les yeux, semant dans la brise saine leurs parfums troublants de Parisiennes, passent, joyeuses, à vos côtés.

N'allez point croire toutefois, ô jeunes gens frivoles qui, poursuivant Vénus jusqu'à son flot natal, ne recherchez dans les stations balnéaires qu'aventures galantes et liaisons éphémères, qu'Etretat soit pour vous un Eldorado.

Sans doute l'amour tient, comme partout, une large place sur le rivage coquet d'Etretat ; et, si le docteur de Miramont, l'aimable médecin des bains, garde sur sa figure malicieuse un sourire que rien n'efface, cela tient, assure-t-on, aux confidences que lui font certaines de ses belles clientes.

Mais le scandale est à peu près inconnu sur les rivages que découvrit Alphonse Karr, et, s'il arrive qu'un Lovelace havrais ou fécampois trouve, par grande fortune, le placement de ses séductions semi-rurales, le pays tout entier s'en émeut et les conversations en sont défrayées pour la saison.

Etretat est un terrain mixte où l'artiste et le bourgeois, ces ennemis séculaires, se rencontrent et s'unissent contre l'invasion de la basse gomme et du monde *fractionné*.

Offenbach, Faure, Lourdel, les peintres Landelle, Merle, Fuhel, Ollivier, Lepoitevin, etc., etc., y possèdent de charmantes villas où leurs familles et quelquefois eux-mêmes s'installent à la première feuille nouvelle, pour ne s'en aller qu'à la première gelée.

***

La vie s'y écoule doucement, sans émotions vives et sans incidents dramatiques.

46

Les propriétaires descendent à la mer invariablement tous les matins (le ciel le permettant), vers dix heures.

Les hommes vont au Casino, lisent les journaux, jouent au billard ou fument sur la terrasse. Les femmes préfèrent la plage, dure, caillouteuse, mais par cela même toujours sèche et propre, et travaillent à l'abri d'une tente de toile, ou le plus souvent enfouies dans ces horribles paniers qui rappellent, en fort laid, les antiques tonneaux des ravaudeuses.

Autour des dames et à leurs pieds, les hommes que n'absorbe pas le Casino s'assoient ou se couchent sur le galet, lorsque leur âge le leur permet, et les conversations s'engagent et se poursuivent jusqu'à onze heures et demie.

Entre les groupes, quelques personnages plus mûrs, qui craindraient d'accuser leur âge en s'affaissant sur une chaise, se tiennent debout, jetant sur de plus souples un regard chargé d'envie et n'osant s'aventurer sur le galet roulant. Le tout aimable Paccini, vif comme un écureuil, entreprenant tout comme s'il souhaitait des conquêtes, sourit, salue, complimente, admire, à droite, à gauche, au nord, au midi, sans préférence et sans choix.

Chacun le croit son ami le plus cher, et chaque femme entretient tout au fond de son cœur un petit sentiment d'affectueuse compassion pour cet amoureux respectueux et discret qui l'a distinguée... au même titre que toutes les autres.

Et cependant Paccini n'est point banal, il sait, autant que le comporte sa nature bienveillante, haïr ses ennemis; il a, comme les mortels moins doués, des sympathies et des antipathies. Tout d'abord, et pour ne point se tromper, il improvise un quatrain flatteur à l'intention de chaque baigneur et de chaque baigneuse; ces quatrains-là sont copiés à profusion, répandus dans les châteaux, les chaumières et les cabines, publiés si besoin est, par le tambour de la localité. Puis, il fait un triage, classe à part ceux qu'il n'aime point et leur dédie de nouveaux quatrains, ceux-là perfides et malfaisants, et qui ne sont lus qu'en petit comité.

Au fond, il préfère tout le monde; mais il n'aime que son excellente et digne femme.

Mme M... qui a eu la triste fortune de lui inspirer un quatrain seconde manière, est l'une des physionomies de cette aimable plage.

Grande, brune à l'excès, le nez busqué, fuyant par une chute rapide sous un binocle impérieux, Mme M... a certains amis dévoués que lui vaut son cœur excellent, et bon nombre d'ennemis qu'elle doit à son esprit caustique.

Jadis reine municipale de ce petit bourg, elle dominait dans le conseil et à la mairie; améliorant, réformant, modifiant, transformant, luttant héroïquement contre la routine, tandis que son mari, architecte de grand mérite et homme d'esprit par surcroît, traçait le plan d'un Etretat nouveau, fait de marbre et de porphyre.

Hélas nous vivons en des temps où les gouvernements les mieux intentionnés succombent sous l'ingratitude de leurs administrés. M. M... n'est plus maire; Mme M... conserve dans sa retraite cette austère majesté qui n'appartient qu'aux souveraines déchues.

Elle n'aime point les femmes et ne s'en cache guère. Républicaine, cela va sans dire, elle fréquentait l'Olympe du faubourg Saint-Honoré et s'y trouvait comme chez elle.

Mme Grévy n'avait pas de secret pour Mme M..., et ses conseils étaient fort écoutés.

Toutefois elle paraît dégoûtée de la politique et ne parle de l'Elysée qu'avec une extrême réserve.

Son chalet, que presse amoureusement la maison de Faure, est de bonne construction, à la fois élégante et solide, mais de style inconnu. Une ombre de gothique, une terrasse à l'italienne, une charpente suisse, le tout est d'un joli effet, et commode, contrairement à l'usage.

La maison Faure, la maison Desfossés — d'aimables Parisiens devenus riches par la grâce du *Petit Journal* et de l'intelligence — ont, si je ne me trompe, même origine, et par conséquent, un air de famille très prononcé. Toutes trois sont sur la plage, à la porte même du Casino.

Les propriétaires qui habitent la côte de Fécamp sont relativement assez loin de la mer ; aussi, pour la plupart, ils s'y rendent ou tout au moins en reviennent en voiture.

Offenbach est le premier occupant : villa superbe, le plus grand et le plus beau salon d'Etretat. Petit salon peint par Benedict-Masson, cabinet de travail boisé jusqu'au plafond, grande cheminée en chêne sculpté, sur laquelle se détachent en plein bois un violon, une flûte et un cahier de musique tout grand ouvert ; un motif d'*Orphée aux Enfers* et la *Chanson de Fortunio,* burinés au poinçon.

Un peu plus loin, sur la côte, l'imposant castel du prince Lubomirski ; plus haut, presque sur la crête de la falaise, une tour crénelée, ruine moderne, édifiée par Dollingen, un courtier d'annonces qui fut homme de lettres à ses heures.

Dollingen était fier de son castel ; il avait hissé sur sa plateforme un canon que l'on tirait lorsque le maître arrivait de Paris ; au canon il ajouta bientôt une bannière féodale, puis une potence à laquelle il attacha un squelette humain. Du coup, l'autorité locale intervint et un arrêté motivé de M. le maire supprima potence, bannière et canon.

Dollingen ne s'en put consoler. Il vendit son château-fort moyennant une rente viagère de vingt-cinq mille francs, et mourut trois mois après.

***

A quatre heures de l'après-midi, on redescend à la plage. Même tableau que le matin.

A six heures et demie, on rentre pour dîner, et le soir, si l'air est pur, le temps clair, on va rêver une heure ou deux au Casino ou sur le galet.

Outre *les propriétaires,* il y a une population flottante

assez considérable à Etretat. Cette population se répartit entre les trois principaux hôtels du pays : l'hôtel Blanquet, l'hôtel Hauville et l'hôtel des Bains.

L'hôtel Blanquet est le mieux situé et par conséquent le plus fréquenté.

De son vivant le père Blanquet était l'ami de ses clients. Alphonse Karr le tenait en estime particulière, et lui avait donné son portrait avec une affectueuse dédicace. Lepoitevin lui avait brossé son enseigne, qui représentait la plage avec les baigneurs et les *caloges* échoués, grands bateaux de pêche hors de service.

La maison est aujourd'hui dirigée par Mme Blanquet, qui a soigneusement retiré de la façade, où elle s'écaillait, l'enseigne de Lepoitevin, et l'a remplacée par une copie, d'ailleurs fort exacte, et que les habitués admirent de confiance.

La vie d'hôtel est, à Etretat, ce qu'elle est partout. On déjeune et dîne aux mêmes heures et la table d'hôte est conforme au modèle banal.

Une scène quasi-tragique a cependant troublé le calme habituel de la maison Blanquet au début de la saison, et je ne résiste pas au désir de vous la conter.

Il y a quelques mois, une *isolée*, jeune, jolie, mise excentrique et accent étranger, descendit à l'hôtel et demanda une chambre sur la mer.

Mme Blanquet flairait une aventure et s'apprêtait à lui refuser l'hospitalité, lorsque l'étrangère annonça la prochaine arrivée de son mari.

On s'inclina.

Cependant les jours s'écoulaient et le mari n'arrivait pas. Mme Blanquet, de plus en plus soupçonneuse, signifia à sa locataire qu'elle eût à changer de domicile, ajoutant qu'elle avait loué sa chambre à un client.

L'étrangère réclame, proteste, s'emporte ; mais la sévère Mme Blanquet se montre inflexible, et il fallut changer de logis.

Cette nuit-là, précisément, le mari si souvent annoncé arrivait enfin. Il demande la chambre n° 4 (celle que sa femme habitait la veille encore) ; on la lui désigne. Il aperçoit une paire de bottes; frappe violemment à la porte; le nouveau locataire se réveille, ouvre tout endormi, et reçoit une maîtresse paire de gifles, bientôt suivie d'une volée de coups de canne.

Grande rumeur; tout l'hôtel se réveille; on se précipite sur le forcené, qui s'obstinait à vouloir tuer l'inconnu rencontré dans la chambre de sa femme.

Bref, on s'explique; le mari jaloux se confond en excuses un peu tardives, et le monsieur se recouche sans avoir bien compris le sens, le motif et la raison déterminante de la tripotée qu'il venait de recevoir.

Avant de raconter les anecdotes qui courent, terminons en peu de mots la galerie des célébrités. On rencontre chaque jour sur la terrasse MM. Lehmann, Paccini, Vizentini, Aaron, Nozal (un jeune peintre en train de devenir un grand peintre), Vrignault, Brizard (un homme aimable surnommé l'ami des artistes), et un autre homme, également aimable, M. Mathis, surnommé l'ami des... actrices.

Mlle Dica-Petit promenait la semaine dernière sa royale beauté sur les galets de la plage.

Enfin, pour la joie des spectateurs, un groupe d'anciens beaux, à la moustache teinte, piliers du skating et des Folies-Bergère, rôdent autour de vertus faciles, avec leurs figures grimaçantes de vieux polichinelles obscènes.

La jeunesse gaie est dignement représentée par une bande de joyeux garçons, presque tous artistes. Les peintres Georges Merle, Larcher, Lepoitevin et leur ami, fils de peintre aussi, Armand Ytasse, tirent de bruyants feux d'artifice et promènent à travers le pays des retraites aux flambeaux qui font apparaître aux fenêtres des têtes indigènes en bonnet de coton.

Passons maintenant aux anecdotes.

Un homme, illustre depuis peu, un de ceux qu'autrefois on qualifiait d' « Excellence », M. Constans, « puisqu'il faut l'appeler par son nom », a honoré le pays d'une courte visite. Or, voici ce qu'on raconte. Est-ce vrai? Mme Constans (qui a laissé d'ailleurs les meilleurs souvenirs ici) s'en fut au Havre chercher son puissant époux. Il faisait fort chaud ce jour-là, et, lorsqu'ils firent dans Etretat leur entrée, que M. le ministre s'imaginait devoir être triomphale, beaucoup de messieurs, exténués par la chaleur, marchaient péniblement, leurs coiffures à la main.

« Des têtes nues! s'écrie M. Constans; c'est pour moi, cela. » Et il salue à droite, il salue à gauche, il s'incline, il sourit, se casse les reins, envoie des baisers avec les doigts à la population stupéfaite.

Le soir, il entre au Casino, attendant une ovation. — Rien! — on a l'air de ne plus le connaître. Il se dit: « C'est une cabale! » et cherche le Ribourt de l'endroit. Pas le moindre Ribourt visible. Il rentre furieux et se couche, après avoir télégraphié à M. Andrieux de lui envoyer ses meilleurs limiers. Vinrent-ils? On l'ignore, bien entendu. Toujours est-il que notre *dirigeant* partit deux jours plus tard, et c'est alors seulement que les habitants du pays apprirent sa présence parmi eux.

Autre racontar. Toujours S.G.D.G.

Mme Constans a des bonnes — qui n'en a pas? Mais, pénétrée de sentiments démocratiques, Mme Constans ne veut pas s'amuser toute seule pendant que ses bonnes lavent la vaisselle. Donc elle leur dit, un soir de spectacle au Casino: « Mes chères subordonnées, vous allez vous mettre sur votre trente-un, et je vous paye, oui je vous paye la représentation. »

On lâche l'argenterie à moitié faite, et on se frotte les mains au lieu d'essuyer les assiettes; puis on part, comme un régiment, « colonel », c'est-à-dire « maîtresse » en tête. On entre, on s'installe. Mais un surveillant de la salle, voyant les demoiselles de l'antichambre porter des manteaux sur leurs bras, s'approche sournoisement, leur demande leur profession, et, l'ayant apprise, exhibe le règlement. Il est formel, ce règlement tyrannique, dernier débris des monarchies passées: « Les domestiques, sous aucun prétexte, ne peuvent entrer dans la salle. » — Et l'on expulse les pauvres filles comme de simples Jésuites.

Une nouvelle pour finir :

La vieille église d'Etretat, un bijou roman, possède un orgue essoufflé, languissant, dur de touches et quasi aphone.

La colonie artistique d'Etretat a décidé de le remplacer au moyen d'une souscription. Faure, le grand chanteur, s'est mis à la tête du mouvement et l'on annonce pour le dimanche 21 un concert spirituel dans l'église même.

Faure chantera, et aussi Mlle de Miramont, une artiste de beaucoup de mérite, et qui devrait bien se décider à entrer hardiment au théâtre.

Le fils d'Offenbach, Auguste Offenbach, un jeune virtuose qui pourrait bien devenir un maestro malgré père et mère, fera entendre les derniers soupirs de l'orgue ancien, au profit de l'orgue nouveau.

Les places coûtent 20 et 30 francs.

Il est déjà presque impossible de s'en procurer.

Sur quoi je signe

CHAUDRONS DU DIABLE. (*Le Gaulois*, 20 août 1880.)

SOUVENIRS D'UN AN

Un après-midi chez Gustave Flaubert

C'est en 1879, au mois de juillet, un dimanche, vers une heure de l'après-midi, dans un appartement au cinquième étage, rue du Faubourg-Saint-Honoré.

Sur la cheminée, un Bouddha doré, dans son immobilité divine et séculaire, regarde avec ses yeux longs. Rien sur les murs, sauf une très belle photographie d'une Vierge de Raphaël et un buste de femme en marbre blanc. A travers les rideaux de toile à ramages et à fleurs, le dur soleil d'un jour d'été envoie sur le tapis rouge une lumière tamisée et lourde. Un homme écrit sur une table ronde.

Dans un fauteuil de chêne à haut dossier, il est assis, enfoncé, la tête rentrée entre ses fortes épaules; et une petite calotte en soie noire, pareille à celles des ecclésiastiques, couvrant le sommet du crâne, laisse échapper de longues mèches de cheveux gris, bouclés par le bout et répandus sur le dos. Une vaste robe de chambre en drap brun semble l'envelopper tout entier, et sa figure, que coupe une forte moustache blanche aux bouts tombants, est penchée sur le papier. Il le fixe, le parcourt sans cesse de sa pupille aiguë, toute petite, qui pique d'un point noir toujours mobile deux grands yeux bleus ombragés de cils longs et sombres.

Il travaille avec une obstination féroce, écrit, rature, recommence, surcharge les lignes, emplit les marges, trace des mots en travers, et sous la fatigue de son cerveau il geint comme un scieur de long.

Quelquefois, jetant dans un grand plat de cuivre oriental, rempli de plumes d'oie soigneusement taillées, la plume qu'il tient à la main, il prend sa feuille de papier, l'élève à la hauteur du regard, et, s'appuyant sur un coude, déclame d'une voix mordante et haute. Il écoute le rythme de sa prose, s'arrête comme pour saisir une sonorité fuyante, combine les tons, éloigne les assonances, dispose les virgules avec science, comme les haltes d'un long chemin : car les arrêts de sa pensée, correspondant aux membres de sa phrase, doivent être en même temps les repos nécessaires à la respiration. Mille préoccupations l'obsèdent. Il condense quatre pages en dix lignes; et la joue enflée, le front rouge, tendant ses muscles comme un athlète qui lutte, il se bat désespérément contre l'idée, la saisit, l'étreint, la subjugue, et peu à peu, avec des efforts surhumains, il l'encage, comme une bête captive, dans une forme solide et précise. Jamais labeur plus formidable n'a été accompli par les hercules légendaires, et jamais œuvres plus impérissables n'ont été laissées par ces héroïques travailleurs, car elles s'appellent, ses œuvres à lui, *Madame Bovary, Salammbô, L'Education sentimentale, La Tentation de saint Antoine, Trois Contes* et *Bouvard et Pécuchet,* qu'on connaîtra dans quelques mois.

Mais un timbre a sonné dans le vestibule; il se lève, et, poussant un profond soupir, il couvre sa table, où sa pensée est éparse dans vingt feuilles noires d'écriture, en étendant dessus, ainsi qu'une nappe, un léger tapis de soie ponceau qui enveloppe d'un seul coup tous les outils de son travail, sacrés pour lui, comme les objets du culte pour un prêtre.

Puis il se dirige vers l'antichambre.

Debout, c'est un géant, avec la physionomie d'un

vieux Gaulois selon le type adopté par les peintres. De son cou jusqu'à ses pieds tombe droit un vaste vêtement brun aux larges manches, d'une forme spéciale adoptée par lui ; et, dans chaque jambe de sa culotte, en drap pareil, serrée à la ceinture par une cordelière à glands rouges qu'il renoue souvent, on pourrait tailler une redingote pour un monsieur de taille commune.

Il pousse un cri de joie sitôt qu'il a ouvert la porte, lève les bras comme un immense oiseau étendrait les ailes, et donne l'accolade à un autre géant qui sourit dans sa barbe blanche. Il a, celui-là, une tête plus douce et neigeuse comme celle des Pères Eternels dont on orne les églises. Il est plus grand encore, et sa voix, d'un timbre affaibli, caressante, presque timide, hésite parfois dans la recherche du mot, qui vient ensuite, avec une étonnante justesse. C'est un Russe, et un illustre aussi, un adorable et puissant romancier, un des maîtres écrivains du monde actuel, Ivan Tourgueneff.

Ils s'aiment, ces deux hommes, d'une amitié frater- nelle, ils s'aiment par la sympathie du génie, pour leur science universelle, pour les habitudes communes de leurs esprits, leurs admirations qui sont les mêmes, et peut-être aussi par une sorte d'accordance physique, parce qu'ils sont si grands tous les deux.

Quand l'un s'est assis dans un fauteuil, et l'autre étendu sur un divan couvert de cuir rouge, ils se mettent à parler littérature. Et peu à peu se déroule entre eux toute l'histoire de la cervelle humaine depuis que l'homme a su fixer sa parole. Leur conversation, où un mot appelle un fait, un fait une pensée, une pensée une loi, va sans cesse (marque des puissants esprits) de l'anecdote à l'idée générale ; et il ne se passe pas cinq minutes sans que la plus insignifiante des nouvelles arrive, par l'enchaînement des déductions, à soulever quelque question profonde. Ils causent ensuite d'art et de philosophie, de science et d'histoire, et, leur prodi- gieuse lecture leur donnant une vue d'ensemble sur les temps écoulés, ils ne considèrent l'actualité que comme point de comparaison avec les époques finies ; et ils restent toujours enveloppés dans l'idée, comme les sommets dans les nuages.

* * *

Mais le timbre encore une fois résonne, et un homme jeune, de petite taille et noir comme un Bohémien, vient s'asseoir entre ces deux colosses. Sa tête jolie, très fine, est couverte d'un flot de cheveux d'ébène qui descendent sur les épaules, se mêlant à la barbe frisée dont il roule souvent les pointes aiguës. L'œil, longuement fendu, mais peu ouvert, laisse passer un regard noir comme de l'encre, vague quelquefois, par suite d'une myopie excessive. Sa voix chante un peu ; il a le geste vif, l'allure mobile, tous les signes d'un fils du Midi. Il entre comme un coup de soleil et sous sa parole rapide des rires éclatent.

Railleur et mordant, traçant en quelques mots des silhouettes follement drôles, promenant sur tous son ironie charmante, méridionale et personnelle, Alphonse Daudet apporte comme une senteur de Paris, du Paris vivant, viveur, remuant et élégant, du Paris du jour même, à ces deux grands qui subissent le charme de sa verve éloquente, la séduction de sa figure et de son geste, et la science de ses récits toujours composés comme des contes en volume.

Mais Zola, essoufflé par les cinq étages, et suivi de Paul Alexis, vient de paraître à son tour. La profonde affection qu'il inspire au maître du logis se montre dans l'accueil. Ce n'est point seulement une haute estime pour le puissant romancier, c'est un élan cordial, une amitié vive pour l'homme sincère et droit qui apparaît dans le « Bonjour, mon bon ! » et dans la main largement tendue.

Il se jette, toujours soufflant, dans un fauteuil, et son regard observateur cherche sur les figures l'état des pensées, le ton des conversations. Assis un peu de côté, une jambe sous lui, tenant sa cheville dans sa main, et parlant peu, il écoute attentivement. Quelquefois, quand un enthousiasme littéraire, une griserie d'artistes emporte les causeurs et les lance en ces théories excessives, charmantes et paradoxales, si chères aux hommes de 1830, il devient inquiet, remue la jambe, place de temps en temps un « mais... » étouffé dans les grands éclats de Flaubert ; puis, quand la poussée lyrique de ses amis se calme un peu, il reprend tout doucement la discussion, et, tranquillement, se servant de sa raison comme on fait d'une hache à travers les forêts vierges, il argumente sobrement, sans *emballage*, d'une façon sage et juste presque toujours.

D'autres arrivent : Edmond de Goncourt, avec de longs cheveux grisâtres, comme décolorés, une moustache un peu plus blanche et des yeux singuliers, envahis par une pupille énorme. Grand seigneur marqué du XVIIIe siècle, qu'il a si passionnément étudié, fin de la tête aux pieds, nerveux comme son style, gardant une allure si haute que les valets par instinct doivent lui dire : « Monsieur le duc », simple cependant et simplement vêtu, il entre, tenant à la main un paquet de tabac spécial qu'il emporte partout avec lui, tandis qu'il tend à ses amis son autre main, restée libre. Il vient tard, habitant loin ; et derrière lui, souvent, paraît Philippe Burty, bibelotier comme Goncourt, le premier *japoniste* de France, maître connaisseur en tous les arts, portant sur un gros ventre une tête aimable et rusée.

Un rire a retenti dans l'antichambre. Une voix jeune parle haut : et chacun sourit, la reconnaissant. La porte s'ouvre, il paraît. Sans quelques cheveux blancs mêlés à ses longs cheveux noirs, on le prendrait pour un adolescent. Il est mince et joli garçon, avec un menton légèrement pointu, nuancé de bleu par une barbe drue et soigneusement rasée. Très élégant, créé pour le mot *sympathique*, à moins que le mot n'ait été inventé pour lui, l'éditeur Charpentier s'avance. Son entrée fait toujours sensation ; car tous ont à lui parler, tous ont des recommandations à lui faire, tous publiant leurs livres chez lui. Il sourit sans cesse, en joyeux sceptique, fait semblant d'écouter, promet tout ce qu'on veut,

accepte un volume qu'il n'éditera pas, suit ce qu'on dit...
à l'autre bout du salon; puis s'assied, fumant un cigare
qui l'absorbe bientôt tout entier. Mais, quand la porte
s'ouvre de nouveau, il tressaille comme s'il s'éveillait.
C'est Bergerat, son « complice », rédacteur en chef de la
Vie moderne, Bergerat lui-même, gendre du grand Théo.
Or, aussitôt derrière lui son beau-frère, mince et blond,
avec une figure de Christ, le charmant poète Catulle
Mendès, séduisant toujours et souriant, prend les deux
mains de Flaubert. Puis il va causer dans un coin, tantôt
avec l'un, tantôt avec l'autre, tandis que dans un autre
coin, tantôt avec l'un, tantôt avec l'autre, cause Bergerat, son beau-frère.

L'académicien Taine, les cheveux collés sur la tête,
l'allure hésitante, le regard caché derrière ses lunettes à
la façon des gens habitués à *observer en dedans,* à lire de
l'histoire, à analyser dans les livres plutôt que dans
l'humanité même, apporte une odeur d'archives
remuées, de *documents inédits* qu'il vient de fouiller pour
compléter son précieux travail sur la Société française;
et il déroule des anecdotes ignorées, il raconte de menus
faits où tous les hommes de la Révolution, qu'on nous
habitue à voir grands, sublimes, selon les uns, hideux,
selon les autres, mais toujours grands, nous apparaissent avec toutes leurs faiblesses, leurs étroitesses
d'esprit, leur insuffisance de vue, leurs travers mesquins
et vils; et il recompose les larges événements avec mille
détails infimes comme avec des mosaïques on peut
composer un décor qui produira beaucoup d'effet.

Voici le vieux camarade de Flaubert, Frédéric Bau-
dry, membre de l'Institut, administrateur de la Bibliothèque Mazarine, saturé d'idiomes barbares et de
grammaire comparée, gonflé d'érudition, parlant du
verbe comme d'un personnage historique, et spirituel
toujours.

Voici l'intime ami Georges Pouchet, le savant professeur du Muséum, qu'on prendrait plus volontiers, dans
la rue, pour un jeune officier de cavalerie sans uniforme.

Puis, tous ensemble, ceux que Flaubert appelle ses

jeunes gens, ceux qui l'aiment le plus, peut-être, et que le public, toujours subtil, classe en bloc sous l'étiquette de « naturalistes » : Céard, Huysmans, Léon Hennique. Puis, d'autres romanciers : Marius Roux, Gustave Toudouze, etc.

Le petit salon déborde. Des groupes passent dans la salle à manger.

Et c'est à ce moment surtout qu'il fallait voir Gustave Flaubert.

Avec des gestes larges, où il paraissait s'envoler, allant de l'un à l'autre d'un seul pas qui traversait l'appartement, sa longue robe de chambre gonflée derrière lui dans ses brusques élans, comme la voile brune d'une barque de pêche, plein d'exaltations, d'indignations, de flamme véhémente, d'éloquence retentissante, il amusait par ses emportements, charmait par sa bonhomie, stupéfiait souvent par son érudition prodigieuse que servait une mémoire fantastique, terminait une discussion d'un mot clair et profond, parcourait les siècles d'un bond de sa pensée pour rapprocher deux faits de même ordre, deux hommes de même race, deux enseignements de même nature, d'où il faisait jaillir une lumière comme lorsqu'on heurte deux pierres pareilles.

Puis ses amis partaient l'un après l'autre. Il les accompagnait dans l'antichambre où il causait un moment seul avec chacun, serrant les mains vigoureusement, tapant sur les épaules avec un bon rire affectueux. Et, quand Zola était sorti le dernier, toujours suivi de Paul Alexis, il dormait une heure sur son large canapé, avant de passer son habit noir pour aller dîner chez sa grande amie, Mme la princesse Mathilde.

(*Le Gaulois*, 23 août 1880.)

GUSTAVE FLAUBERT
D'APRÈS SES LETTRES

Personne ne·porta plus loin que Gustave Flaubert le respect de son art et le sentiment de la dignité littéraire. Une seule passion, l'amour des lettres, a empli sa vie jusqu'à son dernier jour. Il les aima furieusement, d'une façon absolue, sans rivale, et cette tendresse d'homme de génie, qui dura plus de quarante ans, n'eut jamais une défaillance.

Quand il n'écrivait point, il lisait et prenait des notes.

Aucune littérature, on pourrait presque dire aucun écrivain, ne lui demeurèrent étrangers.

Voici ce qu'on trouve en des lettres adressées à des dames de ses amies :

> « Que vous dirai-je, belle et charmante? J'étudie l'histoire des théories médicales et des traités d'éducation. Après quoi je passerai à d'autres exercices. J'avale force volumes et je prends des notes. Il va en être ainsi pendant deux ou trois ans; après quoi, je me mettrai à écrire. »

On lit dans une autre lettre :

> « Votre ami a travaillé cet hiver d'une façon qu'il ne comprend pas lui-même. Pendant les derniers huit jours, j'ai dormi en tout dix heures. Je ne me soutenais plus qu'à force de café et d'eau froide; bref, j'étais en proie à une effrayante exaltation. Un peu plus, le bonhomme claquait. »

Et dans une autre :

> « ... Je travaille beaucoup. Je me baigne tous les jours, je ne reçois aucune visite, je ne lis aucun journal, et je vois assez régulièrement lever l'aurore (comme présentement), car je pousse ma besogne fort avant dans la nuit, les fenêtres ouvertes, en manches de chemise, et gueulant, dans le silence du cabinet, comme un énergumène. »

Il appartenait en effet à la race des travailleurs acharnés.

Pendant presque toute l'année dans sa propriété de Croisset, qu'il adorait, dès neuf ou dix heures du matin, il se mettait à sa besogne. Aussitôt son déjeuner fini, sans même faire un tour dans son grand jardin, il reprenait son labeur, et, toute la nuit, les mariniers qui descendaient ou remontaient la Seine se servaient de loin, comme d'un phare, des quatre fenêtres de « monsieur Flaubert ».

Il faudrait écrire, pour la faire épeler dans les classes aux petits enfants et l'apprendre par cœur aux aînés, cette vie superbe d'un grand artiste qui ne vécut que pour son art, mourut pour lui, fit taire son cœur, comme il le dit, refoula tout désir, éteignit même toute flamme charnelle. Il méprisa l'argent comme personne, dédaigna d'en gagner, se trouvait souillé par les discussions d'intérêt et, plein d'un mépris violent pour les distractions mondaines, les amusements, les joies et les plaisirs, il ne connut jamais d'autre bonheur que celui venant des livres. Il râlait parfois d'exaltation en déclamant de sa voix sonore quelque chapitre des grands maîtres.

Quoi qu'il fît, où qu'il allât, son esprit toujours ne pensait qu'aux lettres; les personnes, les conversations, les attitudes ne lui apparaissaient plus que comme des effets à décrire, et quand il sortait d'un salon où la médiocrité des propos avait duré tout un soir, il était affaissé, accablé comme si on l'eût roué de coups, devenu lui-même stupide, affirmait-il, tant il possédait la faculté d'entrer dans la peau des autres.

Sensible à l'excès, impressionnable, vibrant sans cesse, il se comparait à un écorché que le moindre contact fait tressaillir de douleur; et les grands chocs qu'il reçut lui vinrent peut-être de la bêtise humaine. Elle fut pour ainsi dire son ennemie personnelle, la désolation, le supplice de sa vie; et il la poursuivit avec acharnement comme un chasseur poursuit sa proie, l'atteignant jusqu'au fond des plus grands cerveaux. Il avait, pour la découvrir, des subtilités de limier, et son œil rapide tombait dessus, qu'elle se cachât dans les colonnes d'un journal ou même entre les pages d'un beau livre. Il en arrivait parfois à un tel degré d'exaspération, qu'il aurait voulu détruire la race entière; et sa haine contre le « bourgeois » n'est qu'une haine contre la bêtise.

Après l'énumération de ses lectures effrayantes, il écrivait un jour : « Et tout cela dans l'unique but de cracher sur mes contemporains le dégoût qu'ils m'inspirent. Je vais enfin dire ma manière de penser, exhaler mon ressentiment, vomir ma haine, expectorer mon fiel, déterger mon indignation... » Mais, s'il exécrait la stupidité courante, comme il admirait, adorait l'intelligence! Il se fâcha avec un journal ami où l'on avait maladroitement critiqué M. Renan; le nom seul de Victor Hugo lui mettait des larmes aux yeux; et cet homme de lettres n'aurait pas permis que, devant lui, on osât toucher à des hommes de science, à des « savants » quels qu'ils fussent. Il exaltait Claude Bernard, avait pour ami M. Berthelot.

Toute la haute morale artistique qui a guidé son existence, il la mettait parfois en préceptes familiers pour donner des conseils à des jeunes gens. Voici quelques fragments de lettres adressées à un débutant :

> « Maintenant parlons de vous. Vous vous plaignez des femmes qui sont « monotones ». Il y a un remède bien simple, c'est de ne pas vous en servir.
>
> « Les événements ne sont pas variés ». Cela est une plainte réaliste, et d'ailleurs qu'en savez-vous? Il s'agit de les regarder de plus près. Avez-vous jamais cru à l'existence

des choses? est-ce que tout n'est pas une illusion? Il n'y a de vrai que les *rapports* : c'est-à-dire la façon dont nous percevons les objets.

« Les vices sont mesquins » ; — mais tout est mesquin.

« Il n'y a pas assez de tournures de phrases » ; — cherchez et vous trouverez.

» Enfin, mon cher ami, vous m'avez l'air bien embêté ; et votre ennui m'afflige, car vous pourriez employer plus agréablement votre temps. *Il faut,* entendez-vous, jeune homme, *il faut* travailler plus que ça. J'arrive à vous soupçonner d'être légèrement caleux. Trop de femmes, trop de canotage, trop d'*exercice.* Oui, monsieur, le civilisé n'a pas tant besoin de locomotion que prétendent messieurs les médecins. Vous êtes né pour faire des vers. Faites-en ! *tout le reste est vain,* à commencer par vos plaisirs et votre santé. Fichez-vous ça dans la boule. D'ailleurs votre santé se trouvera bien de suivre votre vocation. Cette remarque est d'une philosophie ou plutôt d'une hygiène profonde.

» Vous vivez dans un enfer, je le sais et je vous en plains du fond de mon cœur. Mais, de cinq heures du soir à dix heures du matin, tout votre temps peut être consacré à la Muse, laquelle est encore la meilleure garce. Voyons, mon cher bonhomme, relevez le nez. A quoi sert de recreuser sa tristesse? Il faut se poser vis-à-vis de soi-même en homme fort : c'est le moyen de le devenir. Un peu plus d'orgueil, saperlotte ! Ce qui vous manque, ce sont les principes. On a beau dire, il en faut. Reste à savoir lesquels. Pour un artiste, il n'y en a qu'un : tout sacrifier à l'art. La vie doit être considérée par lui comme un moyen, rien de plus, et la première personne dont il doive se moquer, c'est de lui-même... »

Et, autre part :

« Mais, mon pauvre cher bonhomme, que je vous plains de n'avoir pas le temps de travailler. Comme si un beau vers n'était pas cent mille fois plus *utile* à l'instruction du public que toutes les sérieuses balivernes qui vous occupent! Les idées simples sont difficiles à faire entrer dans les cervelles ! »

Et encore, dans une autre lettre :

« M. L... m'embarrasse. Porter un jugement sur l'avenir d'un homme me paraît chose tellement grave que je m'en abstiens. D'autre part, demander si l'on doit écrire ne me paraît pas la marque d'une vocation violente. Est-ce qu'on prend l'avis des autres pour savoir si l'on aime ?... En attendant, qu'il travaille : tout est là... »

Voici un curieux axiome qu'il répétait souvent :

« Les honneurs déshonorent.

« Le titre dégrade.

« La fonction abrutit. »

Et il ajoutait : « Ecrivez ça sur les murs. »

Il avait placé son esprit tellement haut qu'aucune préoccupation basse ne pouvait l'atteindre. L'art était la seule conversation qui l'intéressât ; et on ne pouvait même guère parler d'autre chose avec lui.

Il fut et il restera le premier styliste de notre siècle. Travailleur féroce, ciseleur obstiné, il passait quelquefois huit jours pour enlever d'une phrase un verbe qui le gênait.

Il croyait à l'harmonie *fatale* des mots, et quand une expression, qui lui paraissait cependant indispensable, ne sonnait pas à son gré, il en cherchait une autre aussitôt, sûr qu'il ne tenait pas *la vraie, l'unique*. Le style pour lui ne consistait pas dans une certaine élégance convenue de construction, mais dans la justesse absolue du mot et dans la parfaite concordance de la tournure avec l'idée à exprimer ; de là ces différences capitales du style si précis et si bref de *L'Education sentimentale* à la période si magnifique de *La Tentation de saint Antoine*.

Une phrase qu'il écrivit à un ami sur Balzac est intéressante à ce point de vue :

« Ce grand homme n'était ni un poète ni un écrivain, ce qui ne l'empêchait pas d'être un très grand homme. Je l'admire maintenant beaucoup moins qu'autrefois, étant de plus en plus affamé de la perfection. Mais c'est peut-être moi qui ai tort. »

Cet aperçu très rapide de sa vie permet cependant de tirer une moralité.

Quand un artiste se met à l'œuvre, il a toujours une ambition secrète étrangère à l'art. C'est la gloire qu'on poursuit d'abord, la gloire rayonnante, qui vous place vivant dans une apothéose, fait tourner les têtes, battre les mains, et captive les cœurs des femmes. Plaire aux femmes! voilà aussi le désir furieux de presque tous. Pouvoir, par la toute-puissance du génie, être dans Paris comme le sultan d'un harem immense; cueillir à droite, cueillir à gauche, dans les salons du monde ou les loges des théâtres, ces fruits de chair vivante dont nous sommes sans cesse affamés. Ne connaître point d'obstacle; et, quand un laquais a lancé devant vous votre nom d'une voix retentissante, chercher laquelle on choisira parmi toutes ces créatures charmantes dont les yeux brillants sont fixés sur vous.

D'autres ont poursuivi l'argent, soit pour lui-même, soit pour les satisfactions qu'il donne : le luxe de l'existence et les délicatesses de la table.

Gustave Flaubert a aimé les lettres d'une façon si absolue que, dans son âme emplie par cet amour, aucune autre ambition n'a pu trouver place.

Vivant presque toujours seul, à la campagne, et ne voyant guère à Paris que des amis très intimes, il n'a point recherché, comme beaucoup, ces triomphes mondains ou la popularité vulgaire. Il n'a jamais assisté aux banquets littéraires ou politiques, n'a mêlé son nom à aucune coterie, à aucun parti; ne s'est jamais incliné devant les médiocres ou les imbéciles pour en obtenir des louanges.

Sa photographie ne s'est point vendue; il ne se montrait point aux premières, ni dans les endroits fréquentés par les gens du monde; il semblait cacher sa personne avec une sorte de pudeur. « Je donne mes livres au public, disait-il; c'est bien le moins que je garde ma figure. »

D'une nature attendrie, presque sentimentale, il s'est cependant écarté de l'amour.

Des femmes furent ses amies dévouées; d'autres, sans doute, furent ses maîtresses; mais il avait donné son cœur à la littérature, et il ne le reprit jamais.

Il n'a vécu que pour l'art, usant sa vie dans cette tendresse immodérée, exaltée, passant des nuits fiévreuses comme les amants solitaires, levant les bras, poussant des cris, tremblant d'ardeur sacrée, et il a fini par tomber, un jour, foudroyé par le travail, comme tous les grands passionnés finissent par mourir de leur vice.

(*Le Gaulois,* 6 septembre 1880.)

LA PATRIE DE COLOMBA

Ajaccio, 24 septembre 1880.

Le port de Marseille bruit, remue, palpite sous une pluie de soleil, et le bassin de la Joliette, où des centaines de paquebots projettent sur le ciel leur fumée noire et leur vapeur blanche, est plein de cris et de mouvements pour les départs prochains.

Marseille est la ville nécessaire sur cette côte aride, qu'on dirait rongée par une lèpre.

Des Arabes, des nègres, des Turcs, des Grecs, des Italiens, d'autres encore, presque nus, drapés en des loques bizarres, mangeant des nourritures sans nom, accroupis, couchés, vautrés sous la chaleur de ce ciel brûlant, rebuts de toutes les races, marqués de tous les vices, êtres errants sans famille, sans attaches au monde, sans lois, vivant au hasard du jour dans ce port immense, prêts à toutes les besognes, acceptant tous les salaires, grouillant sur le sol comme sur eux grouille la vermine, font de cette ville une sorte de fumier humain où fermente échouée là toute la pourriture de l'Orient.

Mais un grand paquebot de la Compagnie transatlantique quitte lentement son point d'attache en poussant des mugissements prolongés, car le sifflet n'existe déjà plus ; il est remplacé par une sorte de cri de bête, une voix formidable qui sort du ventre fumant du monstre. Le navire tout doucement passe au milieu de ses frères prêts à partir aussi, et dont les flancs sont pleins de rumeurs ; il quitte le port, et tout à coup comme pris d'une ardeur, il s'élance, ouvre la mer, laisse derrière lui un sillage immense, pendant que fuient les côtes et que Marseille disparaît à l'horizon.

La nuit vient ; des gens souffrent, allongés en des lits étroits, et leurs soupirs douloureux se mêlent au ronflement précipité de l'hélice, qui secoue les cloisons, et au remous de l'eau fendue et rejetée écumante par le poitrail du paquebot dont les yeux allumés, l'un vert et l'autre rouge, regardent au loin, dans l'ombre. Puis l'horizon pâlit vers l'Orient et, dans la clarté douteuse du jour levant, une tache grise apparaît au loin sur l'eau. Elle grandit comme sortant des flots, se découpe, festonne étrangement sur le bleu naissant du ciel ; on distingue enfin une suite de montagnes escarpées, sauvages, arides, aux formes dures, aux arêtes aiguës, aux pointes élancées, c'est la Corse, la terre de la vendetta, la patrie des Bonaparte.

De petits îlots, portant des phares, apparaissent plus loin ; ils s'appellent les Sanguinaires et indiquent l'entrée du golfe d'Ajaccio. Ce golfe profond se creuse au milieu de collines charmantes, couvertes de bois d'oliviers que traversent parfois comme des ossements de granit d'énormes rochers gris, plus hauts que les arbres. Puis, après un détour, la ville toute blanche, assise au pied d'une montagne, avec sa grâce méridionale, mire dans le bleu violent de la Méditerranée ses maisons italiennes à toit plat. Le grand navire jette l'ancre à deux cents mètres du quai, et le représentant de la Compagnie transatlantique, M. Lanzi, met en garde les voyageurs contre la rapacité des mariniers qui opèrent le débarquement.

La ville, jolie et propre, semble écrasée déjà, malgré l'heure matinale, sous l'ardent soleil du Midi. Les rues sont plantées de beaux arbres ; il y a dans l'air comme un sourire de bienvenue où des parfums inconnus flottent, des arômes puissants, cette odeur sauvage de la Corse, qui faisait s'attendrir encore le grand Napoléon mourant là-bas sur son rocher de Sainte-Hélène.

On reconnaît tout de suite qu'on est ici dans la patrie des Bonaparte. Partout des statues du Premier Consul et de l'Empereur, des bustes, des images, des inscriptions, des noms de rues rappellent le souvenir de cette race.

Des paroles qu'on surprend sur les places publiques font dresser l'oreille. Comment, on cause encore politique ici? Les passions s'allument? On croit sacrées ces choses qui maintenant ne nous intéressent guère plus que des tours de cartes bien faits? Vraiment la Corse est fort en retard; cependant, on dirait qu'un événement se prépare. On rencontre plus de gens décorés que sur le boulevard des Italiens, et les consommateurs du Café Solférino lancent des regards belliqueux aux consommateurs du Café Roi-Jérôme. Ceux-ci ont l'air prêts au combat; mais ils se lèvent comme un seul homme à l'approche d'un monsieur, et tous le saluent avec respect. Il se retourne... On dirait... c'est le comte de Benedetti! Puis voici MM. Pietri, Galloni d'Istria, le comte Multedo, vingt autres noms non moins connus dans l'armée bonapartiste.

Que se passe-t-il? La Corse prépare-t-elle une descente à Marseille?

Mais les habitués du Café Solférino se lèvent à leur tour, agitent leurs chapeaux devant deux personnages qui passent et crient comme un seul homme « Vive la République! » Quels sont ces Messieurs? Je m'approche et je reconnais le comte Horace de Choiseul (à tout seigneur tout honneur!) et le duc de Choiseul-Praslin. Comment le député de Melun se trouve-t-il en ce pays? Je retourne au Café Roi-Jérôme et j'interroge un consommateur, qui me répond avec finesse que « faute d'anguille de Melun, on mangerait bien un merle de Corse ». M. le comte Horace de Choiseul est membre du Conseil général et la session va s'ouvrir.

Donc, sur cette terre de Corse où le souvenir de Napoléon est encore si chaud et si vivant, une lutte peut-être définitive va s'engager entre l'idée républicaine et l'idée monarchique. Les champions de l'Empire sont de vieux combattants tous connus, les Benedetti, les

Pietri, les Gavini, les Franchini. Les champions de la République portent aussi des noms célèbres dans le pays, et ils ont à leur tête le maire d'Ajaccio, M. Peraldi, fort aimé et qu'on dit fort capable.

Bien que la politique me soit tout à fait étrangère, ce combat est trop intéressant pour n'y point assister, et j'entre à la préfecture avec le flot montant des conseillers généraux. Un homme charmant, M. Folacci, représentant un des plus beaux cantons de Corse, Bastelica, me fait ouvrir le sanctuaire.

Ils sont là cinquante-huit, occupant deux longues tables couvertes de tapis verts. Des crânes luisent comme lorsqu'on regarde de haut la Chambre des députés. Vingt-huit sont assis à droite, trente à gauche. Les républicains vont être victorieux.

Un personnage galonné, qui représente le gouvernement avec un air arrogant, est assis à droite du président d'âge, M. le docteur Gaudin.

— Introduisez le public!

Le public entre par une porte réservée. Mystère!

M. de Pitti-Ferrandi, agrégé, professeur de droit, se lève et demande la parole pour réclamer l'expulsion de M. Emmanuel Arène.

Qui n'a pas vu une de ces séances de la Chambre, une de ces séances orageuses où les députés gesticulent comme des fous et jurent comme des charretiers, une de ces séances qui vous emplissent de colère et de mépris pour la politique et pour tous ceux qui la pratiquent?

Eh bien, la première séance du Conseil général a failli prendre cette allure, mais MM. les représentants de la Corse sont gens de meilleur monde apparemment, car ils se sont arrêtés sur la pente.

Tous étaient debout, tous parlaient en même temps; de petites voix grêles montaient; des voix de taureau beuglaient des discours dont pas un mot n'était entendu. Qui avait raison?... Qui avait tort?... Le gouvernement déclara péremptoirement que, toute discussion sur ce sujet étant illégale, il se verrait obligé de quitter la salle si l'on passait outre. Cependant le Conseil général ayant décidé, sur la proposition de la gauche, de voter sur la discussion, le susdit gouvernement, espérant sans doute une victoire pour les siens, assista au vote aussi illégal apparemment que la discussion qui devait suivre ; puis, comme la droite était victorieuse, il se retira, se voyant battu, et toute la gauche le suivit...

Quand donc fera-t-on de la politique de bonne foi au lieu de faire uniquement de la politique de parti ? Jamais, sans doute, car le seul mot « politique » semble être devenu le synonyme de « mauvaise foi, arbitraire, perfidie, ruse et délation ».

Cependant la ville d'Ajaccio, si jolie au bord de son golfe bleu, entourée d'oliviers, d'eucalyptus, de figuiers et d'orangers, attend les travaux indispensables qui feront d'elle la plus charmante station d'hiver de toute la Méditerranée.

Il y faut organiser des plaisirs qui attirent les continentaux, étudier les projets, voter les fonds, et les habitants inquiets regardent depuis huit jours déjà si la seconde moitié du Conseil général consent à remonter dans la salle où l'attend la première moitié en nombre insuffisant pour délibérer.

Mais les grands sommets montrent au-dessus des collines leurs pointes de granit rose ou gris ; l'odeur du maquis vient chaque soir, chassée par le vent des montagnes ; il y a là-bas des défilés, des torrents, des pics, plus beaux à voir que des crânes d'hommes politiques, et je pense tout à coup à un aimable prédicateur, le P. Didon, que je rencontrai l'an dernier dans la maison du pauvre Flaubert.

Si j'allais voir le P. Didon ?

(*Le Gaulois,* 27 septembre 1880.)

LE MONASTÈRE DE CORBARA

UNE VISITE AU P. DIDON

Les Alpes ont plus de grandeur que les montagnes de la Corse; leurs sommets toujours blancs, leurs passages presque impraticables, leurs abîmes effrayants où l'on entend, sans les voir, rouler des torrents, en font une sorte de domaine du terrible et de l'escarpé. Les montagnes de Corse, moins hautes, ont un caractère tout différent.

Elles sont plus familières, faciles d'accès, et, même dans leurs parties les plus sauvages, n'ont point cet aspect de désolation sinistre qu'on trouve partout dans les Alpes. Puis, sur elles flambe sans cesse un éclatant soleil. La lumière ruisselle comme de l'eau le long de leurs flancs, tantôt vêtus d'arbres immenses, qui de loin semblent une mousse, tantôt nus, montrant au ciel leur corps de granit.

Même sous l'abri des forêts de châtaigniers, des flèches de lumière aiguë percent le feuillage, vous brûlent la peau, rendent l'ombre chaude et toujours gaie.

Pour aller d'Ajaccio au monastère de Corbara, on peut suivre deux chemins, l'un à travers les montagnes et l'autre au bord de la mer.

Le premier serpente sans fin à mi-côte au milieu d'impénétrables maquis, longe des précipices où l'on ne tombe jamais, domine des fleuves presque sans eau à cette saison, traverse des villages de cinq maisons accrochés comme des nids aux saillies du roc, passe devant des sources minces, où boivent les voyageurs éreintés, et devant des croix nombreuses annonçant qu'en cet endroit un homme est mort : et c'est une balle qui les a tués presque toujours, ces pauvres diables couchés au bord de la route.

Voulant aller à Corbara serrer la main du P. Didon, j'ai choisi, pour m'y rendre, le chemin des montagnes. Là, point d'hôtels, point d'auberges, pas même de cafés, où l'on peut à la rigueur coucher. On demande l'hospitalité, comme autrefois, et la maison des Corses est toujours ouverte aux étrangers.

Arrivé dans un adorable village, Létia, d'où l'on aperçoit un magnifique horizon de sommets et de vallées, je ne pouvais plus même partir, retenu sans fin par les instances des familles Paoli et Arrighi, qui organisaient chaque jour parties de chasse ou excursions pour me faire rester plus longtemps. Après avoir traversé les immenses forêts d'Aïtone et de Valdoniello, le val du Niolo, la plus belle chose que j'aie vue au monde après le mont Saint-Michel et une partie de la Balagne, le pays des oliviers, j'ai retrouvé la mer auprès de Corbara.

Le paysage est grandiose et mélancolique. Une plage immense s'étend en demi-cercle, fermée à gauche par un petit port presque abandonné des habitants (car la fièvre ici dépeuple toutes les plaines), et terminée à droite par un village en amphithéâtre, Corbara, élevé sur un promontoire.

Le chemin qui me conduit au monastère est à mi-côte et passe au pied d'un mont élevé que couronne un paquet de maisons jetées dans le ciel bleu si haut qu'on pense avec tristesse à l'essoufflement des habitants contraints de remonter chez eux. Ce hameau s'appelle Santo-Antonino. On découvre, à droite de la route, une petite église du XIIIe siècle, de style pur, chose rare en ce pays sans monuments et sans aucun art national. Cet édifice a été élevé par les Pisans, me dit-on. Plus loin, dans un repli de montagne, au pied d'un pic élancé en forme de pain de sucre, un grand bâtiment gris et blanc domine l'horizon, les campagnes inclinées, la plaine, la mer : c'est le couvent des Dominicains.

Un frère italien m'introduit, ne comprend pas ce que je lui dis, et me parle inutilement. Je tire ma carte où j'écris : « Pour le R. P. Didon », et je la lui donne. Il part alors, après m'avoir indiqué une porte de la maison. C'est le parloir, et j'attends.

La première fois que je vis le P. Didon, c'était chez Gustave Flaubert.

J'avais passé la journée avec l'immortel écrivain et, devant dîner chez lui, nous entrâmes ensemble vers sept heures dans le salon de sa nièce. Un prêtre, vêtu de blanc, avec une tête intelligente, de grands yeux bruns où passait une flamme, des gestes lents, une voix douce et bien timbrée, causait assis sur un canapé. J'appris son nom quand on nous présenta l'un à l'autre et je me rappelle qu'il resta encore quelque temps parlant avec facilité des choses mondaines, possédant Paris comme nous, admirant violemment Balzac et connaissant parfaitement Zola, dont l'*Assommoir* faisait un bruit retentissant.

J'ai revu, plusieurs fois depuis, l'orateur préféré des belles dames élégantes, et toujours je l'ai trouvé fort aimable, homme d'esprit largement ouvert et de manières simples, malgré ses succès d'éloquence.

Je songeais à notre dernière entrevue à Paris, le lendemain d'une de ses conférences les plus remarquées, quand un bruit de pas me fit tourner la tête. Le P. Didon était debout dans l'embrasure de la porte.

Il ne me parut point changé ; un peu engraissé peut-être par la vie tranquille du cloître ; il a toujours cet œil lumineux d'apôtre et de « convertisseur » qui sert à l'orateur presque autant que le geste, et le même sourire calme plisse un peu la joue autour de sa bouche qui s'ouvre largement à chaque parole. Il attendait ma visite, annoncée par son ami, M. Nobili-Savelli, conseiller général revenu d'Ajaccio.

Alors nous avons parlé de Paris, et le même amour pour cette admirable ville nous retint longtemps en face l'un de l'autre. Il m'interrogeait, demandant des nouvelles, s'intéressant à tout, repris par le « souvenir » comme on est ressaisi par une fièvre mal guérie.

A mon tour, je l'interrogeai sur lui-même ; il se leva, et tout en gravissant la montagne qui domine le monastère, il me raconta sa vie.

— En entrant ici, me dit-il, j'ai eu l'impression d'être mort, car n'est-ce pas mourir que renoncer brusquement à tout ce qui emplissait votre existence ? Puis j'ai reconnu que l'homme a l'esprit souple et vivace ; je me suis peu à peu accoutumé aux lieux, aux choses, à cette vie nouvelle ; et je n'ai plus même le désir de m'en aller, car j'ai entrepris des travaux très longs.

Il s'arrêta, regardant l'horizon immense, la Méditerranée si bleue qui luisait sous le soleil, et, à sa droite, la montagne haute et pointue dont le sommet porte une grande croix noire.

— Je suis un montagnard, dit-il, et ce pays sauvage ne me fait point peur. J'étudie sans cesse, d'ailleurs, et les quinze ou seize heures de vie éveillée, que j'ai chaque jour, ne me semblent pas même longues.

Il se remit à marcher et, comme je le pressais fort, il convint en souriant qu'on travaille à Paris mieux que partout ailleurs, au milieu de cette furieuse excitation cérébrale, de ces luttes constantes, de l'émulation acharnée qui vous exalte.

— N'avez-vous jamais, lui demandai-je, de violents désirs de retourner là-bas ?

— Non, dit-il, moi je ne vis que par mes idées, que par ma foi. Je ne compte pas ma personne, je ne suis rien qu'un levier. J'ai une foi ardente, et mon seul désir est de la communiquer, de la verser en d'autres.

Mais comme je lui parlais d'un évêché que, suivant certains journaux, on lui aurait offert, il se mit franchement à rire.

— Cette nouvelle est une folie, dit-il ; ce n'est pas ici qu'on m'offrirait un évêché.

Puis, redevenant grave :

— D'ailleurs, je ne suis qu'un apôtre et je ne changerais pas la chaire de saint Paul contre le plus grand évêché du monde.

Je voulus savoir s'il pensait rester longtemps encore dans cette retraite ; il l'ignorait, indifférent d'ailleurs à l'avenir, pris tout entier par ses croyances idéales, élargissant ses études, voyant le monde de plus loin et le jugeant de plus haut dans un ardent amour de la vérité et une grande haine pour toute hypocrisie ; puis il ajouta :

— Je partirai sans doute plus tôt que nous le croyons tous les deux, car nous allons assurément être chassés avant peu de jours.

Et c'est ainsi que j'appris la chute du Ministère Freycinet.

Le soir venait ; le soleil, plus rouge, s'abaissait vers la mer d'un bleu plus sombre. Toute une vallée à gauche était remplie par l'ombre d'un mont ; les grillons sonores des pays chauds commençaient à jeter leur cri. Le P. Didon, depuis quelques instants, levait les yeux vers la haute montagne surmontée d'une croix.

— Voulez-vous venir avec moi là-haut, dit-il.

Je le remerciai, car il me fallait gagner Calvi ; mais je lui demandai :

— Est-ce que vous allez grimper là ?

Il me répondit :

— J'y vais souvent quand le soir approche et je reste jusqu'à la nuit, perdu dans la contemplation de la mer, presque sans idée, admirant par la sensation plutôt que par la pensée.

Il se tut une seconde ; puis il ajouta :

— De là-haut je vois les côtes de France.

Je le quittais, quand il m'offrit de visiter sa cellule. Elle est spacieuse et toute blanche, avec une fenêtre ouverte vers la mer ; sur sa table des papiers sont épars, pleins d'écriture. Puis je m'en allai.

Longtemps après, quand j'eus gagné dans la plaine la route qui serpente au bord des flots, je me retournai pour jeter un dernier regard au monastère et, levant les yeux plus haut, vers le pic élancé dans l'espace, j'aperçus au pied de la croix, devenue presque invisible, un point blanc immobile détaché sur le bleu du ciel : c'était la longue robe du P. Didon regardant la mer et les côtes de France.

Alors, une tristesse me vint en songeant à cet homme sincère et droit, ardent dans ses croyances, franc et sans hypocrisie, défendant passionnément sa cause parce qu'il la croit juste et qu'il espère en l'Eglise, envoyé là, sur ce rocher, pour n'avoir point pris sa part de tartuferie courante.

Quant à moi, si je deviens vieux, mon Révérend Père, et si je me fais alors ermite, ce dont je doute, c'est sur votre montagne que j'irai prier.

Mais le P. Didon n'était pas le seul moine que je devais voir en ce voyage, car le lendemain, à la nuit tombante, j'ai traversé les calanches de Piana.

Je m'arrêtai d'abord stupéfait devant ces étonnants rochers de granit rose, hauts de quatre cents mètres, étranges, torturés, courbés, rongés par le temps, sanglants sous les derniers feux du crépuscule et prenant toutes les formes comme un peuple fantastique de contes féeriques, pétrifié par quelque pouvoir surnaturel.

J'aperçus alternativement deux moines debout, d'une taille gigantesque : un évêque assis, crosse en main, mitre en tête ; de prodigieuses figures, un lion accroupi au bord de la route, une femme allaitant son enfant et une tête de diable immense, cornue, grimaçante, gardienne sans doute de cette foule emprisonnée en des corps de pierre.

Après le « Niolo » dont tout le monde, sans doute, n'admirera pas la saisissante et aride solitude, les calanches de Piana sont une des merveilles de la Corse ; on peut dire, je crois, une des merveilles du monde. Mais qui donc les connaîtrait ? aucune voiture n'y conduit, aucun service n'est organisé sur cette côte encore sauvage, dont la route cependant est plus belle, à mon avis, que la « Corniche » tant célèbre.

(*Le Gaulois*, 5 octobre 1880.)

quelque, aucun navire n'en approche. Je serais très
séfieux quand'à, dont le livre cependant est prêt là-là, à
moi, avec que la « Corvette » tout entière.

(Le Gaulois, 5 octobre 1881)

BANDITS CORSES

Le col que j'avais à traverser formait de loin une sorte
d'entonnoir entre deux sommets de granit escarpés et
nus. Les flancs de la montagne étaient couverts de
maquis dont l'odeur violente me troublait la tête, et le
soleil, encore invisible, se levant derrière les monts,
jetait une teinte rose et comme poudreuse sur les cimes,
où sa flamme semblait éclaboussée, rejaillissait dans
l'espace en longues gerbes lumineuses.

Comme nous devions marcher, ce jour-là, quinze ou
seize heures, mon guide nous avait fait admettre dans
une sorte de caravane de montagnards qui suivaient la
même route, et nous allions à la file, d'un pas rapide,
sans dire un mot, grimpant l'étroit sentier noyé dans les
maquis.

Deux mulets venaient les derniers, portant les provisions et les paquets. Les Corses, le fusil sur l'épaule,
l'allure leste, s'arrêtaient, selon leur usage, à toutes les
sources pour boire quelques gorgées d'eau, puis repartaient. Mais, en approchant du sommet, leur marche
peu à peu se ralentit, des conversations avaient lieu à
voix basse, dans leur idiome incompréhensible pour
moi. Cependant, à plusieurs reprises le mot « gendarme » me frappa. Enfin, l'on s'arrêta et un grand
garçon brun disparut dans le fourré. Au bout d'un quart
d'heure, il revint; on repartit tout doucement pour
s'arrêter encore deux cents mètres plus loin, et un autre
homme plongea sous les branches. Fort intrigué j'inter-

rogeai mon guide. Il me répondit qu'on attendait un « ami ».

Comme il ne venait pas cet « ami » on se remit à marcher, dès que l'homme envoyé à sa rencontre eut reparu. Puis tout à coup, ainsi qu'un diable jaillissant d'une boîte, un petit être noir et trapu surgit au milieu de nous, sortant du maquis par un énorme bond. Il avait comme tous les Corses son fusil chargé sur l'épaule, et il me regarda d'un air soupçonneux. Il était laid, noueux comme un tronc d'olivier, très sale naturellement et ses yeux, aux paupières sanguinolentes, louchaient un peu. Il fut entouré, fêté, interrogé, chacun semblait l'aimer comme un frère et le vénérer comme un saint. Puis, lorsque les expansions furent passées, on se remit en route d'un pas très allongé, et l'un des montagnards marchait devant nous, à cent mètres environ, comme un éclaireur.

Je commençais à comprendre, ayant depuis un mois les oreilles toutes pleines d'histoires de bandits.

A mesure qu'on approchait du col, une sorte d'appréhension semblait gagner tout le monde. Enfin, on y parvint. Deux grands vautours tournoyaient sur nos têtes. Au loin, derrière nous, la mer apparaissait vaguement, encore obscurcie par des brumes et, devant nous, une interminable vallée s'allongeait, sans une maison, sans un champ cultivé, pleine de maquis et de chênes verts. Une gaieté semblait venue sur les figures, et l'on commença la descente... Puis, au bout d'une heure environ, le mystérieux personnage qui s'était joint à nous d'une façon si inattendue, nous fit des adieux empressés, serra toutes les mains, même les miennes, et sauta de nouveau dans le maquis.

Quand il fut parti, j'interrogeai mon guide, qui me répondit simplement :

— Il n'aime pas les gendarmes.

Alors, je lui demandai des détails sur les bandits corses qui tiennent en ce moment la montagne. J'appris d'abord que le col où nous venions de passer servait souvent de souricière aux gendarmes pour pincer les

« hors-la-loi » qui veulent gagner le territoire de Sartène, refuge habituel des brigands. Ils sont en ce moment deux cent quarante environ qui narguent les gendarmes, la magistrature et le préfet. Ce ne sont point, d'ailleurs, des malfaiteurs, car jamais ils ne voleraient les voyageurs. Un fait de cette nature les exposerait peut-être même à être jugés, condamnés à mort et exécutés par leurs semblables, gens d'honneur s'il en fut. C'est en effet un sentiment exagéré de l'honneur qui a poussé presque toujours ces pauvres diables dans la montagne. Quand une femme a trompé son mari, quand une fille est soupçonnée d'une faute, quand on a une querelle de jeu avec son meilleur ami, et pour mille autres causes aussi légères sur lesquelles les civilisés passent assez facilement l'éponge, on égorge ici la femme, la fille, l'amant, l'ami, les pères, les frères, les parents, toute la race ; puis, sa besogne accomplie, on s'en va tranquillement dans le maquis, où le pays — qui vous estime en raison du nombre d'hommes occis — vous donne les moyens de vivre, où la gendarmerie vous poursuit inutilement, et se fait massacrer souvent, à la grande joie des paysans montagnards, car tout Corse, pouvant au premier matin devenir bandit, hait instinctivement le gendarme.

A côté de ces malheureux que leur tempérament violent a poussés à commettre un meurtre, et qui vivent au hasard du jour, couchant sous le ciel, traqués sans cesse, il y a en Corse des bandits heureux, riches, vivant en paix sur leurs terres au milieu des paysans, leurs sujets ; ce sont les frères Bellacoscia. L'histoire de leur famille est étrange.

Le père Bellacoscia (Belle-Cuisse) possédait une femme stérile et, sur l'exemple des patriarches, il la répudia, prit une jeune fille d'une maison voisine et l'emmena sur les hauteurs où paissaient ses troupeaux. D'elle, il eut plusieurs enfants et, entre autres, les deux frères Antoine et Jacques, dont je parlerai tout à l'heure. Mais sa femme avait une sœur qui faisait souvent dans la maison Bellacoscia des visites de voisinage. L'époux galant, trop galant, la reconduisait. Il en eut un fils, avoua tout à la première, garda la seconde et lui bâtit une demeure séparée pour éviter les scènes de famille. Or, une troisième sœur, à son tour, se mit à fréquenter les deux ménages, et un nouvel accident se produisit. Le pauvre père n'avait qu'une ressource : construire une troisième maison ; ce qu'il fit, et tout le monde vécut en paix. Il eut en tout une trentaine de descendants qui, à leur tour, en ont produit plusieurs centaines. Cette tribu habite en partie le village de Bocognano et les lieux environnants.

Deux des fils, Antoine et Jacques, gagnèrent de bonne heure le maquis pour des causes assez « futiles ». Le premier refusait de servir comme militaire, le second avait enlevé une jeune fille que désirait un de ses frères.

A partir de leur disparition, ils ont dominé le pays en maîtres incontestés.

On évalue à trois cent mille francs environ la somme qu'ils ont coûtée au gouvernement en expéditions dirigées contre eux. Pendant des années on les a poursuivis sans cesse, toujours en vain. Des colonnes entières de carabiniers... non, de gendarmes, partaient, officiers en tête, battaient la région, occupaient les villages, cernaient des monts où l'on était sûr de les prendre, et, pendant ce temps, les frères Bellacoscia, assis tranquillement sur un pic voisin, suivaient avec intérêt les opérations de la troupe. Puis, fatigués de ce spectacle, ils redescendaient avec sécurité dans la plaine au-devant du convoi qui apportait des vivres aux gendarmes, s'emparaient des mulets chargés et, pour calmer la conscience inquiète des conducteurs, leur remettaient une réquisition en règle, signée Bellacoscia, à l'adresse de l'intendant militaire.

Vingt fois ils ont failli être pris, vingt fois ils ont échappé à toutes les attaques grâce à leur courage, à leur sang-froid, à leurs ruses et à la complicité de toute la contrée, pleine de leurs parents.

Un jour, par exemple, le plus jeune, Jacques, avait été trahi. Il devait, à une heure donnée, venir mesurer du bois qu'il avait fait couper, et les gendarmes embusqués à vingt pas de là l'attendaient.

On l'aperçut dans la vallée, suivant le sentier avec lenteur, les mains derrière le dos, et aussitôt, sans attendre qu'il s'approchât, une fusillade terrible éclata, mais si loin qu'il en prit le bruit pour des claquements de fouet. Il chercha le charretier et découvrit un baudrier jaune ; alors sautant derrière un tronc de châtaignier, il examina la situation. Tout se taisait maintenant.

Inquiet, il croyait à une ruse quelconque quand il aperçut, dans une éclaircie de la forêt, le détachement de gendarmerie qui retournait tranquillement à la caserne, marchant au pas, l'arme à l'épaule après avoir tiré ses cartouches.

Il alla mesurer son bois.

Les deux frères sont riches, achètent des terres grâce à des prête-noms, exploitent des forêts, même celles de l'Etat, dit-on.

Tout bétail qui s'égare sur leurs domaines leur appartient, et bien hardi qui le réclamerait.

Ils rendent des services à beaucoup de gens ; ces services naturellement sont payés fort cher.

Leur vengeance est prompte et capitale.

Mais ils sont toujours d'une courtoisie parfaite avec les étrangers.

Ceux-ci vont souvent leur rendre visite. Les Bellacoscia se prêtent volontiers à ces rencontres.

Antoine, l'aîné, est d'assez grande taille, brun, avec les cheveux grisonnants ; il porte toute sa barbe, a l'air d'un bonhomme, d'abord « sympathique ». Le plus jeune, Jacques, est blond, plus petit que son frère ; son œil perçant révèle une vive intelligence et son habileté, en effet, est remarquable. C'est le plus actif des deux ; c'est aussi le plus redouté.

Il y a quelques années, une jeune fille, une Parisienne, voulut le voir et partit avec un parent.

On s'aborda dans un ravin profond, en plein maquis, en plein mystère, et la Parisienne, avec cette facilité d'enthousiasme bête qui rend le mariage si dangereux, raffola tout de suite du bandit. Songez donc! un garçon qui couche à la belle étoile, ne se déshabille jamais, tue les hommes à la douzaine, vit hors la loi et fait des pieds de nez aux carabines gouvernementales. On déjeuna ensemble, puis on partit à travers des rochers inaccessibles. Le parent geignait, soufflait, tremblait. La jeune fille, au bras du bandit, sautait les gouffres, était ravie, transportée. Quel rêve! avoir un vrai bandit pour soi toute seule, un jour entier, de l'aurore au soir. Il lui racontait des histoires d'amour, des histoires corses, où le stylet joue toujours un rôle; il lui parlait d'une institutrice qui l'avait aimé; et l'amadou que les femmes souvent ont à la place de cervelle s'enflamma si bien qu'à la nuit elle ne voulait plus quitter son bandit, et prétendait le ramener, pour souper, dans la maison du village où les lits étaient préparés.

Il fallut de longs pourparlers pour décider la séparation et l'on se quitta, paraît-il, avec une grande tristesse de part et d'autre.

M. Haussmann a vu Jacques Bellacoscia d'une assez singulière façon. Il allait en voiture à Bocognano, quand une femme, se présentant à la portière, lui annonça que le bandit désirait vivement lui parler. M. Haussmann hésitait à accorder un entretien à un homme si compromettant, quand une idée lui traversa l'esprit.

— Je n'ai pas d'armes, dit-il; par conséquent si l'on m'arrête je ne pourrai me défendre et je compte, à telle heure, passer par telle route.

A l'heure dite, un homme sautait à la tête des chevaux; la portière s'ouvrit; il entra chapeau bas dans la voiture et causa longtemps avec le rebâtisseur de Paris à qui il demanda de lui faire obtenir sa grâce.

Un fait entre mille indiquera bien quelle est la vengeance de ces rôdeurs corses.

Un homme, un berger, avait vendu un des bandits et il gravissait la montagne au milieu des gendarmes qu'il allait poster pour leur livrer leur proie. Un coup de feu soudain part du maquis, et le berger, la tête fracassée, tombe dans les bras des gendarmes stupéfaits qui batti-rent en vain les environs et furent réduits à rapporter à la ville le cadavre de leur guide. Ces braves Bellacoscia, par exemple, manquent du goût littéraire le plus simple, et leurs lettres de menace, toujours datées du « Palais Vert » et tracées à l'encre rouge, sont écrites en style poétique de Peaux-Rouges de l'effet le plus étonnant : « Partout où la lumière du ciel te frappera, disent-ils, nos balles aussi t'atteindront. »

Ils habitent un ravin profond, inaccessible, effroyable à voir, dans les environs du village presque peuplé par leur famille. Comme les bonnes mœurs sont chez eux héréditaires, Jacques enleva, il y a quelques années, la femme de son frère Antoine et la garda. Il a, plus tard, accouplé son fils, un enfant, avec une fillette mineure aussi et sortant du couvent; puis l'âge venu, les a mariés.

Beaucoup de Corses les connaissent et sont leurs amis, soit par crainte, soit par un sentiment instinctif de révolte contre le gouvernement.

Beaucoup d'étrangers les ont vus, mais se gardent bien de l'avouer, car l'autorité qui ne parvient point à les prendre ne tarderait pas à mettre la main sur le pauvre homme assez naïf pour confesser qu'il a eu des relations avec des bandits dont la tête est mise à prix.

(*Le Gaulois,* 12 octobre 1880.)

UNE PAGE D'HISTOIRE INÉDITE

Tout le monde connaît la célèbre phrase de Pascal sur le grain de sable qui changea les destinées de l'univers en arrêtant la fortune de Cromwell. Ainsi, dans ce grand hasard des événements qui gouverne les hommes et le monde, un fait bien petit, le geste désespéré d'une femme, décida le sort de l'Europe en sauvant la vie du jeune Napoléon Bonaparte, celui qui fut le grand Napoléon. C'est une page d'histoire inconnue (car tout ce qui touche à l'existence de cet être extraordinaire est de l'histoire), un vrai drame corse, qui faillit devenir fatal au jeune officier, alors en congé dans sa patrie.

Le récit qui suit est de point en point authentique. Je l'ai écrit presque sous la dictée sans y rien changer, sans en rien omettre, sans essayer de le rendre plus « littéraire » ou plus dramatique, ne laissant que les faits tout seuls, tout nus, tout simples, avec tous les noms, tous les mouvements des personnages et les paroles qu'ils prononcèrent.

Une narration plus composée plairait peut-être davantage, mais ceci est de l'histoire, et on ne touche pas à l'histoire. Je tiens ces détails directement du seul homme qui a pu les puiser aux sources, et dont le témoignage a dirigé l'enquête ouverte sur ces mêmes faits vers 1853, dans le but d'assurer l'exécution de legs stipulés par l'Empereur expirant à Sainte-Hélène.

Trois jours avant sa mort, en effet, Napoléon ajouta à son testament un codicille qui contenait les dispositions suivantes : « Je lègue, écrivait-il, 20 000 francs à l'habitant de Bocognano qui m'a tiré des mains des brigands qui voulurent m'assassiner ;

« 10 000 francs à M. Vizzavona, le seul de cette famille qui fût de mon parti ;

« 100 000 francs à M. Jérôme Lévy ;

« 100 000 francs à M. Costa, de Bastelica ;

« 20 000 francs à l'abbé Reccho. »

C'est qu'un vieux souvenir de sa jeunesse s'était, en ces derniers moments, emparé de son esprit ; après tant d'années et tant d'aventures prodigieuses, l'impression que lui avait laissée une des premières secousses de sa vie demeurait encore assez forte pour le poursuivre, même aux heures d'agonie, et voici cette lointaine vision qui l'obsédait, quand il se résolut à laisser ces dons suprêmes au partisan dévoué dont le nom échappait à sa mémoire affaiblie, et aux amis qui lui avaient apporté leur aide en des circonstances terribles. Louis XVI venait de mourir. La Corse était alors gouvernée par le général Paoli, homme énergique et violent, royaliste dévoué, qui haïssait la Révolution, tandis que Napoléon Bonaparte, jeune officier d'artillerie alors en congé à Ajaccio, employait son influence et celle de sa famille en faveur des idées nouvelles.

Les cafés n'existaient point en ce pays toujours sauvage, et Napoléon réunissait le soir ses partisans dans une chambre où ils causaient, formaient des projets, prenaient des mesures, prévoyaient l'avenir, tout en buvant du vin et en mangeant des figues.

Une animosité déjà existait entre le jeune Bonaparte et le général Paoli. Voici comment elle était née. Paoli, ayant reçu l'ordre de conquérir l'île de la Madeleine, confia cette mission au colonel Cesari en lui recommandant, dit-on, de faire échouer l'entreprise. Napoléon, nommé lieutenant-colonel de la garde nationale dans le régiment que commandait le colonel Quenza, prit part à cette expédition et s'éleva violemment ensuite contre la manière dont elle avait été conduite, accusant ouvertement les chefs de l'avoir perdue à dessein.

Ce fut peu de temps après que des commissaires de la République, parmi lesquels se trouvait Saliceti, furent envoyés à Bastia. Napoléon, apprenant leur arrivée, les voulut rejoindre, et, pour entreprendre ce voyage, il fit venir de Bocognano son homme de confiance, un de ses partisans les plus fidèles, Santo-Bonelli, dit Riccio, qui devait lui servir de guide.

Tous deux partirent à cheval, se dirigeant vers Corte où se tenait le général Paoli, que Bonaparte voulait voir en passant ; car, ignorant alors la participation de son chef au complot tramé contre la France, il le défendait même contre les soupçons chuchotés ; et l'hostilité grandie entre eux, bien que vive déjà, n'avait point éclaté.

Le jeune Napoléon descendit de cheval dans la cour de la maison habitée par Paoli, et confiant sa monture à Santo-Riccio, il voulut tout de suite se rendre auprès du général. Mais, comme il gravissait l'escalier, une personne qu'il aborda lui apprit qu'en ce moment même avait lieu une sorte de conseil formé des principaux chefs corses, tous ennemis des idées républicaines. Lui, inquiet, cherchait à savoir, quand un des conspirateurs sortit de la réunion.

Alors, marchant à sa rencontre, Bonaparte lui demanda : « Eh bien ? » L'autre, le croyant un allié, répondit : « C'est fait ! Nous allons proclamer l'indépendance et nous séparer de la France, avec le secours de l'Angleterre. »

Indigné, Napoléon s'emporta et, frappant du pied, il criait : « C'est une trahison, c'est une infamie ! » quand des hommes parurent, attirés par le bruit. C'étaient justement des parents éloignés de la famille Bonaparte. Eux, comprenant le danger où se jetait le jeune officier, car Paoli était homme à s'en débarrasser à tout jamais et sur-le-champ, l'entourèrent, le firent descendre par force et remonter à cheval.

Il partit aussitôt, retournant vers Ajaccio, toujours accompagné de Santo-Riccio. Ils arrivèrent, à la nuit tombante, au hameau de Arca-de-Vivario, et couchèrent chez le curé Arrighi, parent de Napoléon, qui le mit au courant des événements et lui demanda conseil, car c'était un homme d'esprit droit et de grand jugement, estimé dans toute la Corse.

S'étant remis en route le lendemain dès l'aurore, ils marchèrent tout le jour et parvinrent le soir à l'entrée du village de Bocognano. Là, Napoléon se sépara de son guide, en lui recommandant de venir au matin le chercher avec les chevaux à la jonction des deux routes, et il gagna le hameau de Pagiola pour demander l'hospitalité à Félix Tusoli, son partisan et son parent, dont la maison se trouvait un peu éloignée.

Cependant le général Paoli avait appris la visite du jeune Bonaparte, ainsi que ses paroles violentes après la découverte du complot, et il chargea Mario Peraldi de se mettre à sa poursuite et de l'empêcher, coûte que coûte, de gagner Ajaccio ou Bastia.

Mario Peraldi parvint à Bocognano quelques heures avant Bonaparte, et se rendit chez les Morelli, famille puissante, partisans du général. Ils apprirent bientôt que le jeune officier était arrivé dans le village et qu'il passerait la nuit dans la maison de Tusoli ; alors le chef des Morelli, homme énergique et redoutable, instruit des ordres de Paoli, promit à son envoyé que Napoléon n'échapperait pas.

Dès le jour, il avait posté son monde, occupé toutes les routes, toutes les issues. Bonaparte, accompagné de son hôte, sortit pour rejoindre Santo-Riccio ; mais Tusoli, un peu malade, la tête enveloppée d'un mouchoir, le quitta presque immédiatement.

Aussitôt que le jeune officier fut seul, un homme se présentant lui annonça que dans une auberge voisine se trouvaient des partisans du général, en route pour le rejoindre à Corte. Napoléon se rendit près d'eux, et les trouvant réunis : « Allez, leur dit-il, allez trouver votre chef, vous faites une grande et noble action. » Mais en ce moment les Morelli, se précipitant dans la maison, se jetèrent sur lui, le firent prisonnier et l'entraînèrent.

Santo-Riccio, qui l'attendait à la jonction des deux

routes, apprit immédiatement son arrestation et il courut chez un partisan des Bonaparte, nommé Vizzavona, qu'il savait capable de l'aider et dont la demeure était voisine de la maison Morelli, où Napoléon allait être enfermé.

Santo-Riccio avait compris l'extrême gravité de cette situation : « Si nous ne parvenons à le sauver tout de suite, dit-il, il est perdu. Peut-être sera-t-il mort avant deux heures. » Alors Vizzavona s'en fut trouver les Morelli, les sonda habilement, et comme ils dissimulaient leurs intentions véritables, il les amena, à force d'adresse et d'éloquence, à permettre que le jeune homme vînt chez lui prendre quelque nourriture pendant qu'ils garderaient sa maison.

Eux, pour mieux cacher leurs projets sans doute, y consentirent, et leur chef, le seul qui connût les volontés du général, leur confiant la surveillance des lieux, rentra chez lui pour faire ses préparatifs de départ. Ce fut cette absence qui sauva quelques minutes plus tard la vie du prisonnier. Cependant Santo-Riccio, avec le dévouement naturel des Corses, un prodigieux sang-froid et un intrépide courage, préparait la délivrance de son compagnon. Il s'adjoignit deux jeunes gens, braves et fidèles comme lui ; les ayant secrètement conduits dans un jardin attenant à la maison Vizzavona et cachés derrière un mur, il se présenta tranquillement aux Morelli, et demanda la permission de faire ses adieux à Napoléon, puisqu'ils devaient l'emmener. On lui accorda cette faveur, et dès qu'il fut en présence de Bonaparte et de Vizzavona, il développa ses projets, hâtant la fuite, le moindre retard pouvant être fatal au jeune homme. Tous les trois alors pénétrèrent dans l'écurie, et, sur la porte, Vizzavona, les larmes aux yeux, embrassa son hôte et lui dit : « Que Dieu vous sauve, mon pauvre enfant, lui seul le peut ! »

En rampant, Napoléon et Santo-Riccio rejoignirent les deux jeunes gens embusqués auprès du mur, puis, prenant leur élan, tous les quatre s'enfuirent à toutes jambes vers une fontaine voisine cachée dans les arbres.

Mais il fallait passer sous les yeux des Morelli, qui, les apercevant, se lancèrent à leur poursuite en jetant de grands cris.

Or le chef Morelli, rentré dans sa demeure, les entendit, et, comprenant tout, se précipita avec une physionomie si féroce que sa femme, alliée aux Tusoli, chez qui Bonaparte avait passé la nuit, se jeta à ses pieds, suppliante, demandant la vie sauve pour le jeune homme.

Lui, furieux, la repoussa, et il s'élançait dehors quand elle, toujours à genoux, le saisit par les jambes, les enlaçant de ses bras crispés ; puis, battue, renversée, mais, acharnée en son étreinte, elle entraîna son mari, qui s'abattit à côté d'elle.

Sans la force et le courage de cette femme, c'était fait de Napoléon.

Toute l'histoire moderne se trouvait donc changée. La mémoire des hommes n'aurait point eu à retenir les noms de victoires retentissantes ! Des millions d'êtres ne seraient pas morts sous le canon ! La carte d'Europe n'était plus la même ! Et qui sait sous quel régime politique nous vivrions aujourd'hui.

Car les Morelli atteignaient les fugitifs.

Santo-Riccio, intrépide, s'adossant au tronc d'un châtaignier, leur fit face, criant aux deux jeunes gens d'emmener Bonaparte. Mais lui refusa d'abandonner son guide qui vociférait, tenant en joue leurs ennemis :

— Emportez-le donc, vous autres ; saisissez-le, attachez-lui les pieds et les mains !

Alors ils furent rejoints, entourés, saisis, et un partisan des Morelli, nommé Honorato, posant son fusil sur la tempe de Napoléon, s'écria : « Mort au traître à la patrie ! » Mais juste en ce moment l'homme qui avait reçu Bonaparte, Félix Tusoli, prévenu par un émissaire de Santo-Riccio, arrivait escorté de ses parents armés. Voyant le danger et reconnaissant son beau-frère dans celui qui menaçait ainsi la vie de son hôte, il lui cria, le mettant en joue :

— Honorato, Honorato, c'est entre nous alors que la chose va se passer!

L'autre, surpris, hésitait à tirer, quand Santo-Riccio, profitant de la confusion, et laissant les deux partis se battre ou s'expliquer, saisit à pleins bras Napoléon qui résistait encore, l'entraîna, aidé des deux jeunes gens, et s'enfonça dans le maquis.

Une minute plus tard, le chef Morelli, débarrassé de sa femme, et en proie à une colère furieuse, rejoignait enfin ses partisans. Cependant les fugitifs marchaient à travers la montagne, les ravins, les fourrés. Lorsqu'ils furent en sûreté, Santo-Riccio renvoya les deux jeunes gens qui devaient le lendemain les rejoindre avec les chevaux auprès du pont d'Ucciani.

Au moment où ils se séparaient, Napoléon s'approcha d'eux.

— Je vais retourner en France, leur dit-il, voulez-vous m'accompagner? Quelle que soit ma fortune, vous la partagerez.

Eux lui répondirent :

— Notre vie est à vous; faites de nous, ici, ce que vous voudrez, mais nous ne quitterons pas notre village.

Ces deux simples et dévoués garçons retournèrent donc à Bocognano chercher les chevaux, tandis que Bonaparte et Santo-Riccio continuaient leur marche au milieu de tous les obstacles qui rendent si durs les voyages dans les pays montagneux et sauvages. Ils s'arrêtèrent en route pour manger un morceau de pain dans la famille Mancini, et parvinrent, le soir, à Ucciani, chez les Pozzoli, partisans des Bonaparte.

Or, le lendemain, quand il s'éveilla, Napoléon vit la maison entourée d'hommes armés. C'étaient tous les parents et les amis de ses hôtes, prêts à l'accompagner comme à mourir pour lui.

Les chevaux attendaient près du pont, et la petite troupe se mit en route, escortant les fugitifs jusqu'aux environs d'Ajaccio. La nuit venue, Napoléon pénétra dans la ville et se réfugia chez le maire, M. Jean-Jérôme Lévy, qui le cacha dans un placard. Utile précaution, car la police arrivait le lendemain. Elle fouilla partout sans rien trouver, puis se retira tranquille et déroutée par l'habile indignation du maire qui offrit son aide empressée pour trouver le jeune révolté. Le soir même, Napoléon, embarqué dans une gondole, était conduit de l'autre côté du golfe, confié à la famille Costa, de Bastelica, et caché dans les maquis.

L'histoire d'un siège qu'il aurait soutenu dans la tour de Capitello, récit émouvant publié par les guides, est une pure invention dramatique aussi sérieuse que beaucoup des renseignements donnés par ces industriels fantaisistes.

Quelques jours plus tard, l'indépendance corse fut proclamée, la maison Bonaparte incendiée, et les trois sœurs du fugitif remises à la garde de l'abbé Reccho.

Puis une frégate française, qui recueillait sur la côte les derniers partisans de la France, prit à son bord Napoléon, et ramena dans la mère patrie le partisan poursuivi, traqué, celui qui devait être l'Empereur et le prodigieux général dont la fortune bouleversa la terre.

(*Le Gaulois,* 27 octobre 1880.)

MADELEINE BASTILLE

Un volume a suffi à Chateaubriand pour raconter l'itinéraire de Paris à Jérusalem; mais combien de temps et de volumes faudrait-il pour achever d'écrire un voyage de la Madeleine à la Bastille?

Dans cette grande artère ouverte qu'on appelle les boulevards, et où bat le sang de Paris, une vie prodigieuse s'agite, un remuement d'idées comme il n'en existe nulle part, un bouillonnement d'humanité, un pêle-mêle de tout ce qui se précipite à ce rendez-vous universel.

Voici l'hiver et les froids; c'est la saison tumultueuse du gaz et du boulevard, après la saison tranquille des bois et des bains de mer. Et de même qu'au mois de juin Paris s'en va à tous les coins du monde, ainsi au retour de novembre on vient de Paris de tous les coins de la terre. Mais Paris, pour l'étranger comme pour nous, c'est le boulevard, de la Madeleine au Château-d'Eau.

Nous autres, Parisiens, qui adorons Paris sous tous ses aspects, dans toutes ses grandeurs, avec tous ses charmes et même tous ses vices, nous aimons par-dessus tout le boulevard. Nous en connaissons chaque maison, chaque boutique, chaque étalage, et les figures des personnes qui, chaque soir, y reviennent de cinq à six sont familières à nos yeux.

Mais alors, en recommençant tous les jours la même promenade, à la même heure, et en revoyant les mêmes visages, j'ai pensé à ceux qui faisaient avec nous ce

95

voyage si court, et pourtant si varié, puis à ceux qui les avaient précédés, et puis aux autres, venus encore avant. J'ai songé à tous les hommes, à toutes les choses, à tous les événements, à toutes les gloires, à tous les crimes qui ont passé avant nous sur cette longue avenue, et une envie violente m'a pris de connaître un peu l'histoire du boulevard.

Elle serait interminable, universelle! Je n'en pourrai donc noter que certains points que je vous dédie, ô boulevardiers! Le boulevard est jeune par un bout et vieux par l'autre. La Madeleine est son enfance et la Bastille sa vieillesse. L'église de la Madeleine, en effet, ne fut terminée que vers 1830, après avoir été dix fois détruite et recommencée. Louis XV avait posé la première pierre de ce monument le 3 avril 1764.

Avançons à petits pas : les souvenirs sont nombreux, bien que le quartier soit nouveau. Donc, ne nous occupons que des grands noms. Voici la rue Caumartin : c'est dans cette maison, à l'angle, que mourut le fougueux Mirabeau.

Rue de la Paix, arrêtons-nous. Elle fut rêvée par Louis XVI, exécutée par Napoléon.

Un soir (si nous en croyons une chronique), le futur Empereur, alors chef de bataillon d'artillerie, avait dîné place Vendôme, chez le général d'Angerville, beau-frère de Berthier, avec plusieurs officiers.

Il proposa, dans la soirée, d'aller à Frascati, prendre des glaces. Tout le monde accepta, et l'on partit. Napoléon, qui donnait le bras à Mme Tallien, s'arrêta quelques secondes pour considérer la grande place sans monument, et, se tournant vers M. d'Angerville :

— Votre place est nue, mon général ; il y faudrait un centre, une colonne comme celle de Trajan, ou un tombeau qui recevrait les cendres des soldats morts pour la patrie.

Mme d'Angerville approuva.

— Votre idée est bonne, mon cher commandant ; quant à moi je préférerais la colonne.

Napoléon se mit à rire.

— Vous l'aurez un jour, madame, quand Berthier et moi serons généraux.

L'Empereur a tenu sa parole.

Avançons toujours. La Chaussée d'Antin! Oh! ici les souvenirs abondent, et quels souvenirs!... Ceux qui doivent, ô boulevardiers, vous remuer jusqu'aux moelles, faire frissonner votre chair de raffinés, allumer encore en vos yeux des lueurs d'envie pour les voluptés anciennes.

Autrefois, sous la Régence, un marais était là, et le village des Porcherons, et la ferme de la Grange Batelière!

Un petit sentier ombreux, le chemin de la Grande-Pinte, traversait ce lieu et, parti de la porte Gaillon, aboutissait au hameau de Clichy. Oui, il y a à peine un siècle et demi, le quartier le plus riche et le plus vivant de Paris, n'était encore qu'une campagne pleine de « petites maisons » silencieuses le jour, et qui, la nuit, s'emplissaient de rires, de baisers, de tumulte, avec des bruits de bouteilles cassées et des cliquetis d'épées.

C'était le domaine de l'amour, le champ de la galanterie. Elles y vinrent toutes, les belles et charmantes femmes dont nous rêvons encore, Mme de Cœuvres, la comtesse d'Olonne, la maréchale de la Ferté; et quand une voiture bleue entrait au galop sous la porte d'un hôtel hermétiquement fermé, c'est que le régent de France allait souper, ce soir-là, entre Mme de Tencin et la duchesse de Phalaris, en face du duc de Brissac et du marquis de Cossé.

Plus loin, sur le pont d'Arcans on se battait, tudieu! chaque jour; et la belle Mme de Lionne et la belle Louison d'Arquin y regardaient ferrailler leurs amants, le comte de Fiesque et M. de Tallard.

Plus tard, la Guimard eut ici son hôtel; et la Duthé, à qui un roi voulut confier l'éducation mondaine de son fils; et la Dervieux, qui tant aima.

Sous le même toit, l'une après l'autre, dormirent Mme Récamier et la charmante comtesse Lehon. Car c'est le pays de la beauté, de l'esprit et de la grâce.

Mesmer a passé par ici; Cagliostro y commença sa gloire; en cette rue naquit Mirabeau.

L'histoire de la chaussée d'Antin demanderait dix ans de travail; puis, quand elle serait écrite, on n'oserait vraiment la mettre entre vos mains, mesdames. Et pourtant... pourtant... si vous pouviez suivre l'exemple, et recommencer pour nous cette époque unique de galanterie adorable et spirituelle, d'amour volage et bien né, de baisers charmants si tôt donnés et si tôt oubliés!

Mais voici la rue Laffitte.

C'est dans un grand salon sévère et riche, le 18 juillet 1830. Des politiciens délibèrent sous la présidence du banquier Laffitte. Le sort de la France est indécis. Un homme paraît, se joint à eux, et tous se lèvent, comprenant que la cause de la légitimité est perdue sans retour, car le nouveau venu s'appelle M. de Talleyrand, et celui-là ne se trompe jamais. Un parlementaire le suit, venu au nom de Charles X. On lui répond qu'il n'est plus temps.

Et le lendemain, dans ce même salon, M. Thiers écrivait une proclamation orléaniste.

J'aperçois là-bas le pavillon de Hanovre. D'où vient ce nom? D'une ironie populaire. Le duc de Richelieu le fit construire avec l'argent des rapines qu'il exerça pendant la guerre de Hanovre, et le peuple parisien cloua ce nom comme un stigmate sur la porte du somptueux hôtel.

Puis, voici la maison de Mlle Lenormand. Au détour de la rue des Tournelles, voici encore la maison de Ninon de Lenclos, de Ninon la toujours jeune, la toute belle, de Ninon qui a inspiré à son propre fils une passion horrible dont il mourut; de Ninon l'adorable fille qui, pressentant le génie d'un jeune homme inconnu, lui laissait sa bibliothèque! Et ce jeune homme s'appela Arouet de Voltaire.

O ministres des beaux-arts, ô ministres de l'instruction populaire! lequel de vous en a fait autant?

Marchons vite, car le temps nous presse.

Mais, à la rue Saint-Martin, les très vieilles histoires commencent.

C'est en 1386. Deux gentilshommes normands, couverts de fer, sont face à face en un champ clos ; car, pour terminer leur querelle, le roi Charles VI a décidé de s'en rapporter au jugement de Dieu.

Jacques Legris est accusé d'avoir pris par violence la femme de Jean de Carouge, et il nie. Ils se battent, longtemps, longtemps : enfin Jacques Legris est vaincu, il nie encore. Son rival le tient sous son genou ; il nie toujours. Le roi, alors, le fait pendre. A l'heure de la mort, il n'avoue pas !... Et, quelques mois plus tard, son innocence est reconnue.

Jugement de Dieu ou jugement des hommes, la justice est toujours la même.

Boulevard du Temple, il y avait là une petite maison qui n'existe plus. Elle appartenait à l'ouvrier Boulle.

Encore une histoire d'amour. Le grand roi voulant offrir à sa bien-aimée, Mlle de Fontange, un mobilier vraiment royal, tous les artisans de France furent conviés à un concours dont André Boulle sortit vainqueur. La chronique scandaleuse ajoute qu'après avoir meublé l'hôtel de la favorite avec ces merveilleux objets, que créa son génie aidé de son amour, il y pendit la crémaillère à la barbe du roi Soleil.

Nous saluons en passant la maison de Beaumarchais, dont tout le monde connaît l'histoire, et nous nous arrêtons, pour souffler, devant la colonne de Juillet, sur la place de la Bastille.

Et voilà, en quelques mots, la biographie du boulevard, telle qu'on la trouve en beaucoup d'auteurs anciens et modernes, avec un peu de patience.

(*Le Gaulois,* 9 novembre 1880.)

L'INVENTEUR DU MOT « NIHILISME »

Nos grands hommes et même nos petits hommes sont tous connus à l'étranger ; il n'est chez nous si mince littérateur ou si médiocre politicien dont le nom n'ait passé la mer et passé les monts et n'apparaisse périodiquement dans les journaux anglais, allemands ou russes.

Chez nous, au contraire, on ne sait rien de nos voisins, qui possèdent des hommes de talent ou même de génie dont la renommée s'arrête aux frontières françaises.

En prenant, par exemple, les noms des cinq premiers écrivains russes de ce siècle, il n'en est assurément pas plus de trois dont la réputation soit parvenue même aux Parisiens lettrés.

Et pourtant, dans l'avenir, ces cinq écrivains marqueront non pas comme des précurseurs, mais comme des classiques, comme les pères des lettres russes. Ce sont : Pouchkine, un Shakespeare jeune homme, mort en plein génie, quand son âme, suivant son expression, s'élargissait, quand il « se sentait mûr pour concevoir et enfanter des œuvres puissantes ».

Il fut tué *en duel* en 1837.

Lermontoff, un poète byronien plus original même, et plus vivant, et plus vibrant, et plus violent que Byron — tué *en duel* en 1841, à l'âge de vingt-sept ans.

Ne devrait-on pas livrer à l'exécration des hommes

ceux qui détruisent de pareils êtres dont la vie importe à l'esprit humain et à toutes les générations futures.

Gogol, un romancier, de la famille de Balzac et de Dickens, mort en 1851.

Le comte Léon Tolstoï, bien vivant celui-là ; un des grands écrivains du monde actuel, l'auteur de ce superbe livre qui eut du succès en France l'an dernier, et qui s'appelle : *La Paix et la Guerre.*

Enfin Ivan Tourgueneff, un Parisien bien connu chez nous, l'inventeur du mot « nihiliste », le premier qui ait signalé cette secte aujourd'hui si puissante, et qui l'ait, pour ainsi dire, légalement baptisée.

Grâce à sa profession d'homme de lettres, il observait sans cesse autour de lui, et il remarqua, le premier, cet état nouveau des esprits, cette crise particulière des maladies cérébrales populaires, cette fermentation politique et philosophique inconnue, inaperçue, qui devait soulever la Russie tout entière.

Les vrais matelots pressentent de loin la tempête, et les vrais romanciers voient en avant, devinant l'avenir, comme l'a fait Balzac.

Tourgueneff reconnut cette graine de la Révolution russe quand elle germait sous terre encore avant qu'elle eût poussé au soleil, et, dans un livre qui fit grand bruit : *Pères et Enfants,* il constata la situation morale de cette espèce de secte naissante. Pour la désigner clairement, il inventa, il créa un mot : les *nihilistes.*

L'opinion publique, toujours aveugle, s'indigna ou ricana. La jeunesse fut partagée en deux camps ; l'un protesta, mais l'autre applaudit, déclarant : « C'est vrai, lui seul a vu juste, nous sommes bien ce qu'il affirme. » C'est à partir de ce moment que la doctrine encore flottante, *qui était dans l'air,* fut formulée d'une façon nette, que les *nihilistes* eux-mêmes eurent vraiment conscience de leur existence et de leur force, et formèrent un parti redoutable.

Dans un autre livre, *Fumée,* Tourgueneff suivit les progrès, la marche des esprits révolutionnaires, en même temps que leurs défaillances, les causes de leur impuissance. Il fut alors attaqué des deux côtés à la fois, et son impartialité ameuta contre lui les deux factions rivales. C'est qu'en Russie, comme en France, il faut appartenir à un parti. Soyez l'ami ou l'ennemi du pouvoir, croyez blanc ou rouge, mais croyez. Si vous vous contentez d'observer tranquillement, en sceptique convaincu; si vous restez en dehors des luttes qui vous paraissent secondaires, ou si, même étant d'une faction, vous osez constater les défaillances et les folies de vos amis, on vous traitera comme une bête dangereuse; on vous traquera partout; vous serez injurié, conspué, traître et renégat; car la seule chose que haïssent tous les hommes, en religion comme en politique, c'est la véritable indépendance d'esprit.

Tourgueneff était avec raison considéré comme un libéral. Ayant raconté les faiblesses des révolutionnaires, on le traita comme un faux frère. Il n'en continua pas moins ses études sur ce parti toujours grandissant, si curieux et si terrible, qui fait aujourd'hui trembler le Czar; et son dernier livre : *Terres vierges,* indique avec une étonnante clarté, l'état mental du nihilisme actuel.

En dépit des injures de quelques forcenés, sa popularité est très grande en Russie, et des ovations l'attendent chaque fois qu'il retourne à St-Pétersbourg. Les jeunes gens surtout le vénèrent; mais la cause première de cette faveur remonte à bien loin déjà, au temps où parut son premier volume.

Il était jeune, très jeune. Se croyant poète, comme tous les romanciers qui débutent, il avait fait quelques vers, publiés sans grand succès; alors, sentant venir le découragement, prêt à renoncer aux lettres, il allait partir pour étudier la philosophie en Allemagne quand un encouragement inattentu lui vint du célèbre critique russe Belinski. Cet homme exerça sur le mouvement littéraire de son pays une influence décisive; et son autorité fut plus étendue, plus dominatrice que celle d'aucun critique en aucun temps et en aucun lieu. Il dirigeait alors une revue appelée : *Le Contemporain,* et il exigea de Tourgueneff une petite nouvelle en prose destinée à ce recueil.

Tourgueneff, jeune, ardent, libéral, élevé en pleine province, dans la steppe, ayant vu le paysan chez lui, dans ses souffrances et ses effroyables labeurs, dans son servage et sa misère, était plein de pitié pour ce travailleur humble et patient, plein d'indignation contre les oppresseurs, plein de haine pour la tyrannie.

Il décrivit, en quelques pages, les tortures de ces tristes déshérités, mais avec tant d'ardeur, de vérité, de véhémence et de style, qu'une grande émotion s'en répandit, s'étendant à toutes les classes de la société. Emporté par ce succès rapide et imprévu, il continua une série de courtes études prises toujours chez le peuple des campagnes, et, comme une multitude de flèches allant frapper au même but, chacune de ces pages frappait en plein cœur la domination seigneuriale, le principe odieux du servage.

C'est ainsi que fut composé ce livre désormais historique qui a pour titre : *Les Mémoires d'un Seigneur russe*.

Mais quand il voulut réunir en volume tous ces morceaux détachés, l'éternelle censure mit son *veto*. Le hasard d'un tête-à-tête en chemin de fer avec un des membres de cette institution tutélaire fit obtenir à l'auteur l'autorisation demandée du personnage officiel, qui paya de sa place cette complaisance.

Le livre eut un retentissement immense, fut saisi, et l'auteur arrêté passa un mois sous les verrous, non pas en prison, mais au *violon,* avec les vagabonds et les voleurs de grand chemin, puis il fut envoyé en exil par l'empereur Nicolas.

Sa grâce, bien que réclamée par le czarevitch, fut longue à venir. La raison en tient peut-être à ce que, sur la demande de l'héritier impérial, Tourgueneff, ayant adressé une lettre au souverain, ne se prosterna point à ses « pieds sacrés » (variante de notre plate formule « votre très humble et très obéissant serviteur »).

Il revint plus tard dans son pays, mais ne l'habita plus guère.

Enfin, le 19 février 1861, l'empereur Alexandre, fils de Nicolas, proclama l'abolition du servage ; et un banquet annuel commémoratif fut institué, où assistaient tous ceux qui avaient pris part à ce grand acte politique. Or, dans une de ces réunions, un célèbre homme d'Etat russe, Milutine, portant un toast à Tourgueneff, lui dit : « Le Czar, Monsieur, m'a spécialement chargé de vous répéter qu'une des causes qui l'ont le plus décidé à émanciper les serfs est la lecture de votre livre *Les Mémoires d'un Seigneur russe.* »

Ce livre est resté, en Russie, populaire et presque classique. Tout le monde le connaît, le sait par cœur et l'admire. Il est l'origine de la réputation de son auteur comme écrivain et comme libéral, on pourrait presque dire comme « libérateur », en même temps qu'il est le principe de sa grande popularité. L'œuvre littéraire de Tourgueneff est assez considérable : sans chercher à analyser ici, ou même à citer tous ses ouvrages, mentionnons un autre très beau roman, *Les Eaux printanières.* Mais c'est peut-être dans les courtes nouvelles qu'apparaît le plus l'originalité de cet écrivain, qui est avant tout un maître conteur.

Psychologue, physiologiste et artiste de premier ordre, il sait composer en quelques pages une œuvre absolue, grouper merveilleusement les circonstances et tracer des figures vivantes, palpables, saisissantes, en quelques traits si légers, si habiles qu'on ne comprend point comment tant de relief est obtenu avec des moyens en apparence si simples. De chacune de ces courtes histoires s'élève comme une vapeur de mélancolie, une tristesse profonde et cachée sous les faits. L'air qu'on respire en ses créations se reconnaît toujours ; il emplit l'esprit de pensées graves et amères, il semble même apporter aux poumons une senteur étrange et particulière. Observateur réaliste et sentimental en même temps, il a donné une note unique, bien à lui, rien qu'à lui. On la trouve en toute sa puissance dans ces courts chefs-d'œuvre qui s'appellent : *L'Abandonnée*, — *Le Gentilhomme de la Steppe*, — *Trois Rencontres*, — *Le Journal d'un Homme de trop*, etc.

Tourgueneff, maintenant, habite presque toute l'année la France. Il y possède de nombreux amis : la famille Viardot, Mme Edmond Adam, M. Hébrard, directeur du *Temps*, les romanciers Edmond de Goncourt, Zola, Daudet, Edmond About, et bien d'autres. Gustave Flaubert l'aimait et l'admirait passionnément.

Beaucoup de nous, sans doute, l'ont rencontré sans le connaître. Comme il adore la musique et en écoute le plus souvent possible, les habitués du concert Colonne remarquent chaque hiver une sorte de géant à barbe blanche et à longs cheveux blancs, avec une figure de Père éternel, des gestes calmes, un œil tranquille derrière le verre de son pince-nez, et toute une allure d'homme supérieur, ce *je ne sais quoi* qui n'est point la distinction dite aristocratique, ni l'aplomb du diplomate, mais une sorte de dignité simple, la sérénité du talent. Il est modeste, d'ailleurs, plus que la plupart des écrivains français. On croirait même qu'il s'efforce de ne jamais faire parler de lui.

(*Le Gaulois*, 21 novembre 1880.)

CHINE ET JAPON

Une femme du monde des plus en vue donnait dernièrement une soirée qui fit du bruit et où deux voyageurs spirituels, l'un parlant, l'autre dessinant avec talent, exposèrent la vie au Japon, à la foule de spectateurs et d'auditeurs réunis autour d'eux.

Le Japon est à la mode. Il n'est point une rue dans Paris qui n'ait sa boutique de japonneries; il n'est point un boudoir ou un salon de jolie femme qui ne soit bondé de bibelots japonais. Vases du Japon, tentures du Japon, soieries du Japon, jouets du Japon, porte-allumettes, encriers, services à thé, assiettes, robes même, coiffures aussi, bijoux, sièges, tout vient du Japon en ce moment. C'est plus qu'une invasion, c'est une décentralisation du goût; et le bibelot japonais a pris une telle importance, nous arrive en telle quantité, qu'il a tué le bibelot français. C'est tant mieux, d'ailleurs; car tous les riens charmants qu'on fabriquait en France, autrefois, n'existent plus qu'à l'état d' « antiquités »; et Paris lui-même ne produit guère aujourd'hui que des menus objets hideux, maniérés, peinturlurés. Pourquoi? dira-t-on. Ah! pourquoi? Cela tient sans doute à ce que le fabricant produit ce qui se vend, répond toujours au goût du plus grand nombre d'acheteurs. Or, l'ascension continue des couches nouvelles amène sans cesse à la surface un flot de populaire travailleur, mais peu artiste. Une fois la fortune faite, on se meuble, et le goût, ce flair des races fines, manquant totalement à notre société utilitaire et lourdaude, on voit s'étaler en des salons millionnaires une foule d'objets à faire crier, toute la hideur d'ornementation qui séduit infailliblement les sauvages et les parvenus d'hier, dont les descendants seuls, dans un siècle ou deux, auront acquis la finesse nécessaire pour distinguer, pour comprendre la grâce exquise des petites choses.

**

L'œuvre véritable, produit de quelques rares génies que la bêtise ambiante ne peut atteindre, se manifeste en dehors de toute influence de mode ou d'époque.

Mais le bibelot, ce menu mobilier d'étagère, objet de vente courante, subit toutes les modifications du goût général. Or, le *commun,* en ce moment, règne et triomphe dans la société française, et ceux en qui reste encore un peu de la finesse ancienne, ne trouvant dans les magasins que des objets appropriés à la paysannerie universelle, se sont rejetés sur le bibelot japonais, charmant, fin, délicat, et bon marché. Cette invasion, cette domination du *commun,* fatale dans toute république appuyée sur le plus grand nombre, et non sur la supériorité intellectuelle, a fait de nous un peuple riche sans élégance, industrieux sans esprit ni délicatesse, puissant sans supériorité. Et voilà maintenant que le dernier refuge du « joli », le Japon lui-même, suprême espoir des collectionneurs, se met à prendre nos mœurs, nos coutumes, nos vêtements, car Yeddo sera bientôt pareille à quelque sous-préfecture de Seine-et-Oise. Alors, adieu les costumes de soie brodée, les choses délicieusement fines et charmantes, la grâce dans les riens, tout ce qu'on pourrait nommer le « bibelot spirituel ».

**

Oui, le Japon s'embourgeoise; et il a tort, car l'habit noir sied mal aux petits Japonais en pain d'épice. Mais, si le Japon perd son originalité, si ses habitants deviennent des Orientaux des Batignolles, avec tramways, ulsters et gibus, leurs voisins du moins, les Chinois, nous restent, inassiégeables dans leur immobilité, revenus du progrès depuis que leurs ancêtres, contemporains d'Abraham, ont découvert la boussole, l'imprimerie, le phonographe peut-être, et, dit-on, la vapeur. Ils détruisent les chemins de fer en construction, et, rebelles à nos mœurs, à nos lois, à nos usages, méprisant notre activité, nos productions et nos personnes, ils continuent et continueront jusqu'à la fin des siècles à vivre comme ont vécu leurs aïeux, et à fabriquer ces merveilleuses potiches, les plus belles qui soient.

La Chine est le mystère du monde. Quelle fatalité l'étreint, quelle loi inconnue et toute-puissante a pétrifié ce peuple qui savait ce que nos savants découvrent aujourd'hui, en des temps où nos pères bégayaient encore des langues informes, sans grammaire et sans écriture? Qu'importent les Japonais, médiocres imitateurs de l'Europe! Leur idéal à tous est de devenir ingénieurs, rêve commun depuis M. Scribe. Mais un poète a fait dire au Chinois :

> *La Paix descend sur toute chose,*
> *Sans amour, sans haine et sans Dieu.*
> *Mon esprit calme se repose*
> *Dans l'équilibre du milieu!*
> *Et, très fort en littérature,*
> *J'ai gagné — s'il faut parler net —*
> *Quatre rubis à ma ceinture,*
> *Un bouton d'or à mon bonnet!*

Cette ambition modeste des quatre rubis et du bouton d'or, n'est-elle point celle du vrai sage?

Aussi bien on nous racontait, l'autre jour, l'histoire du théâtre au Japon. Le théâtre en Chine n'est pas moins intéressant.

Comme les mœurs de ce peuple étrange, il n'a point varié depuis des siècles, et les pièces qui ravissent d'aise les mandarins à bouton d'or ravissaient jadis leurs pères ainsi que les pères de leurs pères.

Le spectacle a lieu généralement en des édifices mobiles qu'on monte et démonte avec rapidité, et le luxe d'ornementation, la richesse de la mise en scène, la variété des décors sont complètement inconnus dans le grand empire du Milieu.

Le centre de la salle qui correspond à notre parterre, est gratuit. Y vient qui veut. Quand donc aurons-nous aussi des places gratuites à la disposition du public pauvre et lettré, dans les théâtres subventionnés! O République démocratique!

La police de la porte est faite en Chine par des officiers de police armés de fouets; et quand la foule houleuse et compacte empêche d'approcher les litières des belles Chinoises de qualité, il suffit à l'homme de faire siffler sa souple lanière pour qu'un passage s'ouvre aussitôt.

Les pièces représentées ressemblent beaucoup à nos romans du Moyen Age. Des dames enfermées en des tours de porcelaine sont délivrées par des chevaliers qui se livrent d'effrayants combats; et le mariage a lieu au milieu des tournois, des divertissements et des fêtes.

Le Chinois en outre adore la pantomime, ce genre charmant trop délaissé chez nous et qui chez eux prend une importance considérable.

Les pantomimes chinoises sont remplies d'allégories philosophiques. En voici une:

L'Océan, à force de rouler ses flots sur les rivages, devint amoureux de la Terre, et, pour obtenir ses faveurs, lui offrit en don les richesses de son royaume. Alors les spectateurs ravis voient sortir du fond des mers des dauphins, des phoques, des marsouins, des crabes monstrueux, des huîtres, des perles, du corail vivant, des éponges, mille autres bêtes et mille autres

109

choses qui suivent, en dansant un petit pas de caractère, une immense et superbe baleine.

La Terre, de son côté, pour reconnaître cette politesse, offre ce qu'elle produit : des lions, des tigres, des éléphants, des aigles, des autruches, des arbres de toute espèce, et un ballet formidable commence, d'une gaieté folle et d'une fantaisie charmante. La baleine, enfin, s'avance vers le public en roulant des yeux : elle semble malade, bâille, ouvre la bouche... et lance sur le parterre un jet d'eau gros comme un fleuve, une trombe, une inondation. Et le public trépigne, applaudit, crie : « Charmant, délicieux! » ce qui, en chinois se dit : « Hao! Koung-Hao! »

**

Les pièces historiques aussi sont très suivies.

Les trois unités que prescrivit Boileau n'y sont pas souvent respectées, car l'action parfois embrasse un siècle entier ou même toute la durée d'une dynastie. L'auteur n'est point embarrassé pour conduire ses personnages d'un lieu dans un autre. En voici un, par exemple, qui doit entreprendre un grand voyage. Comme on ne changera pas le décor, il faut user d'un autre procédé. L'acteur, alors, monte à cheval sur un bâton, prend un petit fouet, l'agite, fait deux ou trois fois le tour de la scène et chante un couplet pour indiquer quelle route il a parcourue; puis il s'arrête, remet son bâton dans un coin, son fouet dans un autre, et reprend son rôle. Les personnages parfois sont la Lune et le Soleil; ils se racontent les événements de l'espace, les galanteries des étoiles, les amours vagabondes des comètes, et reçoivent de temps en temps la visite d'un prince de la terre qui vient regarder du ciel ce qui se passe en son empire; tandis que le tonnerre, un clown armé d'une hache, saute, bondit, trépigne, se désarticule.

« Le jeu des acteurs chinois, écrit un voyageur, égale s'il ne surpasse le jeu des acteurs européens. Aucun de ceux-ci ne s'applique avec plus d'anxiété à imiter la nature dans toutes ses variations et ses nuances les plus fines et les plus délicates. »

N'est-ce point la définition absolue de ce qu'on appellerait aujourd'hui en France le « naturalisme » au théâtre?

Polichinelle existe en Chine depuis la plus haute Antiquité; car rien n'est inconnu à cette singulière nation, demeurée stationnaire peut-être parce qu'elle a marché trop vite, et usé toute son énergie avant même que l'histoire commençât pour nous?

**

Deux grands poètes, Théophile Gautier et Louis Bouilhet, ont chanté la Chine en vers exquis. Quoi de plus charmant que cet aveu d'amour qui fait rêver et qui devrait rester dans toutes les mémoires :

> *Celle que j'aime à présent est en Chine;*
> *Elle demeure, avec ses vieux parents,*
> *Dans une tour de porcelaine fine,*
> *Au fleuve Jaune, où sont les cormorans.*
>
> *Elle a les yeux retroussés vers les tempes,*
> *Un petit pied à prendre dans la main,*
> *Le teint plus clair que le cuivre des lampes,*
> *Les ongles longs et rougis de carmin.*
>
> *Par son treillis elle passe la tête*
> *Que l'hirondelle, en volant, vient toucher;*
> *Et chaque soir, aussi bien qu'un poète,*
> *Chante le saule et la fleur du pêcher.*

Et ce récit d'une tendresse entre une fleur et un oiseau, qui semble contenir toute la poésie éclose dans cette patrie de la couleur où les sentiments sont émaillés comme les potiches :

111

La fleur Ing-Wha, petite et pourtant des plus belles,
N'ouvre qu'à Ching-tu-fu son calice odorant ;
Et l'oiseau Tung-whang-fung est tout juste assez grand
Pour couvrir cette fleur en tendant ses deux ailes.

Et l'oiseau dit sa peine à la fleur qui sourit ;
Et la fleur est de pourpre et l'oiseau lui ressemble ;
Et l'on ne sait pas trop, quand on les voit ensemble,
Si c'est la fleur qui chante ou l'oiseau qui fleurit.

Et la fleur et l'oiseau sont nés à la même heure ;
Et la même rosée avive, chaque jour,
Les deux époux vermeils gonflés du même amour.
Mais, quand la fleur est morte, il faut que l'oiseau meure !

. . . .

N'est-ce pas, mesdames, que ces vers sont adorables, et que Lemerre devrait se hâter un peu plus de nous donner l'édition complète des œuvres de Louis Bouilhet?

N'est-il pas vrai aussi qu'un pays qui fait produire de pareils vers à de pareils poètes serait, pour cela seul, digne de tout intérêt? Qu'on m'en montre autant sur le Japon.

(*Le Gaulois*, 3 décembre 1880.)

LE PAYS DES KORRIGANS

Ce n'est point de la scène de l'Opéra que je veux parler, de ces planches inclinées devant des rochers peints où de petits korrigans en maillot pirouettent en face d'abonnés respectables et chauves, qui s'offrent, pendant l'entracte, le plaisir de saluer des êtres fantastiques moins sauvages que leurs pères, nés sur la lande bretonne.

Laissons, dans leur temple doré, trop doré, les génies follets que gouverne M. Mérante; et allons là-bas, dans cette contrée sauvage et superbe où la superstition flotte encore, comme les brouillards, au lever du soleil, chassés des plaines, fondus, évaporés partout, restent longtemps suspendus au-dessus du marais dont ils étaient sortis.

La Bretagne est le pays des souvenirs persistants. A peine en a-t-on foulé le sol qu'on vit dans les siècles passés. Le combat des Trente est d'hier; vous doutez que Du Guesclin soit mort, et dans les environs de Quiberon le sang des chouans massacrés n'a point séché.

J'avais quitté Vannes le jour même de mon arrivée, pour aller visiter un château historique, Sucinio, et, de là, gagner Locmariaker, puis Carnac et, suivant la côte, Pont-l'Abbé, Penmarch, la Pointe du Raz, Douarnenez.

Le chemin longeait cette étrange mer intérieure qu'on appelle le « Morbihan », si pleine d'îles que les habitants les disent aussi nombreuses que les jours de l'année.

Puis je pris à travers une lande illimitée, entrecoupée de fossés pleins d'eau, et sans une maison, sans un arbre, sans un être, toute peuplée d'ajoncs qui frémissaient et sifflaient sous un vent furieux, emportant à travers le ciel des nuages déchiquetés qui semblaient gémir.

Je traversai plus loin un petit hameau où rôdaient, pieds nus, trois paysans sordides et une grande fille de vingt ans, dont les mollets étaient noirs de fumier ; et, de nouveau, ce fut la lande, déserte, nue, marécageuse, allant se perdre dans l'Océan, dont la ligne grise, éclairée parfois par des lueurs d'écume, s'allongeait là-bas, au-dessus de l'horizon.

Et, au milieu de cette étendue sauvage, une haute ruine s'élevait ; un château carré, flanqué de tours, debout, là, tout seul, entre ces deux déserts : la lande où siffle l'ajonc, la mer où mugit la vague.

Ce vieux manoir démantelé, qui date du XIIIe siècle, est illustre ; il s'appelle Sucinio. C'est là que naquit ce grand connétable de Richemont qui reprit la France aux Anglais. Plus de portes. J'entrai dans la vaste cour solitaire, où des tourelles écroulées font des amoncellements de pierres ; et, gravissant des restes d'escaliers, escaladant les murailles éventrées, m'accrochant aux lierres, aux quartiers de granit à moitié descellés, à tout ce qui tombait sous ma main, je parvins au sommet d'une tour, d'où je regardai la Bretagne. En face de moi, derrière un morceau de plaine inculte, l'Océan sale et grondant sous un ciel noir ; puis, partout, la lande ! Là-bas, à droite, la mer du Morbihan avec ses rives déchirées, et, plus loin, à peine visible, une tache blanche illuminée, Vannes, qu'éclairait un rayon de soleil, glissé on ne sait comment entre deux nuages. Puis encore, très loin, un cap démesuré : Quiberon !

Et tout cela, triste, mélancolique, navrant. Le vent pleurait en parcourant ces espaces mornes ; j'étais bien dans le vieux pays hanté ; et, dans ces murs, dans ces ajoncs ras et sifflants, dans ces fossés où l'eau croupit, je sentais rôder des légendes. Le lendemain je traversais Saint-Gildas, où semble errer le spectre d'Abélard. A Port-Navalo, le marin qui me fit passer le détroit me parla de son père, un chouan, de son frère aîné, un chouan, et de son oncle le curé, encore un chouan ; morts tous les trois... Et sa main tendue montrait Quiberon.

A Locmariaker, j'entrai dans la patrie des druides. Un vieux Breton me montra la table de César, un monstre de granit soulevé par des colosses ; puis il me parla de César comme d'un ancien qu'il avait vu. Et tout le monde là-bas ressemble à ce paysan ; car en cette contrée l'écho des grands noms ne s'affaiblit jamais.

Enfin, suivant toujours la côte entre la lande et l'Océan, vers le soir, du sommet d'un tumulus, j'aperçus devant moi les champs de pierres de Carnac.

Elles semblent vivantes, ces pierres ! Alignées interminablement, géantes ou toutes petites, carrées, longues, plates, avec des figures, de grands corps minces ou de gros ventres ; quand on les regarde longtemps on les voit remuer, se pencher, vivre !

On se perd au milieu d'elles, un mur parfois interrompt cette foule humaine de granit ; on le franchit et l'étrange peuple recommence, planté comme des avenues, espacé comme des soldats, effrayant comme des apparitions.

Et le cœur vous bat ; l'esprit malgré vous s'exalte, remonte les âges, se perd dans les superstitieuses croyances.

Comme je restais immobile, stupéfait et ravi, un bruit subit derrière moi me donna une telle secousse de peur inconnue que je me mis à haleter ; et un vieux homme vêtu de noir, avec un livre sous le bras, m'ayant salué, me dit : « Ainsi, monsieur, vous visitez notre Carnac. » Je lui racontai mon enthousiasme et la frayeur qu'il m'avait faite. Il continua : « Ici, monsieur, il y a dans l'air tant de légendes que tout le monde a peur sans savoir de quoi. Voilà cinq ans que je fais des fouilles sous ces pierres, elles ont presque toutes un secret, et je

115

m'imagine parfois qu'elles ont une âme. Quand je remets les pieds au boulevard, je souris, là-bas, de ma bêtise ; mais quand je reviens à Carnac, je suis croyant — croyant inconscient ; sans religion précise, mais les ayant toutes. »

Et, frappant du pied :

— Ceci est une terre de religion ; il ne faut jamais plaisanter avec les croyances éteintes, car rien ne meurt : nous sommes, monsieur, chez les druides, respectons leur foi !

Le soleil, disparu dans la mer, avait laissé le ciel tout rouge, et cette lueur saignait aussi sur les grandes pierres, nos voisines.

Le vieux sourit.

— Figurez-vous que ces terribles croyances ont en ce lieu tant de force, que j'ai eu, ici même, une vision, que dis-je ? une apparition véritable. Là, sur ce dolmen, un soir à cette heure, j'ai aperçu distinctement l'enchanteresse Koridwen, qui faisait bouillir l'eau miraculeuse.

Je l'arrêtai, ignorant quelle était l'enchanteresse Koridwen. Il fut révolté de mon ignorance.

— Comment ! Vous ne connaissez pas la femme du dieu Hu et la mère des Korrigans !

— Non, je l'avoue. Si c'est une légende, contez-la-moi.

Je m'assis sur un menhir, à son côté.

Il parla.

— Le dieu Hu, père des druides, avait pour épouse l'enchanteresse Koridwen. Elle lui donna trois enfants, Mor-Vrau, Creiz-Viou, une fille, la plus belle du monde, et Avrank-Du, le plus affreux des êtres.

« Koridwen dans son amour maternel, voulut au moins laisser quelque chose à ce fils si disgracié, et elle résolut de lui faire boire de l'eau de la divination.

« Cette eau devait bouillir pendant un an. L'enchanteresse confia la garde du vase qui la contenait à un aveugle nommé Morda et au nain Gwiou.

« L'année allait expirer, quand, les deux veilleurs se relâchant de leur zèle, un peu de la liqueur sacrée se

116

répandit, et trois gouttes tombèrent sur le doigt du nain, qui, le portant à sa bouche, connut tout à coup l'avenir. Le vase aussitôt se brisa de lui-même, et Koridwen, apparaissant, se précipita sur Gwiou qui s'enfuit.

« Comme il allait être atteint, pour courir plus vite il se changea en lièvre ; mais aussitôt l'enchanteresse, devenant lévrier, s'élança derrière lui. Elle allait le saisir sur le bord d'un fleuve, mais, prenant subitement la forme d'un poisson, il se précipita dans le courant. Alors, une loutre énorme surgit qui le poursuivit de si près qu'il ne put échapper qu'en devenant oiseau. Or un grand épervier descendit du fond du ciel, les ailes étendues, le bec ouvert ; c'était toujours Koridwen, et Gwiou, frissonnant de peur, se changeant en grain de blé, se laissa choir sur un tas de froment.

« Alors, une grosse poule noire, accourant, l'avala. Koridwen vengée, se reposa, quand elle s'aperçut qu'elle allait être mère de nouveau.

« Le grain de blé avait germé en elle ; et un enfant naquit, que Hu abandonna sur l'eau dans un berceau d'osier. Mais l'enfant sauvé par le fils du roi Gouydno, devint un génie, l'esprit de la lande, le Korrigan. C'est donc de Koridwen que naquirent tous les petits êtres fantastiques, les nains, les follets qui hantent ces pierres. Ils vivent là-dessous, dit-on, dans des trous, et sortent au soir pour courir à travers les ajoncs. Restez ici longtemps, monsieur, au milieu de ces monuments enchantés ; regardez fixement quelque dolmen couché sur le sol, et vous entendrez bientôt la terre frissonner, vous verrez la pierre remuer, vous tremblerez de peur en apercevant la tête d'un korrigan, qui vous regarde en soulevant du front le bloc de granit posé sur lui. — Maintenant, allons dîner.

La nuit était venue, sans lune, toute noire, pleine des rumeurs du vent. Les mains étendues, je marchais en heurtant les grandes pierres dressées ; et ce récit, le pays, mes pensées, tout avait pris un ton tellement surnaturel, que je n'aurais point été surpris de sentir courir tout à coup un korrigan entre mes jambes.

* * *

Et l'autre soir, quand la toile se leva sur le ballet de
M. Widor et de François Coppée, peu à peu l'Opéra, les
danseuses charmantes, la suave musique, mes voisins,
les loges pleines de femmes, tout disparut, et je me crus
revenu dans ce coin de pays sauvage où les croyances
sont si vivaces qu'elles nous pénètrent nous-mêmes
quand nous mettons le pied sur la terre sacrée, patrie
du culte druidique et de toutes les étranges légendes
dont se bercent encore les esprits simples.

(Le Gaulois, 10 décembre 1880.)

MADAME PASCA

L'exposition de 1875 venait d'ouvrir ses portes au public. La foule épaisse avançait péniblement à travers les salles dont les murs étaient couverts de tableaux. Mais un attroupement considérable, tassé depuis le matin à la même place, encombrait tout le passage, arrêtant soudain le flot mouvant des spectateurs ; et les nouveaux venus, se mêlant aux anciens, demeuraient là, immobiles, la face en l'air.

Une grande toile attirait l'œil. C'était une femme d'une haute allure et d'une beauté grave, debout, dans une robe blanche toute simple, bordée de fourrure sombre. Elle avait le front saillant et puissant, la bouche volontaire, un œil de charbon noir, le teint d'une blancheur mate, une taille parfaite et des cheveux épais, des cheveux dont la noirceur semblait luisante, et dont une boucle enroulée dessinait un serpent sur la tempe droite. Enfermée dans son cadre, elle semblait considérer le public d'un air tranquille et superbe.

Quand on la considérait longtemps sa physionomie paraissait s'animer, et on découvrait en elle d'autres choses.

Son regard, dur au premier aspect, prenait un charme pénétrant, un charme noir. L'énergie du front et de la bouche s'atténuait, et dans l'ensemble de sa personne on sentait une nature violente mais tendre, vibrante, *une passionnelle*.

Quand on cherchait bien comment quelque douceur pouvait s'allier avec cette figure imposante, on en découvrait la cause, c'était le bras : la manche, ouverte jusqu'à l'épaule, laissait passer en son entier un bras nu charmant, un vrai bras d'amoureuse et de grande dame, adorable de forme et de ton, gras à point, exquis.

Toute la toile magistrale, la plus magistrale d'un grand peintre tenait le public arrêté, admirant et ravi. Un mot parfois courait : « C'est très beau ! » Les ignorants consultaient leur livret, mais deux noms qui semblaient flotter dans la salle, deux noms qu'on unissait dans ce triomphe, revenaient si souvent aux bouches que les plus provinciaux comprenaient : « C'est Mᵐᵉ Pasca, par Bonnat — Bonnat — Mᵐᵉ Pasca. »

C'est ainsi que je vis pour la première fois, de près et en dehors de la scène, la belle et sévère actrice que la Russie regrette encore, et qui reparaissait l'autre jour dans la pièce de M. Gondinet, *Les Braves Gens*.

***

Il y a des hommes qui paraissent nés académiciens, d'autres qui paraissent nés généraux et qui le deviennent fatalement ; il me semble, à moi, que Mᵐᵉ Pasca, plus que toute autre, était née sociétaire de la Comédie-Française, et j'ai grand mal à comprendre qu'elle ne le soit pas encore.

Car c'est une *classique*. Son jeu est sobre, savant, violent ou doux, à sa volonté. Tous ses effets sont étudiés, sûrs et naturels. Rien, dans ses créations, n'est laissé au hasard de l'improvisation. Elle excelle dans le drame, réussit dans la fine comédie, triomphe dans la tendresse.

Elle a eu pour professeurs deux maîtres, Delsarte et M. Régnier, qui la traitaient en égale. Avec le dernier, elle a étudié Célimène, et il la jugeait excellente. Un de ses grands succès en Russie a été dans le rôle de Fortunio, du *Chandelier*. Elle a joué, enfin, tout le répertoire de la maison dite de Molière, mieux assurément que plusieurs des actrices qu'on nous y montre aujourd'hui; et mes voisins, deux critiques dramatiques, en l'écoutant, l'autre soir, au Gymnase, me disaient : « En dehors de Madeleine Brohan, qui ne paraît plus sur l'affiche, personne ne la vaut au Français. »

Je demandai : « A quoi cela peut-il tenir qu'elle n'y soit point ? »

— L'un répondit : « Le hasard, sans doute, les circonstances; peut-être pas assez cabotine. »

La raison ne me parut pas suffisante; j'interrogeai à ce sujet un de ses amis qui l'a vue et applaudie en Russie. Il m'a raconté sur elle, sur sa vie, sur ses créations là-bas, des détails particuliers. Joignant cela à ce que je sais de sa carrière parmi nous, il m'a paru intéressant de parler un peu de cette remarquable actrice, une des meilleures que nous ayons.

**

Nous la voyons d'abord au Gymnase, débutant avec éclat dans *Héloïse Paranquet*. La presse la couvre de fleurs. Le public accourt et l'acclame; elle est désormais sacrée actrice de grande valeur. Elle jouait là, si je ne me trompe, en face d'Arnal, dans une de ses dernières créations.

Puis, malgré son triomphe, elle disparaît presque, ne nous revient que quatre ou cinq fois en six ans et semble lutter contre un mauvais vouloir occulte de son directeur.

Et dans toute sa carrière, nous retrouvons ces singulières éclipses de Mᵐᵉ Pasca. Malgré l'empressement des journaux à lui rendre hommage, malgré le public qu'elle domine, on ne lui donne presque jamais un grand rôle dans une bonne pièce.

Quand cela arrive, c'est infailliblement un triomphe; mais depuis quelques années, elle n'a guère fait qu'opérer des sauvetages.

Pourquoi cette espèce d'hésitation des directeurs? Serait-il vrai qu'elle n'est point assez cabotine pour mettre en œuvre toutes les intrigues de coulisse?

En 1867, elle apparaît avec un éclatant succès dans *Les Idées de Madame Aubray.* C'est là une des plus belles créations de cette actrice. Elle avait incarné étrangement cette espèce d'hallucinée rêvée par Dumas; et sa voix vibrante, sa beauté grave, l'exaltation de son regard et de sa parole exercèrent sur le public une prodigieuse action.

Cette action, du reste, elle l'eut dans toute sa carrière, car je me rappelle parfaitement les premières représentations de *Séraphine,* où la cabale organisée forçait les acteurs à s'arrêter. Mme Pasca, tranquillement, cessait de parler, regardait la salle, attendait; et, sans aucun embarras, quand les siffleurs se taisaient, à la voir ainsi calme et déterminée, elle repartait. Le concert unanime de louanges qui accueillit sa création de *Fanny Lear* fut mérité sans doute, mais peut-être exagéré. Si je consultais l'actrice à ce sujet, elle m'avouerait assurément qu'elle eut moins de mal à composer ce rôle où l'accent anglais devait lui être un secours plutôt qu'une gêne; et je présume qu'elle dut rencontrer des difficultés autrement pénibles à vaincre quand elle composa le personnage si compliqué de la comtesse Romani.

Pour épuiser tout de suite la liste des grandes pièces où se paracheva sa réputation, nous rappellerons *Fernande, Adrienne Lecouvreur* et le *Demi-Monde.*

Elle partit pour la Russie. Dès son arrivée là-bas, un succès prodigieux se déclara dont rien chez nous ne peut fournir une idée.

La cour donna l'exemple. L'Empereur, l'Impératrice, les grands-ducs, les grandes-duchesses, et, derrière eux, les hauts personnages de tout ordre, vinrent régulièrement l'acclamer. L'Impératrice la reçut; les grandes-

122

duchesses la traitèrent presque en amie; et je trouve les lignes suivantes dans un feuilleton russe, signé Fervacques :

« Tout ce monde de choix applaudissait avec fureur. Notre compatriote Mme Pasca n'est pas seulement appréciée ici comme artiste, elle y est adorée comme femme, et ses salons sont toujours pleins de la plus haute et de la meilleure société de Pétersbourg. Les plus grandes dames tiennent à honneur de la recevoir chez elles; ce n'est pas seulement une femme de talent, c'est une amie pour elles, et cette amitié n'est point banale, mais solide, durable et sincère. »

C'est peut-être dans ces lignes qu'il faut chercher l'explication de l'espèce de difficulté que semble rencontrer Mme Pasca à se produire dans de grands rôles, et à parvenir au Théâtre Français.

Elle est femme du monde en même temps qu'artiste supérieure, et il se peut que la première de ces « professions » nuise à la seconde.

Que la sainte morale me garde de médire de nos actrices; cependant je dois constater que les « protecteurs » ne nuisent jamais. Plus on a de députés, sénateurs, ou autres personnages dans sa... manche, plus on a de chances d'obtenir le « bureau de tabac » ou toute autre faveur. Or, quand une femme n'a point de goût pour se... recommander elle-même, qu'elle tient à ses relations mondaines et qu'elle vit de façon que les portes des salons s'ouvrent devant elle, il se peut que les portes des distributeurs de grâces s'entrebâillent plus difficilement.

J'expliquerais peut-être ainsi le mot que je citais tout à l'heure :

« Elle n'est point assez cabotine. » Un autre mot, d'un Russe cette fois, le complète : « Elle n'est point assez coquette. » C'est là, en effet, paraît-il, le seul reproche que lui adressaient les Russes. Elle semble ne point tenir aux hommages et passe, indifférente, au milieu des hommes inclinés devant elle.

Mme Pasca, en effet, si j'en juge par l'expression de sa figure, ses allures, sa voix même, me semble appartenir à cette race de femme qui méprise la galanterie et ne croit qu'à la passion. Mais la passion, madame (pardon si cela vous semble un hideux paradoxe), ce n'est que de la galanterie à forte dose. Dans l'ordre moral, je tiens, moi, pour une théorie analogue à cette vérité indiscutable, que quatre pièces de cent sous font la monnaie d'un louis de vingt francs.

Quand on parle d'une femme, même de celle qu'on connaît peu, comme c'est le cas, il faut toujours essayer de soulever le voile qui cache ses pensées sur l'amour.

L'amour étant l'élément où nage l'esprit des femmes les plus grandes et les plus « honnestes », il faut tâcher de découvrir si elles sont... d'eau douce ou d'eau salée. Celles mêmes qui ne pratiquent pas ont toujours là-dessus des doctrines très arrêtées.

Or, si j'avais à composer les devises de nos principales actrices, rien qu'après avoir vu dix minutes Mme Pasca, je lui donnerais celle-ci : « Je m'attache ou je meurs. » De même que je serais tenté d'assigner à une autre de nos étoiles, qui court le monde aujourd'hui, ce vieux dicton : « Par tous les moyens. »

Et puis, c'est une *sévère*. Elle doit être assurément bonne camarade, mais peu familière. Elle n'appelle certainement jamais ses directeurs « mon gros rat » et ne leur tire point sur les favoris. C'est une *dame,* à la scène comme dans la coulisse. Plus d'habileté souple peut-être ne lui nuirait point.

Du reste, si elle sait en toute occasion rester femme du monde, les gens du monde de leur côté semblent éprouver pour elle une attirance particulière.

A Pétersbourg, par exemple, elle exerçait sur la cour et sur la noblesse une véritable fascination; c'était *l'étoile* de la haute société, tandis que sa camarade, Mlle Delaporte, qui eut aussi là-bas d'immenses succès, demeura malgré tout l'étoile de la bourgeoisie, l'idole de la société moyenne.

Quand M. de Girardin, dernièrement, reçut un grand-duc à sa table, c'est Mme Pasca qu'il mit à son côté. A Cannes, où elle passa l'hiver dernier, elle était familière en des maisons princières. M. Alexandre Dumas a pour elle une amitié très vive.

***

Elle habite loin des quartiers bruyants, aux Batignolles, un charmant rez-de-chaussée sur le square.

Dans le vestibule, un ours noir, énorme, semble garder la porte. A sa patte, il porte un anneau d'argent avec quelques mots gravés : « Tué par Mmes Nilsson et Pasca, le... etc. » Voici l'histoire.

Ces deux dames, alors qu'elles étaient ensemble en Russie, furent invitées à une grande chasse sur la route de Finlande. Pour s'habiller d'abord, elles éprouvèrent un terrible embarras ; car elles n'avaient que des toilettes de ville peu faciles à porter en courant dans les plaines. Enfin Mlle Nilsson se vêtit d'un vieux costume de Mignon mis au rebut ; Mme Pasca s'enveloppa d'une vieille schoub (?) fourrée ; et l'on partit.

Quand le jour de la chasse arriva, elles s'embusquèrent dans une forêt pleine de neige, au milieu d'un groupe de chasseurs. Tout à coup un ours colossal paraît et s'avance en grondant. Mlle Nilsson épaule et tire la première. L'animal blessé au cou trébuche, s'abat, se relève. Mme Pasca, alors, d'une seule balle en plein cœur, l'étendit roide mort.

Elle chasse encore quelquefois et boule son lapin aussi bien que M. Grévy.

Son salon est toujours encombré de fleurs et garni de bibelots. Elle, sérieuse, regarde en face et cause de sa voix mordante ; tandis qu'au mur, si vous vous tournez un peu, une autre Mme Pasca, grave et debout, immobile sur la vaste toile, mais toute pareille à sa voisine, couvre aussi de son œil noir le visiteur, qui ne peut détourner les yeux de l'une que pour les porter sur l'autre.

Bientôt il ne sait plus laquelle des deux lui parle, il répond au portrait tout en regardant l'original, et comprend qu'avec un pareil modèle M. Bonnat ne pouvait faire qu'un chef-d'œuvre.

(*Le Gaulois*, 19 décembre 1880.)

LA LYSISTRATA MODERNE

Si quelqu'un possédait le génie mordant d'Aristophane, quelle prodigieuse comédie il pourrait faire
aujourd'hui ! Du haut en bas de la société, le ridicule
coule intarissable, et le rire est éteint en France, ce rire
vengeur, aigu, mortel, qui tuait les gens aux siècles
derniers mieux qu'une balle ou qu'un coup d'épée. Qui
donc rirait ? Tout le monde est grotesque ! Nos surprenants députés ont l'air de jouer sur un théâtre de
guignols. Et comme le chœur antique des vieillards, le
bon Sénat hoche la tête, sans rien faire ni rien empêcher.

On ne rit plus. C'est que le vrai rire, le grand rire,
celui d'Aristophane, de Montaigne, de Rabelais ou de
Voltaire ne peut éclore que dans un monde essentiellement aristocratique. Par « aristocratie » je n'entends
nullement parler de la NOBLESSE, mais des plus intelligents, des plus instruits, des plus spirituels, de ce
groupement de supériorités qui constitue une société.
Une république peut fort bien être aristocratique, du
moment que la tête intelligente du pays est aussi la tête
du gouvernement.

Ce n'est point le cas parmi nous. Mais le plus grave,
c'est qu'une telle débandade existe, que les salons
parisiens eux-mêmes ne sont plus que des halles à
propos médiocres, si désespérément plats, incolores,
assommants, odieux, qu'une envie de hurler vous prend
quand on écoute cinq minutes les conversations mondaines.

127

Tout est farce, et personne ne rit. Voici, par exemple, la Ligue pour la revendication des droits de la femme! Les braves citoyennes qui partent en guerre ne nous ouvrent-elles pas là une Californie de comique?

**

Malgré ma profonde admiration pour Schopenhauer, j'avais jugé jusqu'ici ses opinions sur les femmes sinon exagérées, du moins peu concluantes. En voici le résumé.

— Le seul aspect extérieur de la femme révèle qu'elle n'est destinée ni aux grands travaux de l'intelligence, ni aux grands travaux matériels.

— Ce qui rend les femmes particulièrement aptes à soigner notre première enfance, c'est qu'elles restent elles-mêmes puériles, futiles et bornées : elles demeurent toute leur vie de grands enfants, une sorte d'intermédiaire entre l'enfant et l'homme.

— La raison et l'intelligence de l'homme n'atteignent guère tout leur développement que vers la vingt-huitième année. Chez la femme, au contraire, la maturité de l'esprit arrive à la dix-huitième année. Aussi n'a-t-elle qu'une raison de dix-huit ans strictement mesurée. Elles ne voient que ce qui est sous leurs yeux, s'attachent au présent, prennent l'apparence pour la réalité et préfèrent les niaiseries aux choses les plus importantes. Par suite de la faiblesse de leur raison tout ce qui est présent, visible et immédiat, exerce sur elles un empire contre lequel ne sauraient prévaloir ni les abstractions, ni les maximes établies, ni les résolutions énergiques, ni aucune considération du passé ou de l'avenir, de ce qui est éloigné ou absent... Aussi l'injustice est-elle le défaut capital des natures féminines. Cela vient du peu de bon sens et de réflexion que nous avons signalé, et, ce qui aggrave encore ce défaut, c'est que la nature, en leur refusant la force, leur a donné la ruse en partage ; de là leur fourberie instinctive et leur invincible penchant au mensonge.

— Grâce à notre organisation sociale, absurde au suprême degré, qui leur fait partager le titre et la situation de l'homme, elles excitent avec acharnement ses ambitions les moins nobles, etc. On devrait prendre pour règle cette sentence de Napoléon Ier : « Les femmes n'ont pas de rang. » — Les femmes sont le *sexus sequior* — le sexe second à tous les égards, fait pour se tenir à l'écart et au second plan.

— En tout cas, puisque des lois ineptes ont accordé aux femmes les mêmes droits qu'aux hommes, elles auraient bien dû leur conférer aussi une raison virile, etc.

*

Il faudrait un volume pour citer tous les philosophes qui ont pensé et parlé de même. Depuis l'antique mépris de Socrate et des Grecs, qui reléguaient les femmes au logis pour approvisionner d'enfants les républiques, tous les peuples se sont accordés sur ce point que la légèreté et la mobilité étaient le fonds du caractère féminin.

Quid pluma levius? Pulvis! Quid pulvere? Ventus!
Quid vento? Mulier! Quid muliere? Nihil!

Mais le plus terrible argument contre l'intelligence de la femme est son éternelle incapacité de produire une œuvre, une œuvre quelconque, grande et durable.

On prétend que Sapho fit d'admirables vers. Dans tous les cas, je ne crois point que ce soit là son vrai titre à l'immortalité. Elles n'ont ni un poète, ni un historien, ni un mathématicien, ni un philosophe, ni un savant, ni un penseur.

Nous admirons, sans enthousiasme, le verbiage gracieux de Mme de Sévigné. Quant à Mme Sand, une exception unique, il ne faudrait pas une étude bien longue de son œuvre pour prouver que les qualités très remarquables de cet écrivain ne sont cependant pas d'un ordre absolument supérieur.

Les femmes, par millions, étudient la musique et la peinture, sans avoir jamais pu produire une œuvre complète et originale, parce qu'il leur manque justement cette objectivité de l'esprit, qui est indispensable dans tous les travaux intellectuels.

Tout cela me semble irréfutable. On pourrait amasser, dans ce sens, des montagnes d'arguments, aussi inutiles, puisqu'on ne fait que déplacer la question, et, par conséquent, raisonner dans le faux, à mon avis du moins.

C'est que nous demandons à la femme des qualités que la nature ne lui a point accordées, et que nous ne tenons pas compte de celles qui lui sont propres.

Herbert Spencer me paraît dans le vrai quand il dit qu'on ne peut exiger des hommes de porter et d'allaiter l'enfant, de même qu'on ne peut exiger de la femme les labeurs intellectuels.

Demandons-lui bien plutôt d'être le charme et le luxe de l'existence.

Puisque la femme revendique ses droits, ne lui en reconnaissons qu'un seul : le droit de plaire.

L'Antiquité la jetait à l'écart, contestant même sa beauté.

Mais le christianisme est apparu ; et, grâce à lui, la femme au Moyen Age est devenue une espèce de fleur mystique, d'abstraction, de nuage à poésies. Elle a été une religion. Et sa puissance a commencé !

Que dis-je, sa puissance ? Son règne omnipotent ! C'est alors seulement qu'elle a compris sa vraie force, exercé ses véritables facultés, cultivé son vrai domaine : l'Amour ! L'homme avait l'intelligence et la vigueur brutale ; elle a fait de l'homme son esclave, sa chose, son jouet. Elle s'est faite l'inspiratrice de ses actions, l'espoir de son cœur, l'idéal toujours présent de son rêve.

L'amour, cette fonction bestiale de la bête, ce piège de la nature, est devenu entre ses mains une arme de domination terrible : tout son génie particulier s'est exercé à faire de ce que les anciens considéraient comme une chose insignifiante la plus belle, la plus noble, la plus désirable récompense accordée à l'effort de l'homme. Maîtresse de nos cœurs, elle a été maîtresse de nos corps. Et nous l'apercevons chez tous les peuples. Reine des rois et des conquérants, elle a fait commettre tous les crimes, fait massacrer des nations, affolé des papes; et si la civilisation moderne est si différente des civilisations anciennes et des civilisations orientales, dédaigneuses de l'amour qu'on appelle idéal ou poétique, c'est au génie particulier de la femme, à sa domination occulte et souveraine, que nous le devons assurément.

Aujourd'hui qu'elle est la maîtresse du monde, elle réclame ses droits!

Alors, nous, qu'elle a endormis, asservis, domptés par l'amour et pour l'amour, au lieu de la considérer seulement comme la fleur qui parfume la vie, nous allons la juger froidement avec notre raison et notre bon sens. Notre souveraine va devenir notre égale. Tant pis pour elle!

* * *

Schopenhauer avait-il tort? Puisque les femmes réclament des droits égaux aux nôtres, voyons quelles sont leurs déléguées, les grandes citoyennes qui portent la parole au nom de toutes, la Lysistrata moderne.

Jugeons le savoir, la raison et les œuvres de cette femme. Ses œuvres? Je trouve d'abord une petite pièce de vers que je considère comme authentique, puisqu'elle a été reproduite par tous les journaux. La voici :

Il est temps que le champ clos s'ouvre;
Comme on a brûlé le vieux Louvre,
Nous mettrons Versailles en feu;
Versailles cité d'infamie,
C'est la flamme de l'incendie
Qui doit purifier ce lieu.

Je n'ai jamais d'indignation contre les idées. Le souhait platonique exprimé par cette poésie me laisse donc indifférent. Les vers sont fort mauvais. Qu'importe? La femme poète n'est pas encore trouvée, et voilà tout. Mais ce qui est grave là-dedans, c'est l'enfantillage de la pensée.

Revoilà donc ce Moyen Age, la religiosité retournée : le champ clos! la cité d'infamie! et le feu qui purifie!

L'inquisition démocratique! Voilà bien toute la futilité féminine! Nous combattons, nous, avec des idées, la seule arme des gens de progrès et de science, la seule qui ait jamais imposé, fait triompher la vérité. Elles, qui n'ont point cette arme, réclament leurs droits pour combattre avec l'incendie, et parlent de purification, de villes souillées, etc.; toute la vieille rengaine biblique appliquée à la démagogie et toute la férocité des siècles anciens.

Enfin n'attachons point d'importance à cette élucubration, qui n'est que ridicule, et arrivons à la perle des candidatures mortes.

Ça y est-il bien, cette fois, ô mon maître Schopenhauer?

Je ne sais quels cris d'animaux imiter, quelles contorsions de singe, quelle gymnastique de fou exécuter, pour exprimer l'inénarrable joie, la prodigieuse envie de rire qui m'a tordu pendant deux heures, en songeant à cette adorable idée d'un conseil de citoyens trépassés!

Hein? La tâtons-nous là dans toute son incapacité, dans toute sa bêtise originelle et triomphante, dans toute sa grandiose niaiserie l'intelligence des citoyennes libre-penseuses.

Est-ce beau? Surprenant? Stupéfiant? Plus on y pense, moins on s'en lasse! Plus on creuse, plus on réfléchit, plus on imagine les conséquences, plus on demeure abasourdi et délirant de gaieté!

Voilà! Oh! oui, votez. — Oh! oui, nommez-nous des représentants. — Oh oui! soyez indépendantes, citoyennes, — car nous rirons, nous rirons, nous rirons

— en dussions-nous mourir ; ce qui serait, du reste, la seule vengeance dont vous puissiez vous enorgueillir.

Allons, levez vos boucliers, guerrières : ça ne sera jamais qu'une levée de jupes !

Quant à vous, mesdames, qui ne cherchez qu'à être belles et séduisantes, vous dont la main pressée nous donne des frissons, et dont l'œil voilé nous verse du rêve, vous dont nous vient tout bonheur et tout plaisir, toute espérance et toute consolation, je vous demande à deux genoux, pardon si j'ai écrit, dans cet article, des choses sévères pour votre race ; et je baise avec amour le bout rosé de vos doigts.

(*Le Gaulois,* 30 décembre 1880.)

GUSTAVE FLAUBERT
DANS SA VIE INTIME

Aussitôt qu'un homme arrive à la célébrité, sa vie est
fouillée, racontée, commentée par tous les journaux du
monde; et il semble que le public prend un plaisir
spécial à connaître l'heure de ses repas, la forme de son
mobilier, ses goûts particuliers et ses habitudes de
chaque jour. Les hommes célèbres se prêtent d'ailleurs
volontiers à cette curiosité qui augmente leur gloire : ils
ouvrent aux reporters la porte de leur maison et le fond
de leur cœur à tout le monde.

Gustave Flaubert, au contraire, a toujours caché sa
vie avec une pudeur singulière; il ne se laisse même
jamais portraiturer; et, en dehors de ses intimes, nul ne
le peut approcher. C'est à ses seuls amis qu'il ouvrit son
« cœur humain ». Mais sur ce cœur humain l'amour des
lettres avait si longtemps coulé, un amour si fougueux,
si débordant, que tous les autres sentiments pour
lesquels l'humanité vit, pleure, espère et travaille,
avaient été peu à peu noyés, engloutis dans celui-là.

« Le style c'est l'homme », a dit Buffon. Flaubert
c'était le style, et tellement, que la forme de sa phrase
décidait souvent même la forme de sa pensée. Tout était
cérébral chez lui; et il n'aimait rien, il n'avait pu rien
aimer de ce qui ne lui semblait point littéraire. Derrière
ses goûts, ses désirs, ses rêves, on ne retrouvait jamais
qu'une chose : la littérature; il ne pensait qu'à cela, ne
pouvait parler que de cela; et les gens qu'il rencontrait
ne lui plaisaient assurément que s'il entrevoyait en eux
des personnages de romans.

Dans ses conversations, ses discussions, ses emballements, quand il levait les bras en déclamant de sa voix ardente, on sentait bien alors que sa manière de voir, de sentir, de juger, dépendait uniquement d'une sorte de *criterium* artistique par lequel il faisait passer toutes ses opinions.

« Nous autres, disait-il, nous ne devons pas exister; nos œuvres seules existent »; et il citait souvent La Bruyère, dont la vie et les habitudes nous sont presque inconnues, comme l'idéal de l'homme de lettres. Il voulait laisser des livres et non des souvenirs.

Sa conception du style répond du reste à sa conception de l'écrivain. Il pensait que la personnalité de l'homme doit disparaître dans l'originalité du livre, et que l'originalité du livre ne doit point provenir de la singularité du style.

Car il n'imaginait pas « des styles » comme une série de *moules particuliers* dont chacun est propre à chaque écrivain, et dans lequel on coule toutes ses pensées; mais il croyait au « style », c'est-à-dire à une manière unique d'exprimer une chose dans toute sa couleur et son intensité.

Pour lui, la forme c'était l'œuvre elle-même. De même que chez les êtres, le sang nourrit la chair et détermine même son contour, son apparence extérieure, suivant la race et la famille, ainsi pour lui, dans l'œuvre le fond fatalement impose l'expression unique et juste, la mesure, le rythme, tout le *fini* de la forme.

Il ne comprenait point que la forme pût exister sans le fond, ni le fond sans la forme.

Le style devrait donc être, pour ainsi dire, impersonnel, et n'emprunter ses qualités qu'à la qualité de la pensée, à la puissance de la vision.

Sa plus grande personnalité, à lui, a été justement d'être un homme de lettres, rien qu'un homme de lettres, en toutes ses idées, dans toutes ses actions, et par toutes les circonstances de sa vie, un homme de lettres.

Le reportage parisien n'avait ainsi pas grand'chose à

glaner dans ce champ où toute la moisson appartenait à l'artiste.

Pourtant l'homme quelquefois apparaissait. Cherchons-le.

Flaubert haïssait le tête-à-tête avec lui-même quand il n'avait point sous la main les moyens de travailler; et comme tout mouvement l'empêchait de penser à l'œuvre commencée, il n'acceptait guère un dîner en ville, à moins qu'un ami lui promît de le reconduire à sa porte.

Dans sa maison, dans son cabinet, à sa table, et même à la table des autres, il demeurait toujours l'artiste et le philosophe. Mais, en ces retours nocturnes vers le logis, il apparaissait souvent dans la vérité de sa nature primitive.

Animé par le repas, heureux de la fraîcheur du soir, le chapeau renversé, appuyant sa main sur le bras de son compagnon, choisissant les rues désertes pour n'être point heurté par les passants, il parlait volontiers de lui, des événements intimes de sa vie, et il laissait entrevoir les côtés secrets de son être. Puis, comme la marche l'essoufflait un peu, on s'arrêtait sous une porte cochère et il racontait des anecdotes anciennes, se plongeait dans les souvenirs.

Sa voix haute tonnait dans la solitude de Paris endormi. Souvent, aux éclats de cette parole, deux agents s'approchaient doucement comme deux ombres, et s'éloignaient sans bruit après avoir jeté un coup d'œil furtif sur ce géant en gilet blanc qui criait si fort en frappant les pavés de sa canne. Alors, chez cet écrivain de génie, chez ce prodigieux romancier, on découvrait une naïveté d'enfant, presque de l'ingénuité parfois. Son observation, si aiguë et brutale dans le livre, semblait émoussée dans la pratique usuelle de la vie. On l'avait imaginé sceptique, il était au contraire plein de croyances, non de croyances religieuses bien entendu, mais de cet abandonnement si humain à toutes les espérances, à tous les sentiments doux et réconfortants.

Blessé souvent, comme on l'est du reste chaque fois dans le pêle-mêle féroce du monde, il s'était tormé dans son âme un fonds permanent de tristesse ; et, sa nature impressionnable luttant avec sa forte raison, il passait sans cesse d'une sorte de gaieté inconsciente à la mélancolie noire.

Quand il écrivait à ses amis une phrase, presque toujours, indiquait la vive souffrance de cette désillusion sans fin. Au lieu de constater sans révolte avec indifférence « l'éternelle misère de tout », et d'accepter docilement toutes les inévitables calamités, toutes les tristesses successives, toutes les odieuses fatalités auxquelles nous sommes soumis, il en était meurtri chaque jour ; et son admirable roman *L'Education sentimentale,* qui semble « le procès-verbal » de la misère humaine, est plein d'une amertume profonde et terrible.

Mais c'est surtout dans la correspondance qu'il eut avec des femmes, ses amies d'enfance, qu'on retrouve ces notes constamment navrées, ces vibrations douloureuses.

Il avait pour les femmes une amitié attendrie et paternelle, et les traitait un peu comme de grands enfants, inhabiles à comprendre les choses élevées, mais à qui l'on peut dire toutes les petites douleurs intimes qui traversent sans cesse notre vie.

Loin d'elles, il les jugeait sévèrement, répétant cette phrase de Proudhon : « La femme est la désolation du *Juste* » ; mais, près d'elles, il subissait leur charme consolant, aimait leurs délicatesses, leurs gentillesses, leur enveloppement tout plein d'illusions. Et, bien qu'il s'exaspérât souvent contre leur éternelle préoccupation de l'amour, cette espèce d'atmosphère de passion qu'il retrouvait autour d'elles le pénétrait malgré lui, l'amollissait.

Voici des fragments de ses lettres où apparaissent et cette mélancolie, et cette sorte d'attendrissement sentimental où le jetait l'amitié d'une femme :

« Comment ? Je vous avais écrit une *lettre navrante,* pauvre chère amie ? Vous méritez que je sois franc avec vous, n'est-ce pas ? Je vous ai ouvert mon cœur et dit

137

carrément sur moi ce que je crois être la vérité. Si j'avais su vous tant affliger, je me serais tu. »

Et, plus loin :

« On m'a dit que vous étiez malade, pauvre amie, et qu'une fluxion gâtait votre belle mine. Je la bécote nonobstant en ma qualité d'idéaliste. Votre état de permanente souffrance m'embête, « m'êluge », m'afflige. Le moral y est pour beaucoup, j'en suis sûr; vous êtes trop triste, trop seule. On ne vous aime pas assez. Mais rien n'est bien dans ce monde. Sale invention que la vie, décidément, nous sommes tous dans un désert, personne ne comprend personne. »

Voici encore :

« Votre ami continue à n'être pas gai. Pourquoi? Tous les amis disparus, la bêtise publique, la cinquantaine, la solitude et quelques soucis. Voilà les causes sans doute. Je lis des choses très dures; je regarde la pluie tomber et je fais la conversation avec mon chien; puis, le lendemain, c'est la même chose, et le surlendemain encore. « Si vous voulez savoir des nouvelles de mon intérieur, vous apprendrez que mon larbin Emile est père d'un fils. Sa joie, quand sa femme lui a fait ce cadeau, était curieuse à voir. Autrefois je ne l'aurais pas comprise. Maintenant c'est différent. J'étais né avec un tas de vertus et de vices auxquels je n'ai pas donné cours, et je le regrette.

. . . .

» Etes-vous heureuse d'être à Rome? Quel pays! Je l'ai presque oublié. Ah! si je pouvais y passer un an, comme ça me retremperait. N'oubliez pas de vous promener dans la campagne de Rome, le plus que vous pourrez, et d'aller jusqu'à Ostie.

» Ne sentez-vous pas, ô Latine, que les mânes des Consuls ont envie de vous baiser quand vous errez le long de leurs murs? Ils reconnaissent en vous une fille de leur race. Vous étiez faite pour porter la stole patricienne, marcher pieds nus dans des sandales à rubans de pourpre et avoir sur le front toutes les pierreries de la Bactriane...

» Quand revenez-vous? Voilà ce que j'ai cherché dans

votre épître ; mais vous ne parlez pas de retour. Il aura lieu, sans doute, après Pâques ? Bien qu'il *m'ennuie* de vous, *profitez* du bon temps, ne passez rien ! Un voyage raté laisse des regrets infinis, et on voit mal ce que l'on voit vite.

» Allons, adieu, portez-vous bien. Amusez-vous bien : ouvrez de toutes vos forces vos grands quinquets et pensez à votre vieux.

G. F.

» Qui vous aime, *malgré* la littérature.

» Pauvres ouvriers que nous sommes ! Pourquoi nous refuse-t-on ce qu'on accorde gratuitement au moindre bourgeois ? Ils ont du cœur, eux ! Mais nous autres, allons donc, jamais de la vie ! Quant à moi, je vous répète une fois de plus que je suis une âme incomprise, la dernière des grisettes, le seul survivant de la vieille race des Troubadours ! — Mais vous ne voulez pas me croire. »

Et partout, en d'autres lettres, on rencontre des phrases comme celles-ci :

« Quant à moi, que voulez-vous que je vous dise, ma chère amie ? Je suis un homme de la décadence, ni chrétien, ni stoïque, et nullement fait pour les luttes de l'existence...

» Que ne suis-je insouciant, égoïste, léger ! Le fardeau de l'existence serait moins lourd. »

Et sa « haine contre la Bêtise » reparaît à chaque ligne : il cite des passages qu'il vient de lire, s'indigne, s'exaspère, ou, plus rarement, s'en égaye :

« On a joué trois fois la *Damnation de Faust*, qui n'a eu, du vivant de mon ami Berlioz, aucun succès, et maintenant le public, l'éternel, l'éternel imbécile nommé *on* reconnaît, proclame, braille que c'est un homme de génie. »

(La Nouvelle Revue, 1er janvier 1881.)

LES CADEAUX

La semaine des cadeaux vient de finir, et les étagères des jolies femmes sont couvertes de bibelots. Le cadeau qu'on donne à une jolie femme est toujours la voix d'un désir; aussi rien n'est-il plus intéressant à visiter que les salons coquets dans la saison des étrennes.

J'ai fait ce voyage autour des boudoirs que j'aime, et je me suis arrêté longtemps devant des physionomies d'objets qui me révélaient bien des mystères. Souvent même je devinais : « C'est M. X... qui vous a donné cela, madame? — Oui... Comment le savez-vous? — Ah! voilà, c'est mon secret. »

Le peuple menu des choses gracieuses règne en cette saison de l'année, occupe toutes nos pensées, tient notre attention, agite nos cœurs.

Un petit bijou mignon, rare et simple, est un éloquent plaidoyer, mais un plaidoyer des sens. Pourquoi? direz-vous. Je ne sais trop. Mais le bijou me semble brutal. C'est de l'or, des diamants, des perles, de l'argent sous une forme palpable, appréciable du premier venu. On dit, au simple coup d'œil : « Cela vaut tant. » Eh bien, le « cela vaut tant » me paraît indiquer aussi une affection qui vaut tant. Offrir un bijou, c'est presque ouvrir son porte-monnaie et mettre la somme en la main.

Ne vous fâchez point, mesdames; je sais que, presque toutes, vous préférez les bijoux aujourd'hui. Cela vous sied si bien, n'est-ce pas? Faisons une exception pour les bijoux anciens; leur valeur, plus conventionnelle, leur prête quelque chose de plus discret et de plus enveloppé.

Les fleurs, généralement, sont les messagères des sentiments platoniques; et les bonbons ne sont qu'un prétexte pour offrir la bonbonnière.

Or, la bonbonnière achetée chez le bonbonnier indique la simple politesse, quelle que soit d'ailleurs la valeur de l'objet. Cela veut dire : « J'ai dîné souvent chez vous, je vous dois un cadeau sérieux; tout le monde sait que cette boîte à la mode, achetée chez le confiseur en vogue, coûte vingt-cinq louis; voilà. C'est un devoir que j'accomplis, nous sommes quittes. »

La coupe de Chine, pleine de marrons; la porcelaine japonaise, pleine de billes de chocolat; la boîte en laque, pleine de fondants, expriment une intention plus raffinée. Elles disent : « j'ai voulu vous être agréable; j'ai cherché ce que je pourrais vous offrir; j'ai couru les magasins; je me suis, enfin, donné du mal. » Ce sont des présents un peu communs toutefois; et les seules porcelaines où les doigts mignons doivent puiser les douces sucreries sont celles qui portent les marques anciennes des deux L ou des deux épées : Sèvres ou Saxe, ces sanctuaires du goût exquis.

*

Que peut-on donner de plus délicieux qu'un bibelot de Sèvres, du vieux sèvres, bien entendu, de cette inimitable pâte tendre, dont le secret est oublié? à moins d'offrir un vieux saxe, une de ces petites boîtes carrées ou rondes qui portent sur leur couvercle des paysages aux tons violets, si fins, si délicats, ces merveilles de couleur unie où des arbres déliés abritent les fluettes maisons, dont le toit lance une imperceptible fumée grise sur un ciel couleur de lait.

Oui, le sèvres au fond bleu pâle, ce bleu qui ne change pas aux lampes, ce sèvres plein d'oiseaux variés comme des fleurs, au milieu de buissons de toutes nuances, le sèvres aux bergères couchées à côté des bergers, et caressant un mouton rose dans une campagne à la Watteau, n'a qu'un rival, c'est le saxe, plus austère, mais peut-être plus parfait encore.

Savez-vous, mesdames, l'histoire de ces deux illustres manufactures qui peuvent défier les plus beaux et les plus anciens produits chinois?

Permettez-moi de vous la raconter.

Il ne faut point oublier d'abord que, pendant les siècles qui suivirent les invasions, le secret de la fabrication des faïences fut perdu.

C'est en Espagne que recommença d'abord cette fabrication, rapportée par les Maures. Les Arabes en firent autant en Sicile et créèrent d'admirables vases d'un goût oriental, dont l'émail, entièrement bleu, est couvert d'ornements vermiculés à reflets d'or et de cuivre, d'un éclat surprenant. La pâte en est presque toujours plus blanche et plus serrée que celle des faïences hispano-mauresques.

Puis l'expédition des Pisans contre Majorque fit connaître à l'Italie la céramique mauresque; et cette nation excella bientôt dans cette artistique industrie.

La France fut l'élève de l'Italie, et nous voyons les fabriques s'établir du Midi vers le Nord : Moustiers, Marseille, Avignon, Nevers et Rouen — Rouen, qui porta l'art céramique français à sa pureté la plus extrême. La pâte rouennaise n'est point la plus fine qu'on puisse voir, le grain en est un peu gros, et la transparence reste parfois insuffisante, mais les belles faïences de ce pays sont sans égales au monde par l'émail, le coloris éclatant, et surtout par l'ornementation d'un goût absolu et d'un effet merveilleux.

Ce fut Henri IV qui eut l'honneur d'établir les premières grandes manufactures de faïence à Paris, Nevers et en Saintonge, la patrie de Bernard Palissy.

Les porcelaines chinoises et japonaises n'avaient, du reste, pénétré en Europe que dans le premier tiers du xvi⁰ siècle.

Sèvres est de création relativement récente. Louis XV acheta cette fabrique, et il la faisait exploiter sans se préoccuper curieusement des résultats, quand la Pompadour fut séduite par des échantillons qu'elle en vit et décida le roi à y faire de grandes dépenses. Elle prit dès lors l'établissement sous sa protection, le surveilla, le soutint, s'en occupa sans cesse ; et, sous son inspiration, Sèvres devint le merveilleux atelier d'où sortit cette adorable pâte tendre d'une beauté si délicate et d'une finesse incomparable. Après les artistes qui avaient créé cette porcelainerie unique, on installa à Sèvres des hommes de science qui, changeant les procédés, demandant surtout aux vases des qualités chimiques, méprisant l'ancienne pâte onctueuse et tendre, riant de la vieille fabrication, inaugurèrent le règne de la pâte dure, des bleus violets désagréables à l'œil, et amenèrent la vraie décadence de l'établissement. Il ne s'est point encore relevé et, malgré les éloges patriotiques que lui décernent périodiquement les commissions officielles, Sèvres n'est plus qu'une manufacture secondaire dont les produits sont bien inférieurs à ceux de l'industrie privée.

***

Aucun roman d'aventures n'est plus extraordinaire, plus mouvementé et plus curieux que les origines de la grande manufacture de Meissen, en Saxe.

En 1701, un alchimiste, Johann-Friedrich Bottcher, né à Schlaiz, en Voigtland, le 14 février 1682, vint à Dresde, implorer la protection de Frédéric-Auguste Ier, électeur de Saxe et roi de Pologne.

Il fuyait devant l'intérêt trop vif que lui témoignait un autre prince, le roi Frédéric-Guillaume. Cet alchimiste, en effet, placé d'abord en apprentissage chez le pharmacien Zorn, à Berlin, avait exécuté des travaux si curieux, fait des expériences si inattendues et si belles, que son souverain, craignant de le voir partir, le faisait épier et suivre partout. Gêné par cette surveillance royale, le jeune homme disparut et se rendit en Saxe.

L'électeur lui donna pour collaborateur Ehrenfried-

Walter de Tschirnaus, qui cherchait alors le secret de la porcelaine dure des Chinois, secret qui paraissait introuvable.

En 1695, un inventeur nommé Morin avait découvert la pâte tendre; mais il fallait découvrir la pâte dure; et Tschirnaus s'égarait en des essais de vitrification incomplète, s'exaspérait de ses échecs, se décourageait aux tentatives avortées.

Son compagnon Bottcher débuta par fabriquer des vases, des aiguières de grès rouge vernissé, rehaussé de fleurs, d'écus armoriés, d'ornements de toute espèce, de feuillages d'or, etc., non fixés par le feu.

Ces échantillons furent présentés à son protecteur Frédéric-Auguste, qui fut envahi par une admiration si véhémente, qu'il ordonna à son tour de garder à vue son protégé. Un officier le suivit partout; il ne pouvait plus faire un seul pas sans être accompagné, guetté; et il demeurait prisonnier en une somptueuse demeure où personne même ne pouvait lui parler sans témoins.

S'indigna-t-il moins de cette surveillance acharnée sur lui la seconde fois que la première, ou bien fut-il plus strictement observé? Le fait est qu'il ne disparut point, et que nous le voyons, en 1706, fuyant devant les Suédois qui envahissaient la Saxe et transportant ses instruments de travail dans la forteresse de Koenigstein.

En 1707, il revint à Dresde et continua ses essais, mais rien ne le mettait sur la voie du secret si ardemment poursuivi; et ses longues recherches seraient demeurées inutiles sans un de ces merveilleux hasards où l'on croit toujours voir les intentions cachées du Destin.

Un maître de forge, nommé Johann Schnorr, s'étant embourbé sur le territoire d'Aue, près de Schneeberg, en une espèce de fondrière pleine d'une bouillie grasse et blanche, ramassa un peu de cette terre collée aux jambes de son cheval, et l'emporta chez lui. Il remarqua qu'en séchant elle devenait une poussière fine et légère; et il eut l'idée de l'employer à poudrer les cheveux à la place de la farine de froment qu'on employait alors. Sa tentative ayant réussi, il se mit à vendre cette terre broyée, et le valet de Bottcher, nommé Slunker, en acheta pour son maître.

Cet homme s'aperçut alors que la poudre nouvelle était plus lourde que l'ancienne, et, tout en la semant sur la tête de son seigneur, il lui signala cette particularité.

Bottcher, poursuivi par l'idée fixe de l'introuvable pâte, examina cette poudre, la mania, la mouilla, l'analysa et eut l'inspiration de l'employer dans ses expériences. Or, c'était du kaolin! La découverte était complète.

La manufacture royale de Saxe fut alors installée solennellement le 6 juin 1710, dans le vieux château d'Albertsburg à Meissen.

Ses produits eurent d'abord pour marque les deux lettres A. R. (Augustus Rex), puis deux épées en croix dans un triangle; puis enfin deux épées croisées sans encadrement.

Bottcher mourut en 1719.

Qui ne les connaît et ne les adore, ces délicieux petits bonshommes, de Saxe, nation frêle et maniérée qui peuple nos cheminées ou sourit derrière les vitrines. Les frêles marquis, en culotte rose, en bas à trèfles, en habit bleu, dont l'épée relève un pan, s'inclinent devant les bergères à panier avec leur chevelure poudrée qui porte un parterre de fleurs. Une foule de personnages poupins font des grâces en leurs atours de porcelaine; toute leur race émaillée et nabote nous donne l'idée d'un coquet royaume où vivrait ce petit monde, un Lilliput d'étagère. Ils sont jolis, jolis, proprets, gais et luisants; et le charme de leurs couleurs séduit l'œil, nous les fait aimer, et nous fait faire des folies pour eux comme pour une maîtresse adorée. Car elle coûte cher, cette humanité minuscule, charmante; et une petite danseuse en pâte de Saxe demande autant d'or pour entrer chez vous qu'une grande danseuse en chair vivante.

Les créateurs de ces êtres mignons s'appelèrent Hoeroldt, le modeleur; Kaudler, le sculpteur, et Dietrich, le peintre.

Je vous souhaite, mesdames, un grand nombre de leurs enfants.

(*Le Gaulois,* 7 janvier 1881.)

MÉDAILLONS FÉMININS

Madame Pasca

Toute actrice a dans sa carrière trois époques : les débuts éclatants ou modestes, la lutte avec la renommée, puis le triomphe définitif ou l'éclipse.

Mme Pasca a eu des débuts pleins de gloire. *Héloïse Paranquet* l'a posée du premier coup parmi les « étoiles ». Puis sont venues *Les Idées de Mme Aubray, Séraphine, Fanny Lear, Fernande, Adrienne Lecouvreur, Le Demi-Monde* qui l'ont fait sacrer grande artiste.

Elle partit ensuite pour la Russie. Là-bas aussi elle domina, elle régna sur la société et, chose rare pour une femme de théâtre, les dames l'admiraient autant que les hommes, lui faisaient un triomphe d'amitié, un cortège de sympathies ardentes. Un fait curieux donnera la mesure de cette admiration passionnée. C'est un usage russe de faire bénir les maisons et les chambres. Or, un jour, une jeune fille appartenant à une grande famille fit venir un prêtre qui devait sanctifier son logis. Ce prêtre, un vieillard presque aveugle, suivit sa jolie cliente dans la chambre et le boudoir, pour prononcer la formule sacrée sur tous les objets familiers. Il commença à bénir tout et partout : les sièges, les meubles, le lit; puis découvrant vaguement sur le mur une grande image qu'il prit pour une gravure pieuse, il s'acharnait à la bénir quand la jeune fille s'élança : « Non, mon père, pas cela, pas cela, c'est le portrait de Mme Pasca. » Le vieillard continua, passa dans le boudoir, bénit le divan, les tables, les rideaux, et, voyant sur un petit meuble une photographie dans un cadre d'or, il recommençait à bénir, quand la jeune fille se précipita de nouveau : « Non, mon père, pas cela, c'est la photographie de Mme Pasca. »

Or, Mme Pasca n'avait jamais vu cette jeune fille ; elle apprit seulement par sa mère que son image avait été ainsi deux fois bénie.

L'actrice nous est revenue et elle a été violemment applaudie dans tous les rôles qui lui furent confiés ; mais par une fatalité étrange, aucune des pièces où elle joua n'eut un grand et vrai succès. La voici maintenant qui lutte et se bat pour cette belle œuvre d'Emile Augier : *Le Mariage d'Olympe*. On ira la voir et l'admirer, mais la pièce ne semble pas devoir se relever absolument du jugement porté deux fois déjà par le public.

Quand on donnera à Mme Pasca un vrai rôle à sa taille, elle apparaîtra définitivement au premier rang parmi les actrices de son temps.

Car elle a la force et le savoir, la grâce et l'énergie raisonnée, toutes les qualités supérieures de l'artiste. Sa voix mordante porte toujours ; et personne comme elle aujourd'hui ne sait exprimer la passion. Elève de del Sarte et de M. Régnier, elle a étudié le répertoire classique et elle ne peut manquer, quelque jour, d'apparaître sur la scène illustre du Français, où sa place est marquée depuis longtemps, et où le public l'attend avec impatience.

(*La Vie moderne*, 8 janvier 1881.)

LA VERTE ÉRIN

On ne parlait guère de l'Irlande, il y a cinquante ou soixante ans, sans l'appeler « la verte Erin ». Le langage poétique auquel nous devons « la perfide Albion » et la « grasse Normandie » n'avait point découvert d'autre épithète pour qualifier cette terre de misère éternelle, ce pays loqueteux et sordide des gueux, ce foyer de révolte sans fin, de religion sanguinaire et d'indéracinable superstition. La *verte Erin!* Ces mots n'évoquent-ils pas un paysage à la Watteau? Mais quand on dit : « l'Irlande » quelles images de mort, de servitude, de luttes sanglantes passent sous nos yeux!

D'après la classification élégante en usage dans le monde pour désigner les différents peuples d'Europe, si la France est le pays de l'élégance, de la grâce et de l'esprit; l'Angleterre, la nation du *spleen,* du flegme et du rosbif; l'Espagne, le royaume des castagnettes; l'Italie, la patrie des arts, et la Suisse la contrée du ranz des vaches, assurément l'Irlande est la terre de pauvreté. La hideuse misère y a établi son empire; elle l'enserre comme une pieuvre, la tient, la mange, exerce sur ce sol, qui est sien, sa toute-puissante tyrannie, par le moyen de l'*Anglais,* son lieutenant.

Je ne veux point faire ici l'histoire de la conquête et de la domination anglaise, ni raconter les premiers actes du drame séculaire et terrible dont une nouvelle scène est près de se jouer sous nos yeux. « Laissons la parole

149

aux événements », selon la formule prudhommesque en usage dans le monde parlementaire, et considérons simplement dans sa vie intime et quotidienne l'acteur principal de la pièce, le triste et famélique paysan d'Irlande.

C'est pour lui que semble avoir été créé le mot « végéter »; car il végète, horriblement besogneux, se nourrissant à peine, affamé sans cesse, et jetant sur les villes des hordes de mendiants pareils aux loups efflanqués qui pénètrent, l'hiver, dans les villages.

Le *riche* campagnard ne connaît guère d'autres mets que la pomme de terre. Or la pomme de terre est la providence de l'Irlande, comme la châtaigne est la providence de la Corse. On la vénère ainsi qu'un sauveur, et on la classe par races, par familles, qui jouissent d'une plus ou moins grande considération, selon leurs qualités reconnues.

***

Traverser l'Irlande, c'est se promener au milieu des exquises gravures de Callot. Aucun pays du monde n'est plus riche en guenilles. Les femmes même n'ont presque jamais ces coquettes toilettes paysannes qu'on rencontre partout. Elles sont vêtues n'importe comment, avec n'importe quoi, et ignorent toute recherche d'élégance.

Le signe caractéristique de leur habillement, signe qui persiste encore dans une grande partie du pays, est un immense manteau bleu à large capuchon, et sans lequel elles ne consentiraient jamais à sortir de leur maison, même pour aller à la porte voisine. Ce manteau a pour elles toute l'importance d'une robe de grande cérémonie; il est gracieux de forme, du reste, se porte bien, et rend joli, en une seconde, le paquet de friperie immonde qu'on regardait avec dégoût une minute auparavant. Elles le gardent en toute saison, hiver comme été, par les froids et la chaleur. En été, on rejette le capuchon sur le dos; en hiver on le rabat sur la figure, et voilà tout.

Ainsi jadis les chevaliers, par luxe, étaient couverts de fourrures, même pendant les jours les plus ardents.

Quand deux jeunes gens vont se marier, la composition de la dot est souvent d'un comique sinistre et fou.

Un voyageur raconte cette anecdote :

Il passait près d'un cottage et fut attiré par les cris furieux d'un jeune homme qui voulait défoncer la porte, hurlait, jurait, parlait de tuer quelqu'un. On l'entraîna.

Ce jeune homme devait, le jour même, épouser une jeune fille habitant ce cottage. Les dots se trouvaient égales et belles. Lui, possédait une hutte (à laquelle manquait le toit; mais on la pouvait réparer) et un cochon. Quant à elle, elle devait, en compensation de ces richesses, recevoir de son père une table, une chaise, une marmite et une couverture. Tout allait donc au gré des amants; mais voilà que, le matin même du mariage, le cochon du fiancé mourut. Le père, à cette nouvelle, s'écria : « Tu n'auras pas ma fille! » Le garçon s'indigna, s'emporta : ce fut en vain. Alors on lui proposa une transaction; c'était de prendre la femme, mais de laisser aux parents la table, la chaise et la marmite, jugées d'une valeur équivalente à celle de l'animal trépassé. Il refusa avec énergie, exigeant le tout. La jeune fille, au fond de sa hutte, sanglotait — quand un rival se présenta, un rival avec un cochon vivant, un rival qui, sachant la catastrophe, venait perfidement offrir son porc et sa main.

On les reçut tous les deux à bras ouverts; la jeune fille se consola tout de suite; et l'amoureux éconduit noya sa tristesse dans le whisky.

**

Le whisky est la grande consolation de ces misérables et, en même temps, une des plaies de l'Irlande.

L'eau-de-vie de Bretagne et le whisky d'Irlande sont, sans doute, les causes principales des nombreuses apparitions, des familles d'êtres fantastiques qui hantent ces deux pays.

Comme sur le vieux sol breton, toutes les superstitions croissent librement sur cette terre de servitude et de crainte. Le premier des *esprits* que nous y rencontrons est le Glamour, qui règne également en Ecosse. C'est un rôdeur nocturne toujours à la recherche des voyageurs. Quand il en rencontre un, il change devant ses yeux la forme des objets, le séduit par des illusions charmantes et trompeuses, le promène de mirage en mirage, ouvre devant ses pas les portes d'or de palais merveilleux, puis le jette, éperdu, affolé par ces visions, au fond de quelque fondrière affreuse.

N'est-ce pas là une simple image de la vie, de nos aspirations toujours trompées, de nos rêves toujours décevants et de la désillusion finale où nous tombons désespérés ?

Les fées sont nombreuses, bienveillantes et très pauvres, paraît-il : comme si personne ne pouvait être riche en ce pays de gueuserie. On rencontre, dit-on, beaucoup de nains, frères des Korrigans bretons. On affirme qu'ils sont coiffés d'un bonnet rouge, sous lequel flambent leurs cheveux ardents.

Le plus drôle assurément de tous les génies fantastiques de cette terre est le facétieux Pooka.

C'est un petit cheval noir qui sort, quand vient la nuit, de son écurie souterraine.

Il galope, il galope par monts et par vaux, cherchant un paysan attardé. L'homme, au loin, frémit au bruit des fers du cheval-démon ; il s'arrête, tremblant des cheveux aux pieds, et le Pooka fond sur lui comme la foudre, passe une tête hérissée entre ses jambes, l'enlève et le jette, affolé, sur son dos, où la victime se trouve soudée d'une façon indissoluble. Il repart alors, bondit sur la crête des rochers, saute les précipices, traverse les fleuves, déchire les jambes du cavalier aux murs, aux ronces, aux troncs d'arbre ; heurte son front aux branches des forêts. Rien ne l'arrête, ne ralentit son allure furieuse ; puis, au chant du coq, il désarçonne d'une secousse le voyageur malgré lui, et le laisse meurtri, rompu, saignant, au milieu d'un bois désert.

Quelquefois, il est vrai, il vient au secours de vieillards égarés et fatigués, et les mène au terme de leur course. Mais presque toujours, il s'acharne sur les ivrognes. Aussi Pooka me semble bien être un des synonymes de whisky.

**

Contre les malices de ces esprits tracassiers, on invoque la protection des saints et principalement de sainte Latheerine. Elle était, de son vivant, simple et belle, et habitait auprès du village de Cullen. Sa misérable cabane, ouverte à tous les vents, ne la protégeant nullement contre le froid, elle allait souvent demander un peu de feu au forgeron, son voisin. Elle rapportait alors quelques charbons allumés dans une écuelle de terre qu'elle cachait sous sa jupe. Or, un jour, au moment où elle dissimulait ainsi sa provision de chaleur, le forgeron, homme passionné, remarqua que la sainte avait de jolies jambes. Il crut d'abord avoir commis un grand péché et se reprocha sa hardiesse ; mais le lendemain, il ne put s'empêcher de regarder encore, et il en fit autant les jours suivants. Enfin, au bout de la semaine, n'y tenant plus, il communiqua sa découverte à la sainte.

La pauvre innocente, aussitôt, se baissa pour voir si le forgeron disait vrai, renversa l'écuelle et mit le feu à sa robe. Furieuse et désolée, elle demanda alors au ciel de priver pour toujours Cullen de forgerons, afin qu'ils ne pussent désormais embraser ainsi les jupes des filles. Et jamais plus on ne vit une forge en ce village.

Quant à moi, je trouve bien étrange cette histoire, et le feu sous la jupe me paraît simplement une image honnête pour cacher une aventure qui ne l'est guère.

**

Comme si la mort était la plus grande joie réservée à ces déshérités de la vie, les Irlandais, depuis les temps les plus anciens, ont toujours eu la passion des funérailles. On y pousse encore souvent un cri plaintif et lamentable, pareil au hurlement du chien et appelé l'*ullaloo*.

Jadis, quand mourait un seigneur, le chef des bardes, debout à la tête de la bière, célébrait en vers tristes les qualités du défunt. A la fin de chaque stance, le chœur, placé près des pieds, criait l'*ullaloo* que la foule, les amis, les parents, les serviteurs, les paysans, répétait en masse comme une meute des chiens hurleurs.

L'*ullaloo* a, dans chaque province, un accent propre, si particulier que l'oreille la moins exercée la reconnaît à de grandes distances.

Aujourd'hui même, quand un convoi passe dans la rue d'une ville ou sur une route de campagne, la foule le suit. Non seulement elle le suit, mais elle pleure avec les parents de vraies larmes, jusqu'au cimetière.

Cette facilité à s'attendrir est générale dans ce pays ; et l'auteur des *Esquisses philosophiques* affirme avoir vu une quantité de gens sangloter autour d'une vieille femme qui semblait désespérée. Ayant demandé la cause de cette douleur universelle, il apprit que la vieille avait perdu deux shillings.

Or voilà qu'aujourd'hui l'Irlande s'agite de nouveau. Ce peuple que l'Anglais jadis a déclaré être le dernier des peuples, indigne de la liberté et incapable de l'obtenir, est las encore une fois de demeurer éternellement si misérable.

Il s'est révolté souvent, et toujours sans succès, parce qu'il l'a fait sans ordre, sans adhésion et sans ensemble. Parfois un chef, comme Hugh O'Donnel le Rouge, assemblait autour de lui les seigneurs, ses voisins, et luttait jusqu'à sa mort, sans trêve ni repos ; mais, après lui, tout redevenait calme, du moins en apparence.

Nous avons vu dernièrement les fenians, brouillons et mal disciplinés encore. Aujourd'hui la face des choses a changé, et c'est une espèce de *combat légal* qui s'engage.

La révolte est organisée à la moderne, méthodiquement, comme les grèves d'ouvriers. Des hommes considérables marchent avec le peuple. S'ils échouent cette fois encore, ils réussiront la prochaine fois.

(*Le Gaulois,* 23 janvier 1881.)

L'ART DE ROMPRE

La très auguste Académie française vient de nommer les commissaires qui couronneront les œuvres de génie, et autres, écloses en l'année 1880.

Dans la liste des ouvrages proposés à l'examen, j'ai cherché en vain celui qui pourrait, à l'heure actuelle, rendre le plus de services à l'humanité.

On trouve bien, dans cette énumération, le *morceau le plus éloquent d'histoire de France* (l'éloquence est-elle bien utile en histoire?)

Puis un ouvrage français ayant un caractère d'élévation morale. — Passons.

Et, au milieu de récompenses très sagement motivées, « un prix décerné à la meilleure traduction en vers d'un ouvrage grec, latin ou étranger », puis encore : « deux sommes, l'une de trois mille francs et l'autre de cinq mille, destinées à encourager la *haute littérature* ».

Eh bien, cette *haute littérature* ne me dit rien qui vaille : et je crois bien qu'en général les particuliers très honorables qui se livrent à cet exercice académique sont fort incapables de faire de bonne littérature, ou simplement de la littérature.

Je suis persuadé, en outre, qu'aux yeux de MM. les membres de l'immortelle assemblée, Balzac ou Flaubert n'ont jamais fait de haute littérature.

Eh bien, je propose, moi, d'ajouter à la liste déjà longue de ces distributeurs de récompenses honnêtes quelques membres qui examineront au point de vue purement pratique, et couronneront, et doteront du magot de cinq mille sus-énoncé le meilleur traité sur « l'Art de rompre ».

Un seul prix ne suffisait-il pas, en effet, pour favoriser des genres qui laissent aussi peu de traces que la haute littérature et les traductions en vers; et ne devons-nous pas, au contraire, poursuivre sans cesse une découverte plus utile à l'humanité que la destruction du phylloxéra, c'est-à-dire la suppression du vitriol?

C'est le résultat qu'obtiendrait presque infailliblement celui qui nous offrirait une série de moyens simples, à la portée de tous, pour quitter décemment, convenablement, poliment, sans éclat, scène, ou violences, une femme qui vous adore et dont on a par-dessus la tête.

Le vitriol devient un danger public.

Hier, il est vrai, c'était un vulgaire gredin qui défigurait sa maîtresse; mais, la veille, une femme jalouse se vengeait d'une jeune fille, sa rivale; le jour précédent une autre femme brûlait les yeux de son amant infidèle; et demain la série sinistre recommencera sans doute.

Aucun de nous ne peut se dire à l'abri, car aucun de nous n'est exempt de galanteries, et, comme aucun de nous, je le pense n'est partisan des chaînes éternelles, nos yeux, notre nez et notre devant de chemise peuvent au premier jour disparaître sous le redoutable liquide.

Le vitriol est l'épée de Damoclès de l'infidélité.

Cependant nous ne pouvons raisonnablement être fidèles jusqu'à la mort (je parle pour les célibataires) à une seule et même femme, quand tant d'autres sont charmantes.

Les femmes souvent (celles qui en valent la peine) sont désespérément fidèles ou plutôt (pardon du mot) désespérément crampons. Et ce n'est jamais à leurs maris qu'elles sont fidèles; oh! ça non, mais à l'homme à qui elles ne sont unies que par un lien bien faible, le caprice! Explique qui pourra cette anomalie.

Quiconque a eu des histoires d'amour, quiconque a passé par la série fatale des périodes où se déroule une intrigue de cœur, est resté atterré au moment de dénouer ce nœud gordien qu'on appelle une liaison; et, ne pouvant arriver à séparer, à disjoindre habilement tous les fils, il a fait comme Alexandre, il a coupé. De là une série de catastrophes qui ont parfois pour terminaison finale : *le vitriol!*

**

Faisons l'histoire banale et simple de toutes les tendresses mondaines. La psychologie en est toujours la même.

Le cœur féminin diffère en tout du cœur de l'homme. Nous autres, vrais amateurs de beauté, c'est la *femme* que nous adorons; et quand nous choisissons passagèrement *une femme,* c'est un hommage rendu à leur race entière. Est-il un ivrogne, est-il un gourmet qui boive sempiternellement d'un seul cru? Il aime le vin et non pas un vin; le bordeaux, parce que c'est le bordeaux, et le bourgogne, parce que c'est le bourgogne. Nous, nous idolâtrons les brunes, parce qu'elles sont brunes, et les blondes parce qu'elles sont blondes; l'une, pour ses yeux aigus, qui vont au cœur, l'autre pour sa voix qui fait vibrer nos nerfs; celle-ci pour sa lèvre rouge, celle-là pour la cambrure de sa taille; et, comme nous ne pouvons cueillir toutes ces fleurs en même temps, la nature a mis en nous *la toquade, le caprice fou* qui nous les fait désirer à tour de rôle, augmentant ainsi la valeur de chacune à l'heure de l'affolement.

Or, l'affolement chez l'homme ne dure guère; c'est la période d'attente. Le désir satisfait change l'amour en reconnaissance polie. Indignez-vous, idéalistes!

Les uns font ce trajet d'une passion à l'autre en huit jours, d'autres en un mois, d'autres en six, d'autres en un an. Question de temps, de lenteur de cœur et d'habitudes prises.

**

Mais la femme! Ah! la femme suit une route diamétralement opposée. Voilà le danger.

Au moment où l'amoureux fait le siège, où tous ses désirs éveillés lui font croire qu'il aime de passion, il est éloquent, pressant, persuasif. Il promet tout ce qu'on veut, s'engage aux sacrifices les plus surhumains. La femme, elle, est inquiète, troublée, ravie qu'on s'occupe d'elle, mais pas amoureuse pour un sou. Elle se dit : « Ce pauvre garçon, il m'aime terriblement tout de même »; et elle s'attendrit sur cet amour par bonté de cœur et par vanité satisfaite. Cependant elle a des craintes, ne veut pas trop s'engager, et elle parle de caprice, de caprice sans durée trop longue. C'est si charmant, un caprice! Cela laisse au cœur un souvenir doux, nullement amer. C'est la page volante de la vie.

Quant à lui, caprice ou autre chose, il s'en moque bien, pourvu que le résultat soit le même. Et le résultat qu'il poursuit est le même.

Alors il triomphe. L'assiégeant emporte la place. Or, une fois maître, il s'aperçoit peu à peu que cette conquête, qu'il jugeait de loin incomparable, ne vaut en somme ni plus ni moins que les précédentes. Mais la vaincue commence à aimer son vainqueur, bien faiblement encore, il est vrai, comme un usurier peut aimer le beau viveur à qui il vient de prêter cinq cents louis. Elle a fait une avance de fonds et elle tient à rentrer dans ses frais. — Comment? dira-t-on. — Mais elle a risqué sa réputation, sa tranquillité, l'ordre de sa vie. Et puis toute femme prend toujours au sérieux le fameux mot : « capital » de M. Dumas. Oh! elle en altère le sens, par exemple, estimant inépuisable ce capital que M. Dumas juge perdu si vite.

Alors commence la chaîne.

Lui, de jour en jour, regarde de plus en plus les autres femmes : de jour en jour, il sent poindre en son cœur des soupçons de désirs nouveaux, des chatouillements de passions à naître. De jour en jour il comprend davantage que l'âme n'est jamais satisfaite, que la beauté a des

159

manifestations sans nombre, que le charme de la vie est dans le changement et la variété.

Mais, elle, de jour en jour s'attache davantage, comme une plante qui pousse en un sol nouveau. Ses baisers sont des racines qui s'enfoncent de plus en plus. Elle aime! Elle s'est donnée, toute, s'est enfermée, murée dans son amour. Son existence n'a plus d'autre horizon, sa pensée d'autre aspiration, toute sa personne d'autre besoin que d'être aimée!

C'est la chaîne, la servitude involontaire, qui commence. C'est la litanie des paroles tendres, enfantines et ridicules : « Mon rat, mon chat, mon gros loup, mon adoré. » — La persécution de la tendresse. Elle avait parlé de caprice! Ah! bien, oui!

Il veut rompre, il essaie timidement. Mais allez-vous-en rompre avec une femme qui vous adore, qui vous martyrise d'attentions, qui vous torture de prévenances, une femme dont l'unique souci est de vous plaire. Rompre! Plus souvent! La chaîne est solide; on ne la casse pas ainsi, on la traîne. L'affection de l'une augmentant toujours, et celle de l'autre diminuant sans cesse, ils en arrivent à faire comme deux musiciens jouant ensemble, dont l'un accélérerait peu à peu son mouvement, tandis que l'autre ralentirait le sien.

Un proverbe a dit : « La femme est comme votre ombre; suivez-la, elle vous fuit; fuyez-la, elle vous suit. » Ce proverbe est d'une éternelle vérité. Avec son instinct d'amoureuse, elle devine que vous l'abandonnez, et elle s'acharne, se cramponne à vous.

Tous les jours recommencent les questions harcelantes et intempestives, auxquelles il est impossible de répondre :

— Tu m'aimes toujours, n'est-ce pas?

— Mais, oui.

— Répète-le-moi, j'ai besoin de l'entendre!

— Mais puisque je te le dis!

— C'est bien vrai, ça, que vous m'aimez encore un peu, gros méchant?

— Oui.

— Promets-moi que tu ne me trompes pas?

— Non.

— Quoi, non?

— Je ne te trompe pas.

— Tu me le jures?

Eh! parbleu, oui, il le jure. Que voulez-vous qu'il fasse? Et les femmes les plus intelligentes, à ce moment psychologique, répètent invariablement ces séries d'interpellations aussi inutiles que maladroites.

Le nœud gordien est là, indénouable.

Deux solutions se présentent, toujours les mêmes :

Ou bien, de scène en scène, on arrive au combat final, au vrai combat; aux gifles odieuses, aux coups déshonorants pour l'homme; car celui qui lève la main sur une femme, pour n'importe quel motif, en quelque occasion que ce soit, n'est jamais qu'un pleutre, un goujat et une brute;

Ou bien, il disparaît, lui, il s'éclipse, introuvable. Mais alors elle le cherche, acharnée, exaspérée, et quand elle le rencontre adorant une autre dans tout l'emportement d'une ardeur nouvelle, elle s'embusque au coin d'une rue, la fiole de vitriol à la main...

Voilà pourquoi, au lieu de nous faire des traités de morale qui ne servent à personne, ou des traductions d'Horace en vers français, il serait infiniment plus pratique de nous offrir un manuel raisonné de l'art de rompre. S'il est vrai (et c'est mon avis) que la gourmandise et l'amour soient les deux passe-temps les plus délicieux que nous ait donnés la nature, je ne vois pas pourquoi un philosophe subtil ne nous offrirait point le traité que je réclame, de même qu'on nous a présenté des collections de menus savants et des recettes de tout genre pour la satisfaction de notre palais.

J'en appelle à tous ceux qui font de l'amour la plus douce occupation de leur vie. La séparation n'est-elle pas le problème le plus redoutable proposé à leur intelligence et, toujours, le plus insoluble pour un galant homme?

Jusqu'ici je n'entrevois qu'une solution que j'indique avec timidité, parce qu'elle n'est peut-être pas à la portée de tout le monde.

Quand on en a assez d'une femme, eh bien... eh bien, on la garde. — « On la garde, direz-vous ; mais la suivante...? ». — On les garde toutes, monsieur.

(Le Gaulois, 31 janvier 1881.)

LES INCONNUES

C'est mardi que sera mise en vente la correspondance de Mérimée. On parle déjà de cet événement, et les admirateurs encore nombreux de cet écrivain au talent correct et froid attendent peut-être quelques révélations comme celles contenues dans ce volume si commenté, si discuté : les *Lettres à une inconnue*. Leur curiosité sera trompée sans doute : les lettres nouvelles que nous allons lire n'ont, nous affirme-t-on, aucun caractère de galanterie mystérieuse.

Mérimée n'est pas le seul que les Inconnues aient poursuivi; chaque homme de lettres a les siennes, et ce serait un livre vraiment curieux si on racontait les intrigues, drames et désillusions qui ont résulté des petites lettres parfumées, à l'écriture déguisée, apportées un beau matin par le facteur à tous nos écrivains vivants et célèbres. J'en sais qui ont reçu des photographies, fort jolies, de Russie, de Suède et d'Italie. J'en sais deux qui se sont mariés à la suite d'une correspondance anonyme; j'en sais un qui est devenu amoureux fou d'une femme qu'il n'a jamais vue; j'en sais un autre qui fait tranquillement des collections d'Inconnues comme on fait des collections d'insectes. Celui-là a la vogue; les lettres abondent chez lui, car les Inconnues vont presque toujours au même, comme les papillons se posent sur une seule fleur de préférence.

Il y a deux familles principales d'Inconnues, mais

chacune de ces familles se divise elle-même en plusieurs branches.

La famille la plus nombreuse et la plus intéressante est celle des « Inconnues de province ».

L'autre : « Inconnues de Paris », est moins précieuse en général.

Je passe à dessein les « Inconnues de l'étranger », qui ne sont le plus souvent que des toquées, des intrigantes, ou des Anglais mâles, amateurs d'autographes.

L'Inconnue de province a deux types principaux. C'est d'abord la petite femme rêveuse, intelligente, une sorte d'Emma Bovary supérieure, qui, mariée à quelque bourgeois honnête et médiocre, veut lui rester fidèle, mais ébauche platoniquement, avec un homme supérieur, le roman secret de sa vie. Elle vide son cœur en ses lettres, s'exalte, s'attendrit, aime de l'âme ce correspondant illustre qui veut bien répondre à ses expansions, à ses appels, à ses élans vers un bonheur idéal.

L'autre Inconnue de province est la demoiselle de compagnie des châteaux nobles, qui cherche le placement de ses exaltations littéraires, et une conquête, si c'est possible. Celle-là profitera de son prochain voyage pour aller sonner à la porte du grand homme. Elle porte, en attendant, ses lettres comme un trésor, et regarde avec mépris les pauvres êtres dont elle mange le pain.

Les vieilles demoiselles sont aussi pour beaucoup dans le recrutement des Inconnues de province. Ce ne sont point les moins intéressantes, et un célèbre écrivain, mort dernièrement, est resté toute sa vie en correspondance avec une charmante fille à cheveux blancs, qu'il n'a point connue autrement que par la description qu'elle lui envoya d'elle-même. C'est dans ces lettres-là qu'on touche aux mystères profonds des existences lamentables, aux tortures de ces cœurs de femme séchés sans amour, à toutes les misères intimes des vies solitaires et désolées.

L'homme qui reçoit ces lettres anonymes répond

presque toujours, à moins qu'il ne palpe, dans la première envoyée, une stupidité trop évidente.

Deux mobiles le poussent, ou plutôt deux curiosités, celle de l'homme galant et celle de l'homme de lettres.

Les Inconnues de Paris ne sont, la plupart du temps, que des mondaines désœuvrées, qui désirent trouver *l'âme sœur* et s'adressent, dans ce dessein, à un homme qu'elles estiment au-dessus de leur clientèle ordinaire.

Elles ont tort : un artiste véritable n'aime jamais éperdument que son art. S'il les préfère, ce n'est point un grand artiste; et alors elles n'ont aucun avantage à quitter leurs habitués, toujours plus experts en galanterie. Car la galanterie est une profession, la profession des hommes du monde; ils y sont quelquefois incomparables. J'en sais de vraiment merveilleux.

*
* *

MM. les artistes de tout ordre doivent se méfier terriblement des Inconnues de soixante ans, qui cherchent avec persévérance le placement de leurs tendresses incomprises et acharnées.

*
* *

Et voici maintenant une histoire d'Inconnue absolument vraie.

Elle? *C'est* aujourd'hui une vieille femme, fort aimée dans le monde, une adorable vieille femme dont les charmes sont comme ces parfums anciens restés au fond des flacons. On les respire avec bonheur, ces parfums, et en même temps avec une vague mélancolie. Et, plus que par la puissante odeur des essences nouvelles, on se sent pénétré par cette subtile quintessence des senteurs vives évaporées.

De cette femme toute vieille se dégage comme un nuage d'élégances passées, de grâce ineffaçables.

Elle a l'esprit exquis, alerte, et libre des grandes dames disparues.

Elle parlait justement de ces lettres de Mérimée publiées par une Inconnue.

— Moi aussi, dit-elle, j'ai été l'Inconnue d'un grand homme.

Et elle me le nomma.

L'aurai-je désigné suffisamment en disant que ses voisins indiquaient son logis aux étrangers qui le cherchaient par ces mots : « Vous verrez la maison où il y a toujours des jupes à la fenêtre. » Non? cela ne suffit pas? Eh bien, l'avant-dernière pièce de vers de son volume de poésies (car il était poète par moments) est adressée : « A une provinciale ». C'est cette provinciale elle-même qui m'a raconté leur histoire.

Elle disait :

— J'habitais une ville du centre de la France, quand un livre de lui me tomba dans les mains. Ce fut comme une réponse à mes pensées intimes, et je lui adressai une lettre longue pleine d'admiration et d'entraînement.

» Il me répondit; j'écrivis de nouveau; et cette correspondance ne lui déplut point sans doute, car il la continua avec une exactitude scrupuleuse.

» Nous devînmes amis, amis intimes. Je lui faisais toutes mes confidences; il me racontait les dessous ignorés de sa vie, ses ennuis; il s'épanchait enfin, se confiait tout entier à cette Inconnue lointaine qui avait conquis son estime et son affection.

» Un jour, je partis pour Paris, radieuse. J'allais le voir, lui serrer les mains, entendre enfin sa voix, connaître son visage!

» Je lui écrivis de me venir trouver.

» Il refusa.

» Je fus atterrée; j'écrivis de nouveau : il refusa encore. Il fallait, disait-il, garder toutes nos illusions, que la réalité détruit toujours. La connaissance de nos *êtres* diminuerait l'intimité de nos cœurs. Nous nous aimions si bien que nous ne pouvions que troubler ces délicates et tendres relations.

166

» Enfin, il ne vint pas.

» Je retournai dans ma province, un peu attristée, et je continuai à lui envoyer toutes mes pensées. Quant à lui, il semblait même devenu plus affectueux, plus expansif.

» Je retournai à Paris, où je me fixai cette fois ; et, un jour, je reçus une lettre où il me demandait d'une façon détournée, discrète, quelques détails sur... ma personne. Il avait peur que je ne fusse laide !

» J'étais jolie, monsieur, je puis bien le dire maintenant, très jolie même ; et je lui envoyais une description vraie de moi... jusqu'à la taille.

» Le lendemain, mon domestique lançait son nom dans mon salon, son nom illustre et bien-aimé.

» Dieu ! qu'il était laid !

» Tout petit, noir, l'air vieux, la figure grimaçante, il s'avançait intimidé au milieu du cercle d'hommes, d'hommes connus, qui m'entouraient.

» Il dit à peine quelques paroles. Mais il revint le lendemain. Je n'étais pas seule encore. Oh ! pour rien au monde je n'aurais voulu maintenant me trouver seule avec lui. Il était trop laid, vraiment, trop laid. Il y a des limites à tout. Mais lui ne me trouvait point si mal qu'il avait craint, car, chaque jour, il sonnait à ma porte. Je ne le recevais jamais, à moins que je ne fusse entourée d'amis ; et je le voyais s'exaspérer et m'aimer chaque jour davantage, car il m'aimait éperdument.

» J'essayais par mes lettres d'apaiser cette passion inutile. Non, je ne pouvais pas y répondre, c'était impossible, impossible !

» Lui me suppliait de lui accorder un rendez-vous : enfin je cédai, et je lui fixai une heure où nous pourrions... nous expliquer.

» Il entra, nerveux, irrité : « Madame, dit-il, il faut choisir. Vous vous jouez de moi, vous me martyrisez, vous me désespérez ; il faut choisir entre le monde et moi. »

» Je le regardai longuement — non, je ne pouvais pas.

— Alors, lui prenant la main : « Mon pauvre ami, lui dis-je, eh bien... je choisis le monde. »

» Il eut un sanglot et sortit.

» Il avait raison, monsieur, il ne fallait pas nous voir et troubler ainsi notre si charmante intimité. »

(*Le Gaulois*, 13 février 1881.)

LES MŒURS DU JOUR

Il y a des époques d'épidémies, des souffles de fièvres, des ouragans de folie qui passent sur le monde. Après la série des meurtres, vient la série des vols ou la série des avortements. Les empoisonneurs ont leur année; puis apparaissent les banquiers au pied léger ou les séducteurs de dragons.

Nous traversons une période d'amour. Oh! d'amour! C'est beaucoup dire. Est-ce bien ce mot qu'on devrait employer pour exprimer le détraquement hystérique qui se manifeste dans la jeunesse de ce jour?

Le mot « jeunesse » non plus n'est peut-être pas assez large? Toujours est-il que la *crise* a deux aspects. Considérons-la d'abord chez les marchandes de tendresse qui semblent en proie depuis quelque temps à des délires de passion sincère. C'est étrange, mais c'est ainsi. Voilà que le *Sentiment* paraît avoir pris quartier dans ce monde-là même, dont son confrère le *Plaisir* aurait dû le bannir à jamais. Oui, dans ce monde galant, qui vit de l'amour et par l'amour, qui en trafique à toute heure, qui en vend à tous les poids, à toutes les mesures et à toutes les doses, voilà qu'on a l'air de s'aimer pour de vrai.

Ces demoiselles (celles qu'on n'épouse pas) sont envahies depuis quelque temps par des démangeaisons de mariage tout comme les petites bourgeoises que leurs mères élèvent dans cette seule intention. Sitôt qu'une d'elles a la surprise de se réveiller mère, gare au

169

malheureux quelconque qui, parmi les ayants droit, refuse d'accepter les prérogatives de cette paternité d'aventure! Ce n'est pas tout; celle-ci mitraille ou acidule son amant infidèle. (Comme si la fidélité était un apanage exclusif de ces dames.) Celle-là préfère se percer le sein et tomber légèrement blessée aux pieds de son volage ami. La moindre frasque de leurs « protecteurs » leur met le revolver au poing, et elles ont maintenant la main aussi prompte et aussi légère que la conduite.

***

Cherchons donc la cause de cette crise.

Serait-ce vraiment de l'amour? — Non. — Alors quoi?

N'ayant jamais eu de maîtresse qui se soit poignardée pour moi ou qui m'ait fait l'honneur de me laver la figure avec un caustique énergique, je n'aurai pas la naïveté de croire à la sincérité des filles.

On ne saurait s'imaginer, en effet, combien on adore éperdument, tout de suite, une femme qui a failli se tuer pour vous, et quels sacrifices on ferait pour elle, et quelle générosité éveille en nos cœurs cette idée qu'on est aimé jusqu'à la mort.

Elles le savent et elles en usent.

Mais qui donc a pu les réduire à employer sans cesse ces moyens extrêmes, à jeter ainsi leur va-tout, à jouer le drame en permanence.

Pardon mesdames, il est des termes d'argot qui montent tout d'un coup à la surface de la langue. On les chuchotait tout bas hier, aujourd'hui on les prononce tout haut, des journaux les impriment; ils ont droit de cité sur le boulevard.

Nous n'osons point les répéter.

Une anecdote pourtant :

Un jeune homme du meilleur monde, fort coureur et grand chasseur, avait des succès si fréquents parmi les belles dames dont les amabilités sont tarifées tout comme les rafraîchissements d'un café que ses revenus n'auraient jamais suffi pour solder toutes les faveurs qu'il consommait. Il eut recours à un moyen aussi simple qu'ingénieux. Il tint un compte scrupuleusement exact des bonheurs impayés qu'il devait à ses charmantes amies, et, dès que la chasse fut ouverte, il se mit à leur envoyer des multitudes de lapins.

Il marchait tout le jour par les bois et les côtes et, le soir, en se frottant les mains, il disait à ses amis :

— Je viens encore de placer six lièvres.

Les jeunes personnes furent d'abord satisfaites, comme quiconque reçoit des bourriches de gibier (ça vous pose auprès du concierge); mais bientôt, quand l'une d'elles rencontrait une camarade et lui demandait :

— As-tu des nouvelles d'Arthur?

L'autre aussitôt répondait :

— Oui, il vient de m'envoyer un lièvre.

Alors la désillusion commença. Et quand toutes eurent mangé pendant des mois du lièvre sauté, rôti, grillé, en gibelote, en pâté, en miroton, elles commencèrent à trouver exécrable cet animal.

Le lièvre devint la terreur, l'épouvante, l'épée de Damoclès de cette nombreuse population volante qui déménage éternellement entre les rues Breda, Clauzel, des Martyrs, Notre-Dame-de-Lorette, Pigalle, etc., etc. On lui jura une haine à mort, et au moindre soupçon, au moindre geste, à la moindre crainte, on a recommencé le massacre des innocents qui payent toujours pour les coupables. Car il est bon d'observer que les donateurs de lièvres, étant d'un naturel malin, se laissent très rarement pincer.

Donc, toute cette grande crise de passion dramatique, avec poignards et revolvers, ne me paraît guère autre chose que la conspiration du chantage, appuyée, du reste, par l'indulgence si complaisante des tribunaux.

Malgré le succès de ces moyens, il me semble cependant que quelque homme autorisé, comme M. Dumas fils, par exemple, qui a passé sa vie à étudier les mystères des cœurs à double fond, devrait adresser aux femmes galantes quelques conseils sages et philosophiques. « Mes enfants, leur dirait-il, votre arme doit être la séduction et non pas le couteau-poignard. Patience et longueur de temps font plus que force ni que rage. Faites comme la fourmi, croyez-moi, amassez, amassez sans cesse, amassez toujours ; c'est là le vrai, le seul moyen. Prenez garde de décourager les hommes. Vous les tenez, conservez-les, soyez prudentes, ne les éloignez point, ils pourraient retourner aux femmes du monde. Songez donc, mes petites chattes, combien la concurrence est grande. La moindre faute peut amener votre ruine ; et puis, entre nous, vous n'êtes en somme qu'une valeur de convention. Vous êtes cotées cher, très cher, trop cher : gare la baisse ! Le Turc aussi fut coté cher, et ma foi, en fait de filouterie, vous le valez. Vous êtes si nombreuses vraiment que nous avons bien du mal à vous nourrir. Nous consentons à faire des sacrifices, mais il faut vous montrer raisonnables ; ne nous tirez pas dessus, que diable ! Et puis, n'oubliez jamais cette sage parole d'un romancier de ma connaissance : « Quand je désire une créature à la mode qui vaut une fortune, j'attends, car je suis sûr qu'au bout de quelques années elle tombera à rien. Or, comme en réalité c'est mon désir seul qui a de la valeur, et non la fille, cela revient tout à fait au même. »

**

Passons maintenant au côté des hommes. Ici, le cas est plus complexe et plus nombreux. On chuchote de si étranges histoires que l'esprit reste effaré. On parle de mineurs, d'enfants, de choses monstrueuses, et des procès se déroulent publiquement où la moitié d'une grande cité semble s'être partagé les faveurs d'une petite fille de douze ans.

Quelle est donc la source du mal ?

C'est délicat à dire, mais enfin il le faut. Cette source du mal, eh bien, c'est vous, mesdames, les femmes du monde. A qui la faute si vos maris s'encanaillent et s'encrapulent? A qui la faute si les jeunes gens, ne trouvant plus de maîtresses spirituelles et charmantes, vont rôder en des lieux suspects? Ah! çà, voyons, que faites-vous? A quoi songez-vous? Quels sont votre rôle et votre mission? A quoi servez-vous si vous ne savez plus vous faire aimer assez pour retenir à vos genoux les mondains?

Vous aussi, mesdames, vous auriez besoin de tutélaires conseils; mais quelle bouche assez autorisée, assez persuasive, assez puissante pourrait vous indiquer efficacement la voie nouvelle? M. Dumas n'a guère votre oreille, et je ne vois que M. Caro dont les savantes leçons exercent sur vos cœurs une influence assez décisive. Mais consentirait-il à consacrer un des cours que vous suivez si assidûment à traiter cette question, pourtant si large et si facile aux développements, « de l'amour dans le monde »?

Voici, je crois, les points principaux où pourrait s'exercer son éloquence :

Il se demanderait d'abord si, par hasard, la vertu sévirait parmi vous. Mais non, cette hypothèse doit être vite écartée; nous ne sommes pas encore menacés de ce fléau; et la vertu, comme dans l'Antiquité, continue à n'être qu'un mot.

Ici on pourrait même tenter une définition moderne de la vertu : « l'art délicat d'éviter le scandale ».

Alors que se passe-t-il?

Etes-vous moins belles? Non assurément. Les hommes se sont-ils modifiés? Pas davantage. Seulement le siècle marche; la civilisation progresse; les mœurs changent; les inventions nouvelles se multiplient, la science fait des prodiges et l'industrie, des merveilles (comme a dit Victor Hugo); et vous n'êtes pas dans le mouvement. Voilà tout.

Tout change. L'amour comme le reste. On n'aimait pas au XVIIIᵉ siècle comme au Moyen Age, on n'aimait pas en 1830 comme sous le Directoire. Il ne faut plus aimer aujourd'hui comme en 1830. Votre infériorité vient de là. Nous sommes dans un siècle pratique, qui n'abuse pas du sentiment.

Et l'orateur, dans un grand mouvement d'éloquence, adresserait un appel ardent à toutes les femmes en état de plaire. Il prêcherait cette croisade de la séduction, et ferait de tels effets que toutes les assistantes sortiraient de là, pleines de zèle pour l'œuvre nouvelle, et n'auraient plus qu'un désir au cœur : sauver un homme de la débauche immonde; le retenir sur les bords du gouffre béant.

Les hommes, assurément, ne demanderaient pas mieux que d'être sauvés ainsi.

Je le souhaite de tout mon cœur.

Ainsi soit-il.

(Le Gaulois, 9 mars 1881.)

MAISON D'ARTISTE

Aujourd'hui, l'éditeur Charpentier met en vente un livre nouveau de l'illustre écrivain Edmond de Goncourt.

Ce livre est, dans l'œuvre du maître, une chose unique qui ne peut être rapprochée d'aucune de ses autres productions.

Ce n'est point un roman comme ceux qui l'ont rendu célèbre; ce n'est point une de ces exquises études historiques comme *La Femme au dix-huitième siècle* ou *Les Maîtresses de Louis XV*. Ce n'est point une œuvre philosophique comme *Idées et Sensations;* c'est l'histoire de son mobilier.

Ce livre s'appelle la *Maison d'un Artiste au dix-neuvième siècle*. Et nulle maison, en effet, n'est plus curieuse à visiter que la sienne. C'est un résumé de l'art français au XVIIIe siècle, et en même temps un tableau rapide des merveilles de l'Orient, un récit pour les yeux de ces étincelantes industries de la Chine et du Japon.

Car Goncourt est né bibelotier. Il l'est plus que personne; c'est évidemment là son vice, ce vice aimé, ruineux, rongeur, que chacun porte en soi.

Il l'est tellement, qu'il a bibeloté toute sa vie dans l'histoire, comme il bibelote dans les magasins. Les deux frères avaient cette passion. A peine un de leurs romans était-il fini, que tous deux repartaient vers ce XVIIIe siècle qu'ils ont tant aimé; ils le parcouraient en commissaires-priseurs, furetaient dans ses coins, laissant

175

aux professeurs le soin des événements et des dates, mais reconstituant les mœurs par tous les menus détails de la vie, faisant de l'histoire en romanciers, avec des éventails, des cartes de dîner, des jarretières, des dentelles, des boucles de souliers et des tabatières, de l'histoire vraie et vivante. En même temps ils poursuivaient, à travers les ventes et les boutiques poudreuses, tous ces bibelots anciens, alors peu estimés, et les tableaux, les dessins, les gravures des maîtres, et les livres, les éditions rares, uniques, et tout ce que le hasard des visites aux brocanteurs et une infatigable patience faisaient tomber sous leurs mains.

L'un d'eux est mort. L'autre a continué de chercher sans repos. Il possède aujourd'hui la collection la plus belle, la plus complète qui existe de l'art français au XVIIIe siècle.

Il va lui-même ouvrir au public la porte de sa maison.

Mais, avant le public, entrons-y. Le romancier, d'ailleurs, est chez lui, nous pourrons ainsi le voir, et même lui parler.

∗∗∗

C'est à Auteuil, sur le boulevard Montmorency, une charmante maison faisant face à la ligne de ceinture. Dès l'entrée on se sent chez un *amateur de curiosités*. Les murs du vestibule et de l'escalier en sont couverts. Le cabinet de travail du maître est au premier étage; lui, il écrit devant sa table; il se lève. Les cheveux sont longs, gris, d'un gris particulier entre le gris et le blanc, une nuance qui semble dire la fatigue des nuits passées et des longs efforts cérébraux. Ils encadrent un visage d'une rare finesse; une vraie tête d'aristocrate de la bonne époque et de la bonne marque, comme il pourrait dire lui-même en parlant de ses plus belles faïences. Il porte la moustache seulement; il est de haute taille, mince, d'une grande aisance un peu froide. Sa maison est bien le cadre qui lui convient.

C'est lui qui a écrit: « Il y a de gros et lourds

176

hommes d'Etat, des gens à souliers carrés, à manières rustaudes, tachés de petite vérole, grosse race, qu'on pourrait appeler les *percherons* de la politique. »

Si cette race de *percherons* existe chez les hommes de lettres, il en est de tout point l'opposé.

Dès qu'on est entré dans son cabinet, une lueur tire l'œil au plafond : c'est une soierie japonaise d'une telle richesse de couleur, qu'on en demeure ébloui. Deux griffons d'un relief surprenant courent dans un champ de pivoines; les bêtes fantastiques, contorsionnées, gambadent au milieu de fleurs merveilleuses, éclatantes comme des lumières. C'est une robe d'acteur, paraît-il. Nos plus folles actrices n'en ont point d'aussi riches.

Les murs partout sont tapissés de livres, de livres précieux, dont il va nous donner le catalogue détaillé. Dans les tiroirs des bibliothèques dorment d'inestimables albums du Japon qui valent des fortunes. Il est le premier peut-être qui ait compris la valeur artistique, la grâce et le charme de cet art japonais dont s'inspirent aujourd'hui nos peintres. Dès 1852 il achetait à la *Porte de Chine* un de ses beaux albums pour la somme de 80 francs. Combien cela vaut-il aujourd'hui?

Mais nous passons dans le sanctuaire, dans le salon des collections. Ici la Chine et le Japon dominent. Tout autour de l'appartement, de grandes vitrines enferment des trésors. En fait de porcelaines, une assiette qui montre un oiseau perché sur une branche est ce que j'ai jamais vu de plus parfait.

Voici les ivoires du Japon. Il en possède une collection magnifique. L'un représente un guerrier qui court sur l'eau; c'est d'un travail incomparable. Un autre nous fait voir la MORT qui regarde un serpent enroulé sous une feuille. La Mort est penchée, et dans son mouvement on sent une curiosité bienveillante, un intérêt tendre pour la bête empoisonneuse. Voici un singe qui mord un coquillage : la tête de l'animal est d'un irrésistible comique. Voici encore un rat d'un prodigieux naturel. Or, il paraît que, là-bas, dans les familles, les artisans font de père en fils le même objet ; aussi, lorsque quatre générations d'hommes ont fabriqué des souris, il n'est pas étonnant qu'ils arrivent à les exécuter presque plus *souris que nature*.

Dans cette autre vitrine s'alignent les sabres pour s'ouvrir le ventre ! Les gardes de ces sabres sont de vrais bijoux ; et, dans le fait, ils constituent, avec les pipes, les étuis et quelques autres menus objets, toute la bijouterie du Japon. L'une de ces gardes semble un résumé de l'étrange poésie de ces pays de rêverie et de couleur en même temps : on y voit d'un côté deux grillons, deux petits grillons avec des physionomies d'êtres pensants, qui s'en vont, côte à côte, en camarades, et en causant, en bavardant (on le sent à leur allure), échappés tout à l'heure d'une cage d'osier rompue : deux prisonniers qui s'enfuient.

L'autre côté de la garde représente deux feuilles mortes, qui tournoient dans un ciel d'hiver, par un clair de lune, seules dans l'immensité.

Il y a, dans ces paysages subtils, des nuances d'intentions à peine sensibles, toute une foule de songeries, comme une vapeur de rêve.

A côté de la pièce où sont exposées ces merveilles s'en trouve une autre, un chef-d'œuvre de couleur. Je n'en tenterai pas la description ; mais je dirai sa singulière destination. C'est, pour l'écrivain, un « moyen d'inspiration », le cabinet d'excitation cérébrale.

Quand il veut travailler, il s'enferme là-dedans, il se grise avec l'art visible de ce lieu ; il le respire, s'en imprègne ; puis, quand il se sent *à point*, suffisamment brûlant, il retourne s'asseoir à sa table. Il voudrait écrire là qu'il ne le pourrait pas, tant ses yeux seraient sans cesse distraits par le spectacle des murailles.

Le rez-de-chaussée est le domaine du XVIIIᵉ siècle. Cette collection est unique. On se rappelle d'ailleurs les admirables dessins qu'il avait prêtés à l'exposition d'Alsace-Lorraine. Voici Watteau, ce maître parmi les plus grands, Boucher, Fragonard, Chardin. Une garniture de cheminée inestimable, de Clodion.

La salle à manger est tendue d'adorables tapisseries

178

pleines de belles dames à panier ; une ivresse pour les yeux.

Et que d'autres choses encore !

*
* *

On lit cette pensée dans ce superbe livre qui a pour titre *Idées et Sensations* :

« Il y a des collections d'objets d'art qui ne montrent ni une passion, ni un goût, ni une intelligence, rien que la victoire brutale de la richesse. »

La collection amassée par Edmond et Jules de Goncourt est, au contraire, une victoire de la passion, du goût et de l'intelligence.

Quand les deux frères vinrent à Paris, ils avaient une modeste fortune avec laquelle d'autres n'auraient su que vivre, et avec laquelle ils surent acheter des objets inappréciés encore, et bientôt inestimables.

Ils se reposaient d'écrire en fouillant les boutiques, en feuilletant les amas de dessins inexplorés que certains marchands d'estampes gardaient en leurs greniers. Avec un flair infaillible, ils trouvaient les croquis des maîtres et les emportaient comme des trésors. Pour eux, aucune des satisfactions communes de la vie, pas de plaisirs, pas de passion. Le BIBELOT les tenait ; et quand ils avaient acheté quelque morceau important, quand la fièvre de posséder les avait envahis pendant un mois ou deux, que la bourse était vide et l'argent à toucher éloigné, ils disparaissaient tous les deux, cachés, ensevelis dans quelque auberge de campagne où ils vivaient humblement, chichement, avec l'espoir des achats à venir.

Cette passion a été leur force, leur refuge, leur consolation dans la vie qui leur fut amère si longtemps.

L'un d'eux a succombé dans la lutte ardente contre le public, qui niait leur grand talent, ne comprenait pas, les raillait. Et voilà que l'autre, celui qui restait, s'est vu tout à coup admiré, acclamé, salué maître.

Elles sont fréquentes, ces injustices, ces férocités inconscientes de la foule. Balzac a dit : « Ce public parisien, chez qui la raillerie remplace ordinairement la compréhension... » — Ce mot est d'une surprenante justesse. Quand la foule ne comprend pas, elle méprise ; et comme elle ne comprend jamais ceux qui viennent trop tôt, les initiateurs ainsi que les Goncourt, il faut que ces hommes-là soient morts pour qu'on consente à les saluer. Edmond de Goncourt, pourtant, a vu son heure arriver. On a compris enfin cet art raffiné, subtil, tout en nerfs, saisissant les nuances des nuances, les délicatesses infinies, les souffrances des choses.

Son frère et lui sont des fouilleurs : des fouilleurs du passé, et des fouilleurs de la vie, et des fouilleurs de la langue. Ils ont trouvé partout, dans le passé, dans la vie, dans la langue, des richesses qu'on ne connaissait pas.

Son frère mort, Edmond de Goncourt a continué l'œuvre. Il travaille sans cesse pour échapper à l'existence, comme il le dit, comme il l'a écrit : « L'horreur de l'homme pour la réalité lui a fait trouver ces trois échappatoires : l'ivresse, l'amour, le travail. »

Après le livre qui paraît aujourd'hui, il se remettra au roman, au roman qui fait tout oublier, qui emporte l'écrivain dans la fiction, l'y roule, l'y berce, le séparant de la terre et le faisant vivre en un monde à lui, façonné par lui, illuminé d'art, le monde idéal des créateurs.

(*Le Gaulois,* 12 mars 1881.)

AU MUSÉUM
D'HISTOIRE NATURELLE

Dans notre mémoire, ce magasin d'antiquités des sensations et des idées, nous retrouvons parfois, tout à coup, un vieux souvenir oublié, qui nous fait revivre en une seconde toute une période lointaine de notre existence.

En me levant, l'autre jour, j'ai eu une de ces visions d'autrefois, un de ces revenez-y de la première jeunesse, qui m'a jeté au cœur un irrésistible besoin de revoir là-bas, là-bas, ce bon Jardin des Plantes que j'aimais tant quand j'avais dix ou douze ans.

Et je partis, à pied.

Après avoir longé les quais, j'entrai par la porte en face du pont. Mais je m'arrêtai surpris en apercevant, au milieu de cet antique domaine des bêtes exilées, un vrai palais presque achevé, une grande construction blanche, de noble allure, élégante et simple.

J'allais interroger quelque gardien, quand je vis venir à ma rencontre un de mes meilleurs amis, M. Georges Pouchet, professeur d'anatomie comparée au Muséum d'histoire naturelle, héritier, par conséquent, de la chaire du grand Cuvier. C'était donc un des maîtres de la maison scientifique où j'entrais. Je pris son bras, et nous commençâmes ensemble un vrai voyage à travers ces curieuses galeries qui renferment les mystères de la vie.

— D'abord, mon cher, quel est cet édifice tout neuf?

J'appris par lui que j'avais devant les yeux le nouveau

Muséum. Tous les anciens bâtiments tombent en ruine, sont devenus insuffisants. Et on a construit, pour les remplacer, cet élégant palais où les collections tiendront à l'aise et pourront être visitées du public sans qu'on ait à traverser vingt fois le jardin, comme aujourd'hui.

**

Je ne m'arrêterai guère sur les parties de ma promenade que tout le monde peut faire. Il me sembla que j'accomplissais un pèlerinage en ces lieux où j'étais venu si souvent dans mon enfance; et les détails que me donnait mon savant compagnon étaient comme des révélations sur les *dessous* inconnus de l'Etre.

Je revis les bêtes féroces, nos frères les singes, de petits animaux aux noms barbares, mais d'une grâce attendrissante, et la plus belle collection d'antilopes qui soit en aucun jardin zoologique. Une famille surtout me retint longtemps arrêté : les trois animaux, le mâle et deux femelles, d'un blond presque blanc qui semble tourner au rose, frêles des jambes, musclés des cuisses, râblés de la croupe, avec des têtes de biches aux grands yeux noirs, surmontées d'une paire de cornes démesurées pareilles à de longs roseaux courbes, couraient par gambades bondissantes, d'une élégance inoubliable.

Dans la rotonde aux éléphants, un jeune rhinocéros devint mon ami.

Il passait entre deux poutres de bois sa longue tête de monstre mal fait, pareille à un cap terminé par un phare, tandis que ses yeux, trop bas, avaient l'air de dégringoler dans sa mâchoire. Je caressais cette figure difforme et bon enfant, quand un gardien vint causer avec nous et m'apprit que l'autre jour, pendant qu'il nettoyait la maison de son pensionnaire, celui-ci, par farce peut-être, ou seulement par gentillesse, l'avait, d'un seul coup de son nez montagneux, lancé, comme une balle dans l'espace.

Nous nous arrêtâmes devant les oiseaux, échassiers, philosophes rêveurs, flamants ou marabouts chauves comme des sénateurs, dont le crâne semble rongé par un mal, et devant les pélicans goitreux qui nous rappelèrent une aventure arrivée au Havre l'an dernier.

Cette ville possède un fort bel aquarium. Les grands bassins de verre pleins de homards énormes, de pieuvres, de crabes, etc., éclairés du dehors par le soleil, entourent une sorte de caverne obscure où pénètre le public. Un monstrueux pélican libre et apprivoisé habite aussi cette espèce de grotte et se promène, toute la journée, entre les jambes des visiteurs.

Or, deux habitants de la campagne, l'homme et la femme, vieux paysans courts d'idée, étaient venus visiter Le Havre. Après avoir erré tout le jour par les rues, contourné les quais, parcouru les jetées, ils arrivèrent le soir à l'aquarium, entrèrent dans la grotte où l'on ne distinguait plus rien, et, trouvant un banc dans un coin, s'assirent dessus. Ils étaient brisés de fatigue, exténués; ils s'endormirent, et le gardien, en fermant les portes, ne les aperçut pas dans l'ombre.

C'était au moment de la pleine lune. L'astre, en tout son éclat, jeta bientôt dans la grotte, à travers l'eau de mer verdâtre des bassins, une clarté fantastique. Toutes les étranges bêtes de l'océan s'agitaient sous cette lueur nocturne, se poursuivaient, dans un grossissement d'optique qui les rendait géantes.

Les deux vieilles gens dormaient toujours, comme en leur lit, et rêvaient à leur maison sans doute, quand une sensation singulière, des frôlements, des caresses de plumes, puis des coups aigus, les réveillèrent en sursaut.

Le pélican les avait découverts. Hideux, ouvrant le gouffre de sa gorge et battant des ailes, il les piquait de son bec immense pour leur demander quelque chose à manger. Ils se dressèrent dans une indicible épouvante. L'horreur de ce lieu qu'ils ne reconnaissaient pas, les monstres diaboliques qui nageaient de tous les côtés, la lueur infernale qui les éclairait, cette grotte horrible, habitée par cet être épouvantable, c'était l'enfer avec le diable! Ils étaient morts! C'était le diable!

Alors, ils se mirent à fuir, se heurtant aux glaces, aux

rochers, poursuivis par la bête et poussant des hurlements tellement aigus que les passants les entendirent. On réveilla le gardien, et les deux vieillards furent expulsés. Mais leur terreur avait été si vive qu'ils tombèrent malades et ne guériront peut-être jamais.

Après avoir salué la Vénus hottentote et callipyge, brune rivale de la Vénus de Milo, parcouru la salle des monstres à deux têtes et l'avenue couverte où des baleines sont suspendues, nous sommes entrés dans le pavillon de la minéralogie. Ce que j'ai le plus admiré est un dessin d'Henri Regnault; mais ce qui m'a le plus saisi est un bloc de fer venu des contrées polaires.

On a cru longtemps que ce métal, ramassé en Laponie, au milieu des glaces et dont on trouve d'assez grandes quantités, était tombé du ciel : on l'avait donc classé parmi les aérolithes; mais les savants, depuis, ont changé d'opinion, et on a reconnu que des éruptions volcaniques devaient l'avoir chassé du centre de la terre.

Ce qu'il a d'étrange, c'est que ce fer enfermé depuis des siècles dans la glace, sue à la chaleur! — Oui, il sue, il fond; des gouttes d'eau rougeâtre sortent du métal qui se ronge, comme s'il maigrissait. Quand il gèle, cette transpiration singulière s'arrête; mais, quand le printemps revient, le travail mystérieux recommence et le suintement reparaît sur la surface du bloc!

*
**

Sortant ensuite du Jardin des Plantes et traversant la rue Buffon, nous avons pénétré dans les coulisses de la science, dans le laboratoire d'anatomie comparée que dirige M. Georges Pouchet.

C'est un bâtiment carré, très semblable à un de ces forts qui protègent les places. Il a même des fossés, presque des créneaux.

Le cabinet du professeur est vaste, orné d'ossements de toute espèce, tapissé de carcasses, de débris d'êtres.

Sur la table immense, des livres, des papiers, des microscopes, des instruments de dissection, de vivisection, des mâchoires et une quantité de petits morceaux carrés de verre. En regardant ceux-ci de près, on s'aperçoit qu'ils sont formés de deux lames fort minces, appliquées l'une sur l'autre et enfermant une chose presque imperceptible, une tache jaunâtre, une ligne brune; et on lit sur le verso : « Fibres musculaires de la baleine! » — Sur une autre plaque, où paraît quelque chose de rougeâtre, c'est : « Mâchoire du lapin! » — Puis, à côté de cela, dans un carton bleu qui semble séculaire, un chapeau à forme haute, un vieux, vieux chapeau d'autrefois, large de bords, large du fond; et, dedans : « A la Ville de Poitiers — Lapeyrière, successeur de M. Petitjean, chapelier ordinaire de LL. AA. SS. Mgrs le prince de Condé et le duc de Bourbon, à Paris — rue de la Vieille-Boucherie, n° 12, au bas du pont Saint-Michel. »

Cette relique, car c'en est une, est le couvre-chef du grand Cuvier, retrouvé par son successeur.

Dans les salles voisines, une odeur singulière vous prend à la gorge, une odeur forte et désagréable, qui pique la narine et soulève le cœur : c'est le parfum des macérations. Partout on voit de grandes cuves soigneusement recouvertes, en forme de baignoire, avec des poids au-dessus, de crainte que la fermeture ne se disjoigne. Le professeur, joyeux, se frotte les mains à la façon des collectionneurs monomanes en ouvrant l'armoire aux bibelots introuvables :

— Vous allez voir mes baleines, dit-il.

On découvre une cuve, et une buée suffocante vous saute au visage; quand on s'approche de nouveau, on aperçoit vaguement quelque chose de brunâtre et d'allongé; c'est une baleine de trois mois; à côté, en voici une de six semaines; puis une autre encore, une série de fœtus monstres.

Puis on passe en revue la collection des organes d'une baleine adulte. Les voici en « nature » dans la cuve odorante; les voilà moulés sur plâtre. Je les trouve préférables sous cette forme.

Les dépendances extérieures du laboratoire sont, *pour un profane*, plus curieuses que le laboratoire lui-même.

Au milieu d'un terrain nu s'élève un petit bâtiment qui ressemble à la Morgue; et, lorsqu'on a pénétré dedans, on se croit plus que jamais dans ce sinistre pavillon des noyés. On y retrouve même les dalles froides sous l'eau qui coule toujours. Je m'approche d'un bassin et, à travers un liquide verdâtre, une tête me regarde, une tête affreuse, décomposée, pourrie. Car c'est en ce lieu que les animaux morts, dont on veut conserver le squelette, sont dépouillés de leur chair. Au milieu de la salle s'élève une sorte de grue avec un treuil comme dans les gares de chemin de fer. M. Pouchet m'apprend que cet instrument sert à soulever les éléphants trépassés.

Nous sortons et je me trouve au bord d'une rivière, d'une petite rivière en putréfaction, noire, infecte, la vraie rivière qui doit couler en ce royaume des charognes. C'est la Bièvre, la triste Bièvre, ce ruisseau jadis charmant, avec son nom de poitrinaire, devenu égout putride, souillé par les industriels, condamné par les ingénieurs; la Bièvre honteuse de ses fanges, cachée sous terre aujourd'hui, n'osant plus se montrer au soleil.

Mais voici que, par le vitrage crevé d'une espèce de serre, un amas d'ossements m'apparaît. Ils semblent pêle-mêle, jetés là comme après une farouche bataille, et des places noires indiquent des vestiges de sang. Ce sont les *doubles,* le grenier aux débarras de l'*anatomie.* Dans ce cimetière viennent puiser avec joie les savants de province qui complètent ainsi leurs collections. Au-dessus est la galerie des carcasses à conserver, bondée jusqu'aux portes de tous les échantillons et de toutes les espèces, numérotés, classés, rangés dans un ordre admirable. On se croirait dans l'étrange et sinistre musée de quelque boucher collectionneur et fantaisiste. Plusieurs de ces restes valent des *milliers* de francs.

Et nous entrons dans une cave qui m'a donné l'impression du *purgatoire* des animaux.

Dans la vague clarté de ce lieu, on aperçoit d'im-

menses oiseaux empaillés, des êtres monstrueux grima-
çant dans l'esprit-de-vin des bocaux, des serpents
enroulés, des bêtes de toutes les formes, et, au-dessus de
leur tête, seul dans une salle faite à sa taille, trop énorme
pour entrer dans les galeries ouvertes au public, comme
s'il attendait aussi son jour de délivrance, un masto-
donte effroyable, monstre antique d'une race disparue,
dresse jusqu'à la voûte gigantesque son prodigieux squelette, tout blanchi par les siècles.

***

Comme je montrais à M. Georges Pouchet un bocal
où nageait un fœtus, en lui demandant pourquoi l'alcool
était devenu rouge et couvert d'une espèce de mousse, il
me répondit :

— Je n'en sais rien ; il se produit dans tout cela une
foule de réactions plus inconnues les unes que les autres.

Et je pensai :

— Il en sera toujours ainsi. Les savants chercheront
sans fin l'inconnu. Et pourtant le grand pas est fait. On
marche dans le certain, vers le certain ; on sait que tout
effet a une cause logique, et que, si cette cause nous
échappe, c'est uniquement parce que notre esprit, notre
pénétration, nos organes et nos instruments sont trop
faibles.

(*Le Gaulois,* 23 mars 1881.)

AMOUREUX ET PRIMEURS

Nous voici entrés depuis quelques jours dans le
printemps officiel. Saison odieuse, gâtée par ce fléau
qu'on nomme : les Amoureux, saison bénie, toute pleine
de ce bienfait divin qu'on appelle : les Primeurs.

Non point que je veuille dire du mal de l'amour. C'est
l'amour printanier que je déteste, cette poussée de la
sève du cœur, qui monte en même temps que la sève des
arbres, ce besoin inconscient qui vous prend de roucou-
ler comme les tourtereaux : fermentation du sang, rien
de plus, piège grossier de la nature, où ne devraient
tomber que les très jeunes gens.

Le printemps est, dit-on, la saison de l'amour! Pour
qui? Pour les animaux? La saison de l'amour? Comme
si, pour les raffinés, l'amour pouvait avoir une saison!
Laissons encore le printemps pour l'amour des gars de
la campagne, des petits employés même, des pauvres.

Mais les mondains, les gens qui ont un cerveau plutôt
qu'un cœur, les artistes, aiment surtout en hiver, dans la
chaleur parfumée des salons, dans les salles de théâtre
étincelantes de lumière, et que semble éclairer aussi une
flamme d'intelligence, là où l'amour éclôt à la façon des
grandes fleurs de serre superbes et maladives.

Le vrai Parisien civilisé, qui fait de la « séduction »
un art subtil et un métier charmant, possède l'amour
comme un instrument compliqué qu'il monte et démonte
à volonté, dont tous les rouages lui sont connus. Toujours à l'affût, toujours en quête, friand de chair fraîche

et de raffinements, il fréquente tous les mondes, va dans tous les salons, a pratiqué toutes les femmes, devine une âme à l'aspect du visage, au son de la voix, au geste. Il emploie immédiatement, sans se tromper jamais, celles de ses ruses qu'il devine irrésistibles.

Il sait Paris sur le bout des doigts; possède la nomenclature des restaurants mystérieux, impénétrables, favorables aux rendez-vous; saisit les heures propices aux défaillances, trouve les mots triomphants qui décident la victoire comme une charge de cavalerie dans les batailles; et, sur cent fiacres alignés, il choisit sans hésiter le vrai, celui qui convient en tout, le reconnaissant à je ne sais quoi, au nez du cocher, à la silhouette du cheval, ou bien à l'air honnête de la voiture elle-même.

Avec lui, une femme n'a jamais rien à craindre, pas de mésaventure, de rencontre inattendue, de déguisements à prendre. Il a tout prévu, tout préparé, c'est le virtuose de la bonne fortune. Et il sait rendre à l'amour son caractère charmant, indispensable : le mystère.

Le mystère! Regardez-moi donc une paire d'amoureux printaniers, de ceux qui me gâtent la première saison de l'année, tout comme la musique en sourdine me gâte la plus belle pièce du monde; croyez-vous qu'ils se fichent pas mal du mystère, ceux-là?

Ils sont dans un restaurant, à table à côté de moi. D'abord ils n'ont aucun respect pour la carte, ce qui me blesse. Le maître d'hôtel, plein d'un mépris manifeste, leur compose un menu d'aventure. Alors ils commencent à boire dans le même verre, à manger avec la même fourchette, à barboter dans la même assiette, tachant la nappe, renversant le vin, s'embrassant même avec des lèvres grasses, répugnants, odieux enfin. D'autres fois, je viens de m'installer dans un wagon pour y passer la nuit tranquille. Deux amoureux montent à leur tour. Ils baissent les stores, voilent la lumière, se blottissent dans un petit coin, et ne se gênent pas plus que si je n'étais pas là. Et puis ils parlent, bavardent, rient, s'embrassent sans cesse, finissent par avoir faim, redécouvrent le quinquet, atteignent un panier d'où s'échappe cette fade odeur de mangeaille que répandent les provisions de chemin de fer. Et quand ils sont repus, ils se remettent à batifoler. Ce sont des sauvages et des monstres : des gens qui prennent l'amour au premier soleil comme on attrape un rhume aux premiers froids

*
* *

D'ailleurs je ne cacherai pas mes préférences. De toutes les passions, la seule vraiment respectable me paraît être la gourmandise.

Aussi l'approche des primeurs m'emplit-elle d'une joie délicieuse.

L'amour appartient à tout le monde. Chacun y passe et le subit plus ou moins; et les choses rares sont seules précieuses. Des garçons épiciers se noient par désespoir; des rois, souvent, ont épousé des bergères ou des danseuses, ce qui est commun. Des reines ont fait ducs des palefreniers, ce qui ne vaut pas mieux. Et puis, on a beau s'ingénier, l'amour n'est pas varié; il se présente toujours de la même façon : on en peut suivre aisément chaque période et chaque manifestation successive, depuis le début toujours pareil jusqu'au dénouement toujours le même. Les sensuels s'efforcent de le travailler, de le raffiner, de le compliquer, de le parfaire, ils ne trouvent rien de nouveau; et, dans la pratique, un collégien préparant son bachot en sait autant qu'un vieux sénateur goutteux ou qu'un académicien galant, blanchi dans les aventures.

Mais, de toutes les passions, la plus compliquée, la plus difficile à pratiquer supérieurement, la plus inaccessible au commun, la plus sensuelle au vrai sens du mot, la plus digne des artistes en raffinements, est assurément la gourmandise. De création purement humaine, inconnue aux premiers vivants, perfectionnée d'âge en âge, grandissant avec les civilisations, dédaignée des barbares et de la plèbe, incomprise des médiocres, méprisée des sots, ce qui est une gloire ; peu appréciée des femmes, ce qui l'idéalise ; variable à l'infini malgré les siècles et les travaux des grands cuisiniers, — la *gourmandise* réside dans l'exquise délicatesse du palais et dans la multiple subtilité du goût, que peut seule posséder et comprendre une âme de sensuel cent fois raffiné.

Les véritables gourmands sont rares comme les hommes de génie. Il n'en existe à Paris qu'une dizaine.

Mais tous les grands hommes ont pratiqué ce que Rabelais appelle énergiquement « l'art de la gueule ».

L'histoire est pleine d'exemples admirables.

Le plus illustre des personnages bibliques, Salomon, possédait douze intendants. Chacun d'eux, pendant un mois, dirigeait la table du prince, alors que les onze autres parcouraient le monde en quête de plats inconnus, de combinaisons nouvelles, d'accommodements inaccoutumés.

Il entretenait ainsi parmi eux une émulation constante.

La gourmandise a sur l'amour mille avantages. Mais le plus important, c'est qu'il importe d'être deux pour s'abandonner à celui-ci ; tandis qu'on pratique celle-là tout seul, bien que l'abbé Morellet ait dit : « Pour manger une dinde truffée, il faut être deux : la dinde et soi. »

Un autre gourmet, Montmaur, soupant avec des amis, se trouvait tellement incommodé par leurs plaisanteries bruyantes, qu'il les fit taire brusquement en s'écriant : « Eh ! messieurs, un peu de silence, on ne sait pas ce qu'on mange. » C'est qu'en effet, pour bien apprécier la saveur des choses, il faut dîner avec des compagnons tranquilles, réfléchis, ne parlant guère que des plats servis (ce qui centuple la sensation), et connaisseurs experts, subtils.

Tous les hommes de lettres sont gourmands. Le grand Gautier, dans les entretiens que nous a racontés son gendre, Emile Bergerat, exhale sa haine contre le pain et le potage, et disserte sur le goût, en maître écrivain et en maître mangeur. Il s'écrie :

191

« Oui, j'ai rêvé d'expliquer cela, le goût, et de décrire les sensations diverses que produit le passage d'un mets sur les papilles de la langue. Je crois qu'il n'y a que moi au monde capable d'exécuter un pareil tour de force... Le pain est une invention occidentale bête et dangereuse; il a été imaginé par les bourgeois avares et leur a valu des révolutions!... Supprimez le pain, la moutarde s'évanouit, et l'homme reste seul devant la nature : sa langue nette et épurée s'épanouit et se dilate comme une fleur vermeille au contact soporifique des nourritures vivifiantes; il jouit de leur diversité, de la tendreté de leurs chairs et de leurs parfums; le moelleux, le fondant, le croquant, le glacé se révèlent à lui dans leurs mystères gastronomiques, et il rentre enfin, après quatre mille ans d'épices corrosives, dans la pleine possession de celui-là même de ses sens pour lequel Dieu s'est le plus torturé sa cervelle de créateur... Je réhabilite la gourmandise, et je lui rends sa place parmi les vertus reconnaissantes. Je prends l'un après l'autre chacun de nos mets usuels, et j'en explique clairement la saveur particulière; j'en décris l'entrée triomphale dans le palais, son séjour aux enchantements prolongés et son règne éphémère, je pose les règles de ce poème de gueule qu'on nomme un menu... »

**

Parmi les physionomies parisiennes, l'une des plus curieuses est assurément celle du maître d'hôtel d'un grand café. Il est généralement imposant et sévère. Observons-le.

Trois « sociétés » entrent en même temps. Il court à la première, des Parisiens, des clients. Oh! les Parisiens, il les reconnaît d'un coup d'œil. Il sait ce qu'il leur faut et, d'un ton confidentiel, il leur donne des conseils éclairés. A ceux-ci il ne servira pas de hors-d'œuvre, de ces petites choses inutiles qui émoussent le palais, emplissent l'estomac, arrêtent l'appétit; mais à ceux-là, une famille de Brésiliens, il apporte un assortiment complet de crevettes, de radis, d'olives, d'anchois, etc., puis il leur improvise un menu fantaisiste, disparate, étrange, bon pour saisir l'imagination de ces sauvages qui payent double et s'en vont enthousiasmés. Il s'approche ensuite du troisième groupe des provinciaux visitant Paris, et leur remet la liste des plats comme un prestidigitateur leur tendrait un jeu de cartes. Un embarras considérable s'empare de la famille ahurie. Il y a tant de choses sur ce papier! On se consulte, on épelle des mots inconnus; on perd la tête. C'est ici qu'apparaît toute l'habileté du maître d'hôtel. Il tend la perche à ces noyés, et, en une seconde, il leur compose et leur impose un menu spirituel comme une caricature de Gavarni, et dont ils parleront encore avec admiration dix ans après.

***

La gourmandise a encore l'inestimable avantage de développer entre compagnons de table des sentiments d'indéracinable affection, infiniment plus indissolubles que les sentiments qui naissent entre compagnons de... lune de miel.

Personne n'oublie plus vite qu'un amoureux; et les tombes des cimetières, couvertes de « regrets éternels », sont aussi menteuses que les cœurs.

Quel amant aurait trouvé l'hommage délicat, attendrissant, sublime, d'un pauvre diable de pochard qui venait de perdre un ivrogne, son camarade?

Il alla à l'église, et pria; puis il suivit le convoi au cimetière, attendit qu'on descendît la bière, s'approcha et, tirant de dessous son vêtement un litre, un litre plein de vin, il le déboucha et le versa jusqu'à la dernière goutte sur le cadavre de son ami en sanglotant et balbutiant : « Tiens, tiens, mon pauvre vieux! »

(*Le Gaulois,* 30 mars 1881.)

ART ET ARTIFICES

Les hommes simples, confiants et crédules, qui croient à l'efficacité des bonnes réformes, se frottent les mains avec joie. L'art dramatique est sauvé!

Songez donc! c'est qu'il était malade, et gravement. Les directeurs de théâtre, affolés, s'obstinant, affirme-t-on, à ne pas jouer les « jeunes », en étaient réduits à commander des pièces à leurs concierges, à leurs bottiers, à n'importe qui, plutôt qu'aux auteurs dramatiques. Les critiques levaient les bras en gémissant; le public ne payait plus! C'était la ruine, l'effondrement. L'incendie devenait la seule ressource des boutiques à tirades, en prose ou en vers.

Tout le monde se posait cette question :

— Où trouver des auteurs dramatiques? Comment en produire? Par quelle culture, quel engrais, sous quelle cloche les élève-t-on?

C'est alors qu'une commission (ces commissions officielles sont des jupes de mère Gigogne), une commission, dis-je, eut l'idée de demander aux trois seuls directeurs de Paris qui gagnent de l'argent quel usage ils pouvaient bien faire des capitaux importants que leur confiait généreusement l'Etat pour favoriser la production des jeunes.

Les trois dignitaires, un peu interloqués, ont commencé par fermer leur caisse à triple tour; puis chacun songea à la toilette qu'il devait faire pour paraître devant la commission. Chacun donc fit venir son costumier et lui tint à peu près ce langage :

— Il me faut un costume de pauvre, de pauvre très pauvre, quelque chose d'attendrissant et de lamentable, dans le genre de ce que devait être l'habillement par souscription du directeur du Printemps. Vous voyez ça d'ici, n'est-ce pas?

Les costumiers s'inclinèrent respectueusement, et revinrent dix minutes plus tard avec des paquets de loques dont ils drapèrent pittoresquement les trois directeurs ravis.

Après quoi, chacun se mit en route. Quelques belles dames leur offrirent l'aumône; un d'eux, même, faillit être arrêté comme mendiant; enfin ils arrivèrent devant la commission. Elle était majestueuse et digne, d'aspect sévère, présidée par un haut personnage, compétent comme il sied à quiconque occupe un poste élevé.

Les membres de la commission, gras ou maigres, suivant leur nature, mais compétents aussi, compétents comme doivent l'être en toutes choses les bureaucrates (ou encore comme la fille d'un concierge est compétente en musique, après avoir chatouillé pendant deux ans les petits morceaux d'ivoire qu'on nomme clavier d'un piano), regardèrent entrer les trois accusés avec des mines rébarbatives.

On ne les fit pas asseoir.

Oh! ils n'étaient pas fiers, allez!

Le président se leva :

— Prévenu n° 1, que faites-vous de l'argent que l'Etat vous confie? Où sont vos jeunes? Montrez vos jeunes! Les avez-vous apportés, hein? C'est qu'il me faut des jeunes, à moi; où sont-ils?

L'accusé dit :

— Je n'en ai pas. Les jeunes sont bêtes comme des oies, et les vieux encore davantage. L'art! l'art dramatique se meurt! L'art dramatique est mort! Et puis vous m'avez flanqué un sale théâtre dans un quartier de grippe-sous; autant diriger une scène lyrique dans la plaine de Pantin. Les auteurs qu'on croit bons eux-mêmes n'attirent personne ici. Les pièces à succès ne font pas vingt centimes! Tenez. Voici mes livres : la dernière pièce, le grand triomphe de la maison, a rapporté 3,25 francs à chacun des auteurs. Et vous venez encore m'embêter avec votre subvention? Quant aux jeunes! ah! c'est du propre! parlons-en! On les joue deux fois tout au plus...

Un membre l'interrompit :

— C'est que vous ne savez pas les trouver.

Le directeur répliqua :

— Montrez-m'en, vous!

Le membre chercha dans sa mémoire :

— Mais il me semble avoir entendu parler d'un certain Dumas fils dont j'ai connu le père vers 1825; et qu'on dit n'être pas sans mérite...

Mais le président toussa, et, se tournant vers l'accusé n° 2 :

— Vous, monsieur, vous êtes à la tête d'une superbe bâtisse sur le front de laquelle nous avons fait écrire : *Académie nationale de musique.* Que faites-vous là-dedans?

L'accusé, très troublé, larmoyant, balbutia :

— Mais, mon président, je fais... je fais... de la musique...

Le président roula des yeux et répliqua :

— De la mauvaise, monsieur, de la mauvaise; tout le monde s'en plaint.

L'accusé bégaya :

— On fait ce qu'on peut, mon président.

Le haut personnage reprit :

— Vous n'engagez jamais les grands artistes! vous n'avez que des rogatons! Vous ne jouez jamais de jeunes, non jamais, monsieur. Expliquez-vous?

Cette fois, le prévenu pleurait tout à fait.

— Mon président, dit-il, j' peux pas, l' bâtiment me ruine. C't Académie, voyez-vous, c'est ma perte. L'entretien mange tout, subvention et bénéfices, tout. Je paie un frotteur vingt mille francs. Alors, qu'est-ce que je fais, mon président? Je prends des artistes à tout faire, comme les bonnes dans les ménages pauvres. Je choisis des ténors qui ont été valets de pied, des barytons qui

196

ont débuté palefreniers, des chanteuses qui ont commencé femmes de chambre; des fils et des filles de concierge autant que possible à cause de l'escalier; ils l'entretiennent. Et, comme ça, je peux les employer toute la journée; dans le jour, ils nettoient; et le soir, ils vocalisent. Vous voyez, c'est pas bête.

» Les étoiles, c'est ruineux; et, au fond, ça ne sert à rien, vous savez. J'en ai deux ou trois parce qu'il en faut; je les montre. C'est comme les gros bocaux des pharmaciens. Ils jettent sur le trottoir une grande lumière, rouge ou verte, mais c'est de la réclame, pas autre chose. Savez-vous ce qu'il me faut, à moi? C'est des jambes. Oui, mon président, des jambes de danseuses. Voilà de l'art. J'avais des danseuses très savantes, très fortes, des académiciennes de la danse; je les ai flanquées dehors, et j'ai pris des jambes. Ça saute, ça se trémousse, ça vous allume toute la salle; et ça me fait des recettes, oh! mais des recettes... Quand je dis des recettes, c'est par comparaison; car je ne gagne rien, non, rien de rien; je ne crois même pas que je puisse continuer comme ça. Mais, voyez-vous, mon président, croyez-moi, pour l'abonnement, il faut de la danse, et de la danse avec des jambes; du chant, le moins possible. »

La commission tout entière faisait une tête indignée. Les regards tournoyaient, des *hum!* menaçants sortaient des gorges, quand le président attaqua le prévenu numéro trois.

— Vous, monsieur, vous avez un théâtre classé parmi les monuments historiques, la maison de Molière! Qu'en faites-vous? Que jouez-vous? Quel est votre idéal? En avez-vous un seulement?

L'accusé, très humble, avec un air de sainte Nitouche, l'œil baissé, la face narquoise, les mains croisées, commença:

— Monsieur le président, messieurs les membres de la commission, nous tous, vous les premiers, nous nous sommes trompés jusqu'ici sur le rôle que doit jouer le Théâtre-Français! C'est le Louvre de l'art dramatique : l'Odéon en est le Luxembourg. — J'en cherche en vain le palais de l'Industrie, le vulgaire Salon. — Vous me dites : « Jouez des jeunes. » — Mais songez-vous à ce que serait sur nos planches un insuccès! Quel désastre! quelle honte!... Pouvons-nous engager la maison de Molière dans une pareille aventure? Nous sommes le Louvre, vous dis-je, le Panthéon des auteurs. Les meilleurs parmi les bons échouent quelquefois. Voyez ce qui m'est arrivé avec la *Princesse de Bagdad*. On a sifflé, messieurs!

» Eh bien, si cette pièce eût été d'un jeune, de M. Vast-Ricouard, par exemple (bien qu'il soit deux), on nous aurait jeté des trognons de pomme, tout comme sur la scène de mon honorable confrère, M. Ballande. Comprenez donc, messieurs : nous ne savons jamais, nous autres, si une pièce est bonne ou mauvaise. Comment le saurions-nous? Quand le public a jugé, par exemple, nous le savons. — Alors, que faire? Créer un Salon, une exposition permanente de jeunes, un troisième Théâtre-Français, exécuter l'idée de M. Ballande, enfin. Là, ils se produiront, ces jeunes; le public jugera; je choisirai ensuite les meilleurs; l'Odéon prendra les médiocres, et tout sera parfait.

» Je vous demanderai seulement la permission d'augmenter un peu mes places, afin que l'élévation de mes prix force le public à aller quelquefois à ce nouveau théâtre, et que ma concurrence ne soit pas pour lui désastreuse. »

Toute la commission dit :

— Bravo!

Le président appuya :

— Oh! très fortement raisonné.

Alors on délibéra, et à l'unanimité cette proposition fut adoptée.

Alors un vieux monsieur se leva et prit la parole.

— La mesure d'augmentation des places qu'on vient de nous soumettre, dit-il, me paraît tellement sage, que je proposerai de l'étendre. Les trois théâtres subventionnés appartiennent à l'Etat. Ce sont, en somme, des académies destinées à l'instruction de tous. Or, on paye les places, et on les paye très cher; et on y gagne de l'argent. Pourquoi donc cet excellent mode de procéder ne serait-il pas étendu à toutes les institutions analogues : aux cours du collège de France, par exemple, aux musées et aux bibliothèques publiques? Voici, entre autres, un professeur, M. Caro, dont les leçons font courir toutes les personnes du sexe; eh bien, si on mettait à dix francs chaque place de son cours, on y réaliserait un bénéfice considérable. Ceux qui ont moins de succès, les professeurs de dialectes orientaux, seraient cotés un peu plus bas, pour ne pas les décourager. Quant aux musées et aux bibliothèques, ils formeraient une ressource excellente. Du moment qu'on paye la nourriture du corps, pourquoi ne payerait-on pas celle de l'esprit?

Un grand mouvement d'assentiment se fit dans le sein de la commission; et ce projet fut renvoyé à une sous-commission pour être étudié minutieusement.

Que conclure?

Que le patronage de l'Etat est et sera toujours funeste à l'art! Qu'il n'enfantera jamais que des trafics, agiotages commerciaux et le reste.

Voyez les peintres. Ils sont peut-être vingt qui ont un vrai talent. Mais l'Etat a établi un concours; il les classe, les catalogue, leur donne des prix et des accessits; et immédiatement une noble émulation a saisi tous les collégiens du pinceau. Un peuple d'élèves peintres est né, d'où ne sort pas un vrai maître; mais ils peignent, brossent, colorient à mort pour obtenir quelque médaille décernée cérémonieusement par les chefs de bureau de la peinture.

Est-ce que les concours académiques ont jamais fait éclore un vrai poète? Est-ce qu'un vrai poète s'abaisserait jamais à rimailler platement sur le sujet officiel élaboré par une dizaine de vieilles caboches qui portent des palmes au lieu de cheveux?

Pas de protection, pas de patronage, pas de subvention! De quel droit un monsieur, nommé ministre ou autre chose, pour des raisons politiques, vient-il juger, décider, déraisonner souverainement sur des sujets qui lui sont étrangers que la modernité à la *Revue des Deux Mondes?*

D'abord il n'y a pas de jeunes restés dans l'œuf. Il n'y en a jamais eu.

Quand un jeune ne perce pas, c'est qu'il n'est pas mûr. Il en est de lui comme des clous.

Si l'Etat veut lui donner de la lancette, il le fait immédiatement avorter, mais il fait sortir à côté une multitude d'autres *jeunes*, des faux jeunes, qui n'aboutissent jamais non plus.

Il n'y a pas de chefs-d'œuvre ignorés. Et la preuve c'est que les hommes de théâtre parvenus n'ont jamais tiré de leurs cartons une œuvre de jeunesse merveilleuse et refusée partout.

Il n'y a pas de génies incompris. Il n'y a que des imbéciles prétentieux.

Et qu'on nous laisse tranquilles avec Malfilâtre, Gilbert, Hégésippe Moreau et les autres. Car, s'ils furent très malheureux, ils étaient aussi très médiocres. L'Etat ne protège pas les jeunes : il ne protège que les mendiants.

Et soyons cependant bien persuadés que M. Perrin, M. La Rounat, ou n'importe quel directeur saisirait demain à deux bras et presserait sur son cœur le vrai jeune qui lui apporterait une *œuvre*, et cela non pas à cause de sa subvention, mais en raison de son *intérêt*.

(*Le Gaulois*, 4 avril 1881.)

BOUVARD ET PÉCUCHET

Le dernier roman de Gustave Flaubert, *Bouvard et Pécuchet,* vient de paraître chez l'éditeur Alphonse Lemerre.

De toutes les œuvres du magnifique écrivain, celle-ci est assurément la plus profonde, la plus fouillée, la plus large; mais, pour ces raisons mêmes, elle sera peut-être la moins comprise.

Voici quels sont l'idée et le développement de ce livre étrange et encyclopédique, qui pourrait porter comme sous-titre : « Du défaut de méthode dans l'étude des connaissances humaines ».

Deux copistes employés à Paris se rencontrent par hasard et se lient d'une étroite amitié. L'un d'eux fait un héritage, l'autre apporte ses économies; ils achètent une ferme en Normandie, rêve de toute leur existence, et quittent la capitale.

Alors, ils commencent une série d'études et d'expériences embrassant toutes les connaissances de l'humanité; et, là, se développe la donnée philosophique de l'ouvrage.

Ils se livrent d'abord au jardinage, puis à l'agriculture, à la chimie, à la médecine, à l'astronomie, à l'archéologie, à l'histoire, à la littérature, à la politique, à l'hygiène, au magnétisme, à la sorcellerie; ils arrivent à la philosophie, se perdent dans les abstractions, tombent dans la religion, s'en dégoûtent, tentent l'éducation de deux orphelins, échouent encore et, désabusés, désespérés, se remettent à copier comme autrefois.

Le livre est donc une revue de toutes les sciences, telles qu'elles apparaissent à deux esprits assez lucides, médiocres et simples. C'est en même temps un formidable amoncellement de savoir, et surtout, une prodigieuse critique de tous les systèmes scientifiques opposés les uns aux autres, se détruisant les uns les autres par les éternelles contradictions des auteurs, les contradictions des faits, les contradictions des lois reconnues, indiscutées. C'est l'histoire de la faiblesse de l'intelligence humaine, une promenade dans le labyrinthe infini de l'érudition avec un fil dans la main ; ce fil est la grande ironie d'un merveilleux penseur qui constate sans cesse, en tout, l'éternelle et universelle bêtise.

Des croyances établies pendant des siècles sont exposées, développées et désarticulées en dix lignes par l'opposition d'autres croyances aussi nettement et vivement démontrées et démolies. De page en page, de ligne en ligne, une connaissance se lève, et aussitôt une autre se dresse à son tour, abat la première et tombe elle-même frappée par sa voisine.

Ce que Flaubert avait fait pour les religions et les philosophies antiques dans *La Tentation de saint Antoine*, il l'a de nouveau accompli pour tous les savoirs modernes. C'est la tour de Babel de la science, où toutes les doctrines diverses, contraires, absolues pourtant, parlant chacune sa langue, démontrent l'impuissance de l'effort, la vanité de l'affirmation et toujours l' « éternelle misère de tout ».

La vérité d'aujourd'hui devient erreur demain, tout est incertain, variable et contient en des proportions inconnues des quantités de vrai comme de faux. A moins qu'il n'y ait ni vrai ni faux. La morale du livre me semble contenue dans cette phrase de Bouvard : « La science est faite suivant les données fournies par un coin de l'étendue. Peut-être ne convient-elle pas à tout le reste qu'on ignore, qui est beaucoup plus grand et qu'on ne peut découvrir. »

Il ne faut donc pas qu'il existe de malentendu entre l'auteur et le public, et que le lecteur en quête d'aventures vienne dire : « Ça, un roman? Mais il n'y a pas d'intrigue. » C'est un roman, oui, mais un roman philosophique, et le plus prodigieux qu'on ait jamais écrit. Les critiques assurément vont proclamer des choses surprenantes et, au nom de l'*art pour tous*, attaquer cet art à l'usage des seules intelligences. Il est même probable qu'on contestera le droit de l'auteur de donner cette forme imagée du roman à des discussions de pure philosophie. Tant pis pour ceux qui penseront ainsi; c'est alors qu'ils ne comprendront pas. Ce livre touche à tout ce qu'il a de plus grand, de plus curieux, de plus subtil et de plus *intéressant* dans l'homme : c'est l'histoire de l'*idée* sous toutes ses formes, dans toutes ses manifestations, avec toutes ses transformations, dans sa faiblesse et dans sa puissance.

Ici, il est curieux de remarquer la tendance constante de Gustave Flaubert vers un idéal de plus en plus abstrait et élevé. Par idéal je n'entends point ce rococo romantique qui séduit les imaginations bourgeoises. Car l'idéal, pour la plupart des hommes, n'est autre chose que l'*invraisemblable*. Pour les autres, c'est tout simplement le domaine de l'idée.

Gustave Flaubert, quoi qu'en aient dit les inconscients, a toujours été le plus acharné des idéalistes; mais, comme il avait aussi l'amour ardent de la vérité, sans laquelle l'art n'existe pas, tous ceux qui confondent, comme je viens de l'indiquer, idéal avec invraisemblable ont fait de lui un matérialiste forcené.

Voilà comme on comprend, chez nous.

Dans ce qu'on appelle ordinairement un roman, des personnages se meuvent, s'aiment, se combattent, se détruisent, meurent, agissent sans cesse. Dans ce livre, les personnages ne sont guère que les porte-voix des idées qui deviennent vivantes en eux et, comme des êtres, se meuvent, se joignent, se combattent et se détruisent. Et un comique tout particulier, un comique intense, se dégage de cette procession de croyances dans le cerveau de ces deux pauvres bonshommes qui personnifient l'humanité. Ils sont toujours de bonne foi, toujours ardents, et invariablement l'expérience contredit la théorie la mieux établie ; le raisonnement le plus subtil est démoli par le fait le plus simple.

Ce surprenant édifice de science, bâti pour démontrer l'impuissance humaine, devait avoir un couronnement, une conclusion, une justification éclatante. Après ce réquisitoire formidable, l'auteur avait entassé une foudroyante provision de preuves, le dossier des sottises cueillies chez les grands hommes.

Quand Bouvard et Pécuchet, dégoûtés de tout, se remettaient à copier, ils ouvraient naturellement les livres qu'ils avaient lus, et reprenant l'ordre naturel de leurs études, transcrivaient minutieusement des passages choisis par eux dans les ouvrages où ils avaient puisé. Alors commençait une effrayante série d'inepties, d'ignorances, de contradictions flagrantes et monstrueuses, d'erreurs énormes, d'affirmations honteuses, d'inconcevables défaillances des plus hauts esprits, des plus vastes intelligences. Quiconque a écrit sur un sujet quelconque a dit parfois une sottise. Flaubert l'avait infailliblement trouvée et recueillie ; et, la rapprochant d'une autre, puis d'une autre, puis d'une autre, il en avait formé un faisceau formidable qui déconcerte toute croyance et toute affirmation.

Ce dossier de la bêtise forme aujourd'hui une montagne de notes. Peut-être, l'an prochain, pourra-t-il être livré au public.

**
***

On peut dire que la moitié de la vie de Gustave Flaubert s'est passée à méditer *Bouvard et Pécuchet*, et qu'il a consacré ses dix dernières années à exécuter ce tour de force. Liseur insatiable, chercheur infatigable, il amoncelait sans repos les documents. Enfin, un jour, il se mit à l'œuvre, épouvanté toutefois devant l'énormité de la besogne. « Il faut être fou, disait-il souvent, pour entreprendre un pareil livre. » Il fallait surtout une patience surhumaine et une indéracinable bonne volonté.

Là-bas, à Croisset, dans son grand cabinet à cinq fenêtres, il geignait jour et nuit sur son œuvre. Sans aucune trêve, sans délassements, sans plaisirs et sans distractions, l'esprit formidablement tendu, il avançait avec une lenteur désespérante, découvrant chaque jour de nouvelles lectures à faire, de nouvelles recherches à entreprendre. Et la phrase aussi le tourmentait, la phrase si concise, si précise, colorée en même temps, qui devait renfermer en deux lignes un volume, en un paragraphe toutes les pensées d'un savant. Il prenait ensemble un lot d'idées de même nature et comme un chimiste préparant un élixir, il les fondait, les mêlait, rejetait les accessoires, simplifiait les principales, et de son formidable creuset sortaient des formules absolues contenant en cinquante mots un système entier de philosophie.

Une fois il lui fallut s'arrêter, épuisé, presque découragé, et comme repos il écrivit son délicieux volume intitulé : *Trois Contes*.

Puis il se remit à la besogne.

Mais l'œuvre entreprise était de celles qu'on n'achève point. Un livre pareil mange un homme, car nos forces sont limitées et notre effort ne peut être infini. Flaubert écrivit deux ou trois fois à ses amis : « J'ai peur que la terminaison de l'homme n'arrive avant celle du livre — ce serait une belle fin de chapitre. »

Ainsi qu'il l'avait écrit, il est tombé, un matin, foudroyé par le travail, comme un Titan trop audacieux qui aurait voulu monter trop haut.

Et, puisque je suis dans les comparaisons mythologiques, voici l'image qu'éveille en mon esprit l'histoire de *Bouvard et Pécuchet*.

J'y revois l'antique fable de Sisyphe : ce sont deux

Sisyphes modernes et bourgeois qui tentent sans cesse l'escalade de cette montagne de la science, en poussant devant eux cette pierre de la compréhension qui sans cesse roule et retombe.

Mais eux, à la fin, haletants, découragés, s'arrêtent, et, tournant le dos à la montagne, se font un siège de leur rocher.

(Supplément du *Gaulois*, 6 avril 1881.)

LE RESPECT

Parmi les maladies constitutionnelles de l'esprit français, le respect est une des plus funestes et des plus
invétérées. Aussi quand j'entends des vieilles gens, ces
vieilles gens à souvenirs bégayés, à traditions et à idées
courtes, répéter en hochant le front : « Le respect s'en
va ; le respect s'en va ! » — je ne puis m'empêcher de
penser : « Eh bien, qu'il s'en aille ! » Le respect est
l'hommage dont nous devrions être le plus avares ; c'est
au contraire celui que nous prodiguons le plus. Nous
respectons à tort et à travers, sans mesure, sans raison,
confondant le respect avec la platitude.

Aussi, dût-on me traiter de « sapeur de bases » — je
veux une fois dire ce que je pense sur toutes les choses
que nous respectons, et commencer par une anecdote
que la mort du prince Pierre Bonaparte vient de me
remettre en mémoire.

Il est bien entendu, n'est-ce pas ? que tout magistrat
doit, jusqu'à la condamnation, respecter le prévenu et le
considérer comme innocent. Quelques scandales véritables, dont nous n'avons point perdu le souvenir, nous
ont prouvé que les présidents des tribunaux ne comprennent guère cette façon de pratiquer le respect.

D'autres agissent tout différemment ; et, quand le
prévenu est riche, haut placé, puissant, ils le respectent
de telle sorte que leur rôle semble se borner à dire :
« Prévenu, vous avez raison », comme dans la chanson
de Pandore.

207

Le prince Pierre Bonaparte venait de tirer sur Victor Noir ce fameux coup de pistolet dont la balle alla jusqu'au trône. L'opposition, qui saisissait toutes les occasions de manifester (comme c'était, du reste, son droit et son devoir d'opposition), avait organisé une immense procession républicaine vers la tombe de celui dont on faisait un martyr pour les besoins de la cause.

Cette mise en scène de l'enterrement avait produit par tout le pays un effet colossal; on en parlait de tous les côtés, et le prince accusé d'assassinat éprouva, comme les autres, le besoin de dire son mot.

Il était devant ses juges qui l'interrogeaient; alors, dans un mouvement oratoire, il lâcha cette parole monumentale qui n'eut pas, à beaucoup près, l'immense succès qu'elle méritait : « L'affluence de cette foule désœuvrée autour du tombeau de cet homme révèle une curiosité malsaine que je blâme!!! » — C'est déjà pas mal — mais ce n'est pas tout. Aussitôt le président enthousiasmé s'écrie : « Le sentiment que vous venez d'exprimer vous honore!!! » Cette fois, il faut tirer l'échelle. Il y a là-dedans de telles profondeurs d'obséquieux respect, d'ineffable désir d'avancement, d'inconsciente considération, que tout commentaire devient mesquin, affaiblit l'effet. « Le sentiment que vous venez d'exprimer vous honore! » Rien n'est beau comme ça. — Cette phrase depuis lors me poursuit, m'obsède, hante mes sommeils; et, comme le barbier du roi Midas, j'éprouvais le besoin de la crier quelque part, avec l'espoir que les roseaux, les roseaux pensants, se la répéteraient l'un à l'autre. « Le sentiment que vous venez d'exprimer vous honore!!! »

**

Nous allons maintenant, si vous le voulez bien, dresser, par ordre alphabétique, une petite liste des choses qu'il est de bon goût de respecter, sous peine d'être considéré comme un goujat, ou comme un gredin, ou simplement comme un cuistre.

A tout seigneur tout honneur : l'Académie. — Eh bien! oui, je la respecte, je respecte les gens qui ont encore le courage de s'y présenter. Les plaisanteries sur ce sujet sont usées.

L'autorité. — Mais l'autorité n'est instituée que pour faire respecter la loi. Or, comment voulez-vous que je respecte le bâillon qu'on me met sur la bouche? Je crains la loi et je lui obéis sans cesse; mais, la respecter, c'est autre chose. Si j'avais le malheur d'ouvrir, seulement une fois, mais entièrement, le robinet de mes pensées, de dire mon sentiment sur tout et mon mépris libre pour toutes les hypocrisies respectées, pour toutes les bassesses, les friponneries, les saletés, les infamies acceptées, glorifiées, saluées, je serais bien certain de passer trois mois, sinon plus, entre les murs de Sainte-Pélagie.

Aussi je me tais.

Les cheveux blancs. — C'est un vieux dicton français qu'on doit respect aux cheveux blancs. Est-ce uniquement parce qu'ils sont blancs? Et les vieillards blanchis dans les bagnes, ou simplement dans les établissements de la rue Duphot, méritent-ils notre respect? Respecter un homme uniquement parce qu'il est vieux me paraît un comble assez drôle. Et ceux qui n'ont pas de cheveux du tout, que leur doit-on?

La force armée. — Les conquérants. — Les grands généraux. — La puissance exterminatrice. — Autant respecter la petite vérole et le choléra.

Les morts. — Le respect des morts est, dit-on, une des délicatesses de Paris. En d'autres pays, au contraire, on traite les morts avec le sans-gêne le plus absolu. Je comprends qu'une infâme crapule gagne en considération à partir du moment où elle crève. Mais le contraire me paraît vrai pour un honnête homme. Et je ne vois pas pourquoi on le respecte davantage dès qu'il n'est plus qu'un corps inanimé où la pourriture a commencé.

Les opinions. — « Toute opinion sincère est respectable », prononce M. Prudhomme.

L'opinion sincère de M. le duc de Broglie est-elle

respectable pour M. le marquis de Rochefort; et l'opinion sincère de M. le marquis de Rochefort est-elle respectable pour M. le duc de Broglie?

De même les opportunistes respectent-ils l'opinion des communeux; les communeux, celle des opportunistes; les orléanistes, celle des bonapartistes, etc., etc.?

La religion de Mgr Freppel est-elle respectable pour M. Littré? Les opinions philosophiques de M. Littré sont-elles respectées par les ultra-religieux?

Axiome:
Chacun respecte sa propre opinion, et méprise infiniment celle des autres.

La poésie lyrique. — Le respect de la poésie lyrique est devenu une obligation pour quiconque professe des opinions honnêtes en littérature.

L'entreprise commerciale appelée Comédie-Française fait représenter successivement les plus étonnants produits des cerveaux lyriques. Les *Jean Dacier* y succèdent aux *Rome vaincue;* le public ordinaire du lieu y bâille à se décrocher la mâchoire, mais il applaudit, il loue, il *encourage l'effort,* protège le grand art (?), joue toute la comédie de l'admiration quand même. Et pourquoi? uniquement parce qu'on doit respecter la poésie lyrique. — Tarte à la crème!

Les principes. — Lesquels? Ceux de 89 ou ceux de la monarchie légitime? Ceux d'aujourd'hui ou ceux d'hier? Les uns ne me paraissent pas encore mûrs; les autres me paraissent l'être trop. Ne vaut-il pas mieux s'abstenir?

La richesse. — Quoi de plus respectable qu'une voiture de maître attelée de deux fringants chevaux? Deux beaux chevaux noirs, par exemple? Comme le respect augmente quand deux laquais en culotte courte sont assis sur le siège! Et comme le respect devient de la vénération quand ces laquais sont debout derrière la voiture. N'ai-je pas vu une foule respectueuse, mais ignorante outre mesure, contempler éperdument un équipage des plus brillants conduit par une baronne bien connue, dont le salon est des plus visités, mais dont la conduite est moins angélique que ne pourrait le laisser supposer son nom?

Que ne respectons-nous pas encore? Le succès, — quels que soient les moyens, alors qu'on devrait au contraire respecter les moyens quel que fût le succès.

Les traditions. — C'est-à-dire ce que nous ont laissé l'ignorance la plus grande, l'étroitesse d'esprit, les préjugés et la sottise de nos ancêtres.

Nous respectons tout, vous dis-je; mais d'abord ce qui est le moins respectable.

***

Moi, je respecte les mots historiques, et, après l'étonnante perle que j'ai cueillie pour l'offrir aux lecteurs : « Le sentiment que vous venez d'exprimer vous honore », — je me permettrai d'en citer une autre, tombée de la bouche d'un roi, du roi Louis XVIII. Elle est inconnue aussi, bien que Michelet l'ait ramassée; c'est en cet auteur que je l'ai prise.

L'infortuné duc de Berry venait d'être frappé par Louvel. On l'avait rapporté sanglant, agonisant chez lui, et il avait passé la nuit attendant la mort. Le roi, prévenu immédiatement, avait été (je crois) voir le prince, puis s'était couché. Mais dès l'aurore, il se leva, et retournant au chevet de l'auguste moribond : « Mon fils, lui dit-il tranquillement, je ne vous quitte plus. J'ai fait ma nuit. » — *J'ai fait ma nuit!*

> *Ah! tout doux! laissez-moi, de grâce, respirer.*
> *Donnez-nous, s'il vous plaît, le loisir d'admirer.*
> *On se sent, à ce mot, jusques au fond de l'âme,*
> *Couler je ne sais quoi qui fait que l'on se pâme!*

***

Il ne me reste plus qu'à demander pardon pour toutes les vérités paradoxales que je viens d'émettre.

(*Le Gaulois,* 22 avril 1881.)

PROPRIÉTAIRES ET LILAS

Voici la saison où fleurissent les lilas, où les rossignols s'égosillent et où s'épanouissent les propriétaires ruraux. Déjà vers la fin de mars, le propriétaire qui passe à Paris l'hiver se sent inquiet. Il lève le nez dans la rue, hume la brise, consulte les nuages vagabonds, se désespère aux menaces de gelée, jubile aux approches de la pluie, et, du matin au soir, comme le « captif au rivage du Maure qui rêve à la patrie absente », il songe à sa propriété.

Entendons-nous. Je parle du propriétaire suburbain, de cet être particulier en qui la possession d'un carré de sable improductif et d'une sorte de cabane à lapins en plâtre, le long d'une ligne de chemin de fer, fait percer des boutons de ridicule et s'épanouir des fleurs de niaiserie.

On naît propriétaire, on ne le devient pas. L'homme né dans les champs, dans un manoir, une villa ou une ferme, élevé sous les arbres d'un parc, d'un jardin ou d'une cour, trouve tout naturel de posséder une demeure à la campagne et de s'y retirer quand approche l'été. Mais le bourgeois citadin qui devient acquéreur d'un *bien* ne s'accoutume jamais à cette idée qu'il est le maître d'une maison avec de l'herbe autour, et il s'étonne indéfiniment, jusqu'à sa mort, que sa *propriété* soit à lui.

Ces deux races (le propriétaire de naissance et le propriétaire parvenu) se reconnaissent, se distinguent à un signe certain, infaillible, invariable. L'un vous reçoit à la campagne comme à la ville; vous ne connaissez de sa demeure que le salon et la salle à manger; mais l'autre fait visiter sa propriété. Il la fait visiter de la cave au grenier à tout le monde, au boulanger qui apporte le pain, au facteur qui apporte les lettres, aux gens qui passent sur la route et qui s'arrêtent, imprudents, devant la grille. Quant aux amis, hélas! à chaque retour, ils la visitent et revisitent à perpétuité.

Parlons-en de sa propriété!

Nous la connaissons tous. C'est la hideuse petite baraque en moellon du pays, réchampie en plâtre, mince comme du papier, et qui semble pousser à la façon des champignons dans la triste plaine d'Asnières et de Nanterre, sur les bords de la voie ferrée. Dans le jardin, grand et carré comme un mouchoir de poche, deux peupliers rongés par les chenilles ont l'air d'être piqués en terre, tout pareils aux arbres factices des boîtes à jouets de Nuremberg. Au milieu du gazon jauni, une boule de métal poli réfléchit, déformés, plus hideux encore que nature, la maison, les maîtres et les visiteurs. Devant cette boule de la consolation (car elle ne peut servir assurément qu'à consoler les gens de leur laideur en leur montrant qu'ils auraient pu être encore plus affreux), — devant cette boule, dis-je, murmure un jet d'eau en forme de clysopompe.

Il murmure, ce jet d'eau, mais au prix de quels efforts! — Voyez-vous, là-haut, sur le toit de la bicoque, cette chose en fer blanc qui semble une énorme boîte à sardines? C'est le réservoir, mesdames. Et chaque matin, avant de partir pour son bureau (car il est employé quelque part), monsieur descend en pantalon et en manches de chemise, et il pompe, il pompe, il pompe à perdre haleine pour alimenter son irrigateur champêtre. Quelquefois sa femme agacée par le bruit monotone et continu de l'eau qui monte dans le tuyau le long de la maison, derrière le mur si mince où s'appuie son lit, apparaît à la fenêtre, en bonnet de nuit, et crie : « Tu vas te faire du mal, mon ami; il est temps de rentrer. » — Mais lui refuse de la tête, sans interrompre son mouvement balancé. Il pomperait jusqu'à la fluxion de poitrine plutôt que de renoncer au bonheur de contempler, le soir, après son dîner, l'imperceptible filet d'eau qui s'émiette aussitôt que sorti de l'appareil pointu, et retombe en buée sur les deux poissons rouges et la grenouille apprivoisée, maigrie dans la cuvette en ciment dont elle essaye, sans repos, de s'échapper.

Mais c'est le dimanche surtout que s'épanouit dans toute sa niaiserie la satisfaction du propriétaire. Il a revêtu un costume en harmonie avec sa position : pantalon de coutil, veston de toile et chapeau panama. Le jet d'eau fonctionne dès le matin : on attend les invités. Ils apparaissent par trois convois différents, et à chaque arrivée on visite la maison tout entière.

Puis on déjeune avec des œufs pas frais, venus de Normandie en passant par Paris. Les légumes ont suivi le même itinéraire ; et on mâche indéfiniment, sans parvenir à la réduire, cette viande invincible de la banlieue, rebut des boucheries parisiennes. La fenêtre est ouverte toute grande ; la poussière entre à flots, poudre les gens et les plats ; et chaque train qui passe fait lever les convives qui adressent, par facétie, des signes aux voyageurs en agitant leurs serviettes. La fumée charbonneuse de la locomotive entre à son tour dans la salle à manger, et dispose sur les nez, les fronts et la nappe de petites taches noires qui s'agrandissent sous le doigt.

Puis la journée s'écoule lamentablement. Aucune promenade aux environs, aucun bois, aucun arbre. La maison, brûlante comme une chaufferette, est inhabitable. La grenouille et les poissons rouges s'agitent dans l'eau bouillante du bassin. De minute en minute un train passe.

Mais le propriétaire rayonne : il est chez lui. Le dimanche, c'est son jour. Sa femme prend sa revanche en semaine. Abandonnée toute seule en cette demeure solitaire, elle a vite trouvé la distraction naturelle à toute femme qui s'ennuie. Alors elle aussi se prend à adorer cette propriété favorable aux escapades. Une harmonie parfaite règne dans le ménage.

Quand vous regardez par la portière de votre wagon toutes ces petites bâtisses ridicules plantées le long de la voie, pareilles, laides et maigres, dites-vous bien que tous leurs possesseurs se ressemblent entre eux autant que leurs maisons entre elles. Ils sont de la même race, de la même famille, de la même pâte cérébrale. Et soyez sûrs que tous les jours, dans toutes ces demeures, on répète indéfiniment les mêmes choses, on a les mêmes occupations, on s'intéresse aux mêmes futilités. La culture de quatre plants de violettes, de trois pensées et d'un rosier, préoccupe également tous ces esprits. Et quand, par hasard, on fait élever un mur de clôture, afin d'avoir des poiriers en espalier, c'est un événement si considérable qu'il ouvrira une ère dans la famille; et qu'on daterait ensuite volontiers les lettres « An II du mur mitoyen », comme font certains journaux qui s'acharnent à embrouiller leurs lecteurs avec les germinal et les floréal de l'an 89.

On demandera pourquoi tous ces gens éprouvent ainsi un irrésistible désir d'habiter ces boîtes à sudation qu'on appelle prétentieusement maison de campagne. Que voulez-vous? c'est encore un des effets de cet incessant BESOIN DE POÉSIE qui nous tourmente. Quoi que nous fassions, quoi que nous prétendions, nous sommes harcelés par des aspirations confuses, des espèces de soulèvements de l'âme, par une tendance continue vers des choses ignorées, éthérées, supérieures. Nous cherchons sans cesse à réaliser ces espérances idéales; et la *campagne,* chose poétique, est un des moyens à la portée de tous. Elle est trompeuse comme le reste, comme toutes les poésies. Qu'importe! le propriétaire a pour sa maison des yeux d'amant; il ne la voit jamais dans sa réalité laide.

La campagne, pour le Parisien, c'est Meudon, Saint-Cloud, Asnières ou Argenteuil. Là ,il se dilate, s'amuse. Mais, si on le transportait dans la vraie campagne, au milieu des champs silencieux, tranquilles, immobiles, où poussent les récoltes épaisses, où seuls, un cri d'oiseau, un mugissement de vache traversent parfois la muette solitude, il serait saisi d'inquiétude et redemanderait bien vite sa petite campagne à canotiers tapageurs, à chemins de fer et à bastringues.

* * *

Si quelqu'un pourtant veut voir aux environs de Paris un coin de paysage tout particulier, unique, inconnu, je lui indiquerai le pays des lilas, le coteau de la Frette.

En face du parc de Maisons-Laffitte, entre le village de Sartrouville et le hameau de la Frette, s'étend un petit coteau qui suit le cours de la Seine et s'arrondit avec le fleuve. Cette colline, toute verte le reste de l'année, semble aujourd'hui teinte en violet, et quand on se promène à son pied une odeur délicieuse et forte vous pénètre, vous grise; car c'est là qu'on cultive tous les lilas qui embaumeront Paris dans quelques jours. On y cultive les lilas comme les asperges à Argenteuil, comme la vigne en Bourgogne, comme les blés ou les avoines en Normandie. Ce sont des champs en pente, plantés d'arbustes, maintenus à une taille égale; et sur toute la surface du coteau s'étend à présent une nappe de bouquets à peine ouverts, que des moissonneuses commencent à cueillir, qu'elles nouent en gerbes et envoient chaque nuit à la halle aux fleurs. De petits chemins se perdent au milieu de ces buissons parfumés; et parfois une épine épanouie semble une boule de neige au milieu de la côte violette. Dans quinze jours, toute la récolte sera faite et les buissons déflorés n'auront plus que leur feuillage vert où quelques grappes tardives se montreront encore de place en place.

Par un jour de soleil, rien de plus curieux, de plus charmant, que ce coteau garni de lilas d'un bout à l'autre. Là seulement, ceux qui ne connaissent pas le Midi, la patrie des parfums, apprennent ce que sont ces senteurs exquises et violentes qui s'élèvent de tout un peuple de fleurs semblables, épanouies par toute une

216

contrée. Là, dans la tiédeur d'une chaude journée, on peut éprouver cette sensation rare, particulière et puissante, que donne la terre féconde à ceux qui l'aiment, cette ivresse de la sève odorante qui fermente autour de vous, cette joie profonde, instinctive, irraisonnée que verse le soleil rayonnant sur les champs ; et on voudrait être un de ces êtres matériels et champêtres inventés par les vieilles mythologies, un de ces faunes que chantaient autrefois les poètes.

(Le Gaulois, 29 avril 1881.)

BALANÇOIRES

Je ne veux point parler de ces odieux engins de plaisir, la joie des femmes à la campagne, instruments de migraine et de maux de cœur, qui, le dimanche, emplissent la banlieue parisienne de leur mouvement régulier, incessant, monotone, étourdissant, même pour ceux qui passent sur les routes.

Les balançoires que je hais surtout sont les scies et les bêtises éternelles où se berce l'esprit humain, les insipides rabâchages d'idées revenant sans fin, reprenant la foule de temps en temps, emportant chaque fois dans un tourbillon de sottises tous les esprits, tous les journaux, tous les hommes grands ou petits.

Chacun a la sienne et s'y cramponne, la lance en avant, la lance en arrière, exaspérant ses voisins. Mais il y a aussi les balançoires générales où se suspend tout un peuple ; où l'on est forcé de monter, sous peine de passer pour un être subversif, dangereux, pour un mauvais citoyen.

Parmi ces balançoires nationales, il en est une qui fonctionne en ce moment : la théorie de l'amitié de peuple à peuple. L'Italie, dans un accès de chauvinisme exagéré, s'est crue menacée dans sa dignité parce que nous avons envoyé trente mille hommes pour s'emparer d'un vieux Kroumir accroupi sur une montagne escarpée. Les feuilles de là-bas sont parties en guerre contre nous, les lecteurs ont suivi ces feuilles ; et on nous a fort maltraités dans les conversations particulières. C'est la

218

balançoire du chauvinisme que le consul Maccio a mise en mouvement. Tout le peuple est monté dessus; et aussitôt l'impulsion formidable l'a lancée dans un va-et-vient furieux.

Alors nous avons été stupéfaits. Nos journaux se sont écriés : — L'Italie agir ainsi? qui l'aurait cru? l'Italie qui nous doit tant? Notre amie naturelle? notre alliée? notre sœur? oh! l'ingrate!

Or, depuis que le monde existe, les choses se sont toujours passées ainsi. Chacun de nous sait, à n'en pouvoir douter, que quiconque oblige quelqu'un garde de la reconnaissance à son obligé pour lui avoir rendu service, mais que l'obligé considère le bienfait comme un fardeau. A plus forte raison, quand il s'agit d'un peuple. Nous savions gré à l'Italie de lui avoir prouvé notre générosité, voilà tout.

Et puis, qu'est-ce que veulent dire ces amitiés de peuple à peuple, cette blague antique qui sert toujours aux gouvernements malins?

Du moment que vous avez un mur mitoyen qui vous sépare de votre meilleur ami, cet homme pourra demain devenir votre ennemi mortel si votre bonne a jeté un trognon de chou par-dessus ce mur. L'amitié ne tient pas plus que ça. Du moment qu'une frontière commune existe entre deux peuples, entre deux êtres collectifs dont les sentiments sont des courants d'opinion venus des chefs de file, il n'y a ni amitié, ni reconnaissance, ni dévouement, ni générosité, ni rien, rien, qui tienne, quand le chauvinisme est mis en mouvement par un intrigant quelconque. Nous a-t-on balancés, depuis un mois, avec cette amitié des peuples!

***

Une autre balançoire dont le mouvement s'arrête, heureusement, est la campagne des Kroumirs. Il ne s'agit point, ici, de la portée ni des résultats politiques de cette expédition, mais de son retentissement dans les esprits.

Morbleu! sommes-nous assez partis en guerre? Les journaux, depuis six semaines, sont pleins de dépêches héroïques; les reporters eux-mêmes étaient mis en campagne, la plume d'une main, le revolver de l'autre. On savait le nombre des bataillons pris à tous les coins de la France, les noms des officiers, l'âge des colonels et la longueur de leurs éperons. On vendait des cartes du pays kroumir que personne ne connaît; et, chaque soir, les dernières nouvelles disaient la marche des troupes, les dangers à courir, l'état sanitaire, la situation de l'ennemi, le dénombrement de ses forces; quinze mille burnous, suivant les uns; vingt mille, suivant les autres.

On vantait la prudence des généraux qui s'avançaient si lentement en ce pays hérissé de dangers inconnus. Une ville redoutable ouvre ses portes, bravo! Mais, là-haut, au sommet des montagnes, on regardait avec des lorgnettes la situation inexpugnable de Sidi-Abdallah. Enfin, on se décide à tenter l'assaut. Les bataillons s'ébranlent, grimpent des rochers à pic, fouillent les ravins, sondent les buissons, enragés de ne rencontrer personne. Un général marche en tête, bravement, cherchant la gloire et le danger. On monte, on monte encore, on monte toujours : pas plus de Kroumirs que sur la main. Voici le faîte. Le général y parvient le premier, en hardi soldat, et il trouve en face de lui... un vieil abruti de Kroumir qui devait chantonner dans sa barbe blanche :

Allah! Tralala!
Les voilà,
Ces bons Français-là!

Et la campagne est terminée!!! Enfin, ce qui n'empêcha point les journaux du soir d'annoncer pompeusement, en tête de leurs colonnes : l'*Assaut et la prise du fameux marabout de Djebel-ben-Abdallah.*

Voyons, ne valait-il pas mieux se taire, laisser les généraux pousser leur besogne, accomplir leur mission, terminer tranquillement cette petite campagne d'été, pas méchante, mais indispensable, dit-on, politiquement parlant, sans faire ce bruit ridicule autour de cette guerre infime? Mais voilà : nous avons mis en mouvement la balançoire guerrière.

***

Une autre balançoire locale, annuelle, et terriblement fastidieuse est celle du Salon de peinture.

Ils sont un tas de gens qui s'intitulent critiques, et qui, au nom de principes d'art qu'ils déclarent infaillibles, éternels, immuables, pondent en ce moment des articles aussi ennuyeux que longs sur un tas d'autres gens s'intitulant artistes-peintres, et reproduisant à ce titre, depuis des temps indéfinis, tous les ans, avec les mêmes couleurs, la même manière et la même médiocrité, les mêmes tableaux qu'on accroche dans le même bâtiment, et devant lesquels défile pendant un mois le même public, qui répète sans fin les mêmes choses avec la même suffisance (ou plutôt insuffisance).

Comme à toute règle il est des exceptions, il faut excepter, bien entendu, quelques critiques vraiment instruits et quelques peintres vraiment forts.

Mais il en est du Salon comme de la campagne des Kroumirs. Tout Paris s'ébranle, discute, pérore, écrit, visite, contemple cette armée de toiles avec de la couleur dessus et, en fin de compte, découvre deux ou trois tableaux originaux exactement comme le général a découvert son vieux Kroumir au sommet de sa montagne.

***

Ainsi que tout le monde, j'ai visité le Salon : mais convaincu que je n'y ferais aucune trouvaille de valeur, je me suis bien gardé de contempler les murs; j'ai regardé les visiteurs, et surtout les visiteuses. Elles sont si charmantes, les Parisiennes, avec leur livret à la main, leur air grave, sérieusement préoccupé, leurs mines affairées, leurs petites moues méprisantes et leurs sourires approbatifs.

Oh! être peintre! quel rêve! peintre aimé des dames! faire de la peinture élégante, amusante, à la mode! et vous voir sourire devant mes toiles, ô Parisiennes!

J'ai suivi les plus jolies de salle en salle, étudiant leurs goûts, écoutant indiscrètement leurs opinions, sans les partager jamais, il est vrai, mais extasié devant la grâce féminine.

Rien de plus drôle, du reste, que d'observer tout un après-midi les physionomies diverses des visiteurs du Salon.

On y voit des familles honnêtes et bornées : le père, la mère, une parente et la jeune fille, une *demoiselle* de seize ans qui apprend le dessin depuis trois mois, et, à ce titre, guide le jugement de la compagnie.

On s'arrête devant les scènes attendrissantes et niaises; la jeune fille explique, nomme le peintre. A chaque portrait, la mère demande à l'autre dame, une voisine : « Ne trouvez-vous pas qu'il ressemble à M. Dumoulin? — Oui, répond l'autre, mais il a le nez plus fort ». Tantôt c'est à Mme Picolon que ressemble le portrait, et tantôt au locataire du *cintième*. Le père cligne les yeux devant les nudités et pousse le coude de la voisine. Il ne dit rien jamais. Cependant, en face d'une toile démesurée, où l'on voit une locomotive arrivant à toute vapeur sur une pauvre désespérée couchée en travers de la voie, il lâche enfin cette réflexion judicieuse : — « Si le mécanicien avait le nouveau frein des trains de ceinture, il pourrait encore arrêter à temps. Avec ce frein-là, on arrête en cent mètres. » Cette pensée navre les deux femmes, qui essuient une larme furtive.

**

Mais le plus beau visiteur que j'aie vu est un grand gaillard au teint brûlé, aux larges épaules, vrai gentilhomme campagnard traversant Paris entre deux chasses.

Au fond de son chapeau rond une couronne assurément coiffait ses initiales enlacées. Il avait la taille serrée dans une jaquette claire, les mains gantées de gants solides, et sous le drap du pantalon ses mollets saillants dessinaient leurs muscles. Il marchait les jambes ouvertes, en homme habitué à tenir un cheval entre ses cuisses ; sa canne flexible semblait une cravache.

A peine entré dans le salon carré, il parcourut les murs d'un regard rapide. Puis, il partit, à grands pas, l'œil fixé sur un tableau qui représentait des chevaux. Il le contempla quelque temps, sérieusement, profondément, jeta un nouveau regard autour de lui, puis passa dans la salle suivante.

Là-bas, en face de lui, des chiens de chasse. Il s'y précipita bousculant les gens ; et, le front plissé d'attention, il demeura longtemps debout en face de l'œuvre cynégétique. Mais s'étant enfin retourné, une femme nue, sur l'autre mur alluma sa face d'un sourire heureux ; et il se dirigea vivement vers ce troisième objet où le portait son cœur.

Et ainsi, de salle en salle, il parcourut l'exposition, s'arrêtant successivement devant les chevaux, les chiens et les femmes au corps dévoilé ; les couvrant d'une même attention, d'un amour égal, enfermé dans cette trinité qui contenait tous ses désirs, toutes ses aspirations, tous ses rêves.

Il ne vit rien autre chose ; et il partit à pas allongés, avec une mine satisfaite qui semblait formuler cette pensée : « C'est chic tout de même, la peinture ! »

(Le Gaulois, 12 mai 1881.)

ENTHOUSIASME ET CABOTINAGE

Vraiment, vraiment, la mesure est comble et il faut que nous ayons bien perdu le sens du grotesque et la faculté du rire pour n'avoir point trépigné de gaieté depuis que les journaux nous ont apporté les détails fantastiques du débarquement de Sarah Bernhardt. « Hip, hip, hurrah! » comme on criait sur la jetée du Havre; jamais le cabotinage, ce vice français; jamais l'enthousiasme déplacé, la bêtise particulière des foules, l'emballement naïf des bourgeois gobeurs, n'ont offert au monde un pareil échantillon de ridicule.

J'aime cette actrice de grand talent, mais dont le talent réside surtout en sa voix, comme ce chat des contes de fées, dont le pouvoir habitait en sa queue. Cette voix, dit-on, est d'or; c'est là une image, je suppose, pour exprimer qu'elle en rapporte, et beaucoup, à sa propriétaire. Non pas que la délicate artiste fasse ce qu'elle veut de sa voix, à la façon de Robert Macaire, car elle ne l'emploie, au contraire, que d'une seule manière, toujours la même, dans toutes les pièces, dans tous les rôles; mais le charme de cet organe et la séduction de la femme sont aussi toujours les mêmes, et si puissants qu'ils remplacent le reste. Voici donc une actrice d'un mérite incontestable qui cependant échoua, en partie, dans l'œuvre d'un maître, l'an dernier. La critique, bien douce pourtant, bien aimable et bien galante pour une si exquise diseuse de prose ou de vers, ayant constaté ce demi-échec, aussitôt l'actrice, prise de

224

crise de nerfs, lâche son théâtre, ses camarades, son directeur, l'auteur et le public, abandonne son emploi, disparaît vexée, rageuse, sûre d'ailleurs de faire du bruit.

Les journaux, autres cabotins, en profitent pour raconter la couleur de ses bas, la forme de ses ombrelles, etc., etc., lui font une réclame furieuse. Alors l'idée d'en profiter lui vient, et elle commence à travers le monde un voyage artistico-commercial, débitant sa voix à tous les peuples, par tirades plus ou moins longues; vendant la prose ou les vers de nos auteurs, marqués au timbre Sarah Bernhardt; poussant aussi loin que possible l'industrie dramatique, de façon même à enthousiasmer les Américains, ces professeurs de réclame. Et aussitôt la voici devenue pour cette race spéciale de chauvins qui forme une partie de notre bourgeoisie, la voici devenue, dis-je, le génie de la France errant par l'Univers.

Et on la suit en pensée, on s'intéresse au chiffre des recettes, à l'accueil qu'elle reçoit, à la vie qu'elle mène. Hip, hip, hurrah pour Sarah Bernhardt!

***

Elle revient. En vérité, le souffle manque et les expressions aussi, pour raconter ce retour.

PLUS DE CINQUANTE MILLE personnes encombraient les jetées et tout le port du Havre. Les navires, dans les bassins, étaient PAVOISÉS AUX COULEURS NATIONALES; beaucoup de gens portaient des drapeaux; on hurlait:
— Vive Sarah! vive Bernhardt! vive Sarah Bernhardt! « Les souverains, dit un journal convaincu, n'ont pas souvent de pareilles réceptions. » — Enfoncés, les souverains! finis, les souverains! — Aujourd'hui le cabotinage, seul, est roi partout. Sur l'avant du transatlantique, une grande forme blanche se dresse: c'est elle, la muse de la France. L'immense foule ondule, clame, vocifère; tous les chapeaux sont en l'air; tous les étendards saluent. Alors quelqu'un (espérons que la postérité saura qui), quelqu'un eut l'inspiration de génie

de mettre entre les mains de Sarah Bernhardt un petit drapeau tricolore. Aussitôt elle aussi agite son chapeau, dit « bonjour » avec les couleurs françaises; et elle pleure de joie; au milieu d'un *enthousiasme indescriptible*. — Parbleu! — La Compagnie transatlantique a fait pavoiser le quai de débarquement. — O rêve! Les musiques jouent l'air du *Chalet : Arrêtons-nous ici*. (Ça, c'est un comble : le comble de l'esprit et de l'à-propos de la part des chefs de musique.) Elle descend; et la foule en délire la porte jusqu'à sa voiture. Et Sarah a regretté que la foule fût si nombreuse, ce qui l'empêchait d'embrasser tout le monde. — Ah! ça, c'est gentil, par exemple.

Voilà. En lisant ces détails, la stupéfaction vous saisit. Et ils étaient émus, ces gens, émus pour de vrai; et des femmes pleuraient de vraies larmes. Je parierais que certaines ont prié, qu'elles ont eu des pensées patriotiques, associant au retour de cette aimable actrice des idées de gloire nationale, de grandeur républicaine, voire de revanche? Qui sait, il y en a peut-être qui ont émis le vœu secret de voir Sarah Bernhardt épouser M. Gambetta!!! Tout est possible, vous dis-je, tant est terrible la contagion de l'enthousiasme niais.

Et maintenant, on peut nommer Le Havre comme chef-lieu de préfecture. De grandes choses s'y sont accomplies... Hip, hip, hurrah pour Sarah Bernhardt!

***

L'enthousiasme en France est un danger public et permanent. C'est lui qui nous jette à toutes les sottises.

« C'est si bon d'avoir de l'enthousiasme, disent les sentimentaux, de se tenir le cœur ému, d'admirer, de crier son exaltation. » Et, au nom de l'enthousiasme, on fait taire ceux qui n'ont que de la raison, ceux qui discutent et sourient, ceux qui doutent, voulant juger et savoir. « Enthousiasme et cabotinage », voilà nos vices, nos grands vices. Nos pères aussi s'emballaient, mais ils avaient un sens critique supérieur, le sens du rire, qui faisait contrepoids aux exaltations sans cause. Depuis que l'enthousiasme seul est resté, le bon sens national a chaviré sans cesse.

Notre histoire est pleine d'exemples.

C'est un mouvement de raison qui a fait la Révolution, la grande. C'est l'enthousiasme, cet enthousiasme nerveux, effaré, stupide, qui l'a poussée aux excès, aux massacres, aux folies prodigieusement insensées qui lui ont servi d'apothéose. Et le cabotinage, ce frère de l'enthousiasme, comme il apparaît aussi là! Tous cabotins, Mirabeau, Camille Desmoulins, Robespierre, Danton, Marat, tous. Ils pérorent en cabotins, tuent en cabotins, meurent en cabotins. Cabotine elle-même la guillotine. Et la déesse Raison, et les fêtes de l'Etre suprême, et toutes les cérémonies nationales : orgie de cabotinage, cabotinage de l'enthousiasme, enthousiasme du cabotinage.

L'Empire arrive; ce cabotin, Napoléon, joue les drames sur les champs de bataille; et la France enthousiasmée bat des mains. Il la ruine, l'épuise, la tue, mais il joue bien, ce cabotin de génie; et elle se laisse ruiner, elle donne son argent, ses enfants, tout, en des élans d'enthousiasme furieux. Il sort vaincu de la patrie abattue, mourante, exténuée par lui. Le calme semble revenir; mais il n'a qu'à se remontrer pour que l'enthousiasme reparaisse plus frénétique que jamais, et pour que le pays se rue à de nouvelles et sanglantes aventures derrière son acteur favori.

Toute notre politique de sentiment qui a fait de nous les chevaliers errants de l'Europe, ces Don Quichotte toujours partis au secours du persécuté, ne vient que de nos constants accès d'enthousiame.

La France, comme une fille, a des amours d'une heure, des héros quelconques qu'elle acclame. Il nous faut des héros; nous avons besoin d'exaltation.

Voyez nos journaux les plus lus, miroirs de l'opinion publique; ils ont des crises comme la foule, donnent tête baissée dans toutes les extases injustifiables du moment. Est-ce que M. de Girardin, après avoir flagellé, honni,

227

maudit les guerres, n'a pas le premier crié : « A Berlin! », n'a pas donné le signal de cet enthousiasme fatal qui nous a perdus alors?

* * *

Le cabotinage est roi, tellement roi que personne ne peut s'en passer. Les hommes les plus supérieurs sont obligés de devenir cabotins eux-mêmes pour faire triompher leurs meilleures idées. C'est par ce moyen qu'on sépare en deux un continent; c'est par ce moyen qu'on devient député.

Du reste, point n'est besoin de talent. Battre de la grosse caisse et ameuter les gens : tout est là. Les hommes politiques donnent aujourd'hui des représentations en province devant des salles d'électeurs, tout comme des artistes en tournée : — cabotins!

On nomme ces candidats au « savoir dire » beaucoup plus qu'au « savoir faire » et surtout beaucoup plus qu'au « savoir », dans le sens simple et absolu du mot.

Les poètes font eux-mêmes des conférences sur leurs livres : — cabotins!

Les expulseurs de jésuites à grand orchestre : — cabotins!

Les jésuites expulsés — cabotins!

Les uns et les autres jouent pour la galerie.

Et les spectateurs aussi, sifflant ou battant des mains : cabotins, tous cabotins, à part quelques rares convaincus.

Et cabotins tous les chefs des partis extrêmes, les légitimistes fougueux qu'on rencontre au foyer de la danse, et les amnistiés barbus qu'on trouve au fond des « assommoirs ».

Je vous le dis en toute sincérité, le seul homme de notre siècle qui soit vraiment digne d'une statue sur la plus grande place de Paris, c'est Mangin, le marchand de crayons.

(*Le Gaulois*, 19 mai 1881.)

LE PRÉJUGÉ DU DÉSHONNEUR

Sous cette rubrique : « Les Drames de l'adultère », les journaux, nous apprennent tous les jours qu'un mari trompé vient de massacrer sa femme ou l'amant, ou tous les deux.

Ces égorgements nous laissent froids. Les jurés, tous maris, sont pleins d'indulgence pour ces fureurs d'époux outragés ; ils acquittent le meurtrier, et l'assistance très spéciale des cours d'assises, lecteurs de romans-feuilletons, public de l'Ambigu, venu pour l'émotion, gonflé de sensiblerie larmoyante, applaudit à ce verdict, jugeant que le mari trompé a *lavé son honneur* dans le sang, qu'il s'est réhabilité par le meurtre !

C'est avec ces grands mots qu'on nous élève, avec ces préjugés qu'on nous instruit, avec ces idées qu'on nous prépare au mariage.

Je suis pour la femme qui tombe contre le mari qui tue.

Prenons un exemple tout récent. Un homme vient d'être acquitté après avoir occis sa moitié. A bout de patience, trompé, retrompé et encore retrompé, il finit par céder à la colère, et brûle la cervelle de la coupable.

Je choisis exprès un cas où le mari semble entièrement excusable, où l'indulgence du jury a soulevé des acclamations enthousiastes, où toutes les circonstances paraissent absoudre l'homme désespéré qui frappe.

Il aime sa femme éperdument. Très bien. Il lui a déjà pardonné dix fois. C'est vrai. Il l'a rêvée chaste et fidèle.

229

Tant pis pour lui : où l'a-t-il prise? C'est une fille publique rencontrée en pleine rue, épousée dans un accès de cette folie spéciale qu'on nomme Amour. Tant pis pour lui! Il ne devait pas oublier que l'habitude est une seconde nature, que les canards retournent toujours à la rivière, et les filles publiques au ruisseau; que le retapage des vertus avariées, par le maire ou le curé, est une utopie pareille à celle d'un gouvernement en même temps honnête et intelligent.

Permettez à un vieux braconnier de chasser en plein soleil, vous pouvez être sûr qu'il continuera à marauder la nuit, par nostalgie de l'illégalité. Rien ne sert de se révolter, de raisonner, de s'indigner, de proclamer des principes, d'invoquer la morale. Car telle est la nature humaine. La nature est toute-puissante, défie les raisonnements, les indignations et les principes. C'est la nature, inclinons-nous; constatons; condamnons l'homme qui tue, et qui a espéré, *par amour,* c'est-à-dire *par égoïsme,* modifier une loi, créer à son profit une exception, faire chaste et réservée pour lui seul une femme devenue publique, habituée au vice et accoutumée à la polyandrie. Quand on épouse en ces conditions-là, on doit s'attendre à tout; et, puisque la préoccupation d'élections prochaines a empêché nos honorables de consentir au divorce, que l'homme trompé se sépare de sa compagne, et qu'ils vivent à leur guise chacun de son côté.

*
* *

Mais ce cas est une exception, rentrons dans la généralité.

Ce que je vais dire paraîtra sans doute déplorablement subversif : tant pis; je ne cherche que la vérité, sans m'occuper de la morale enseignée, orthodoxe et officielle, de la morale, cette loi indéfiniment variable, facultative, cette chose dosée différemment pour chaque pays, appréciée d'une façon nouvelle par chaque expert et sans cesse modifiée. La seule loi qui m'importe est la loi éternelle de l'humanité, cette grande loi qui gouverne les baisers humains, et qui sert de thème aux faiseurs de bouffonneries.

Nous vivons dans une société affreusement bourgeoise, timorée et moraliste (ne pas confondre avec morale). Jamais, je crois, on n'a eu l'esprit plus étroit et moins humain.

La faiblesse (disons « faute », si vous voulez) d'une femme mariée, *entraînée à mal* par un séducteur, a pris des proportions si mélodramatiques, qu'on la considère généralement comme digne de mort.

Des hommes comme M. Dumas fils raisonnent pendant des livres entiers sur les entraînements et les chutes de pauvres êtres sans résistance. Les baisers illégaux acquièrent sous leur plume une gravité de crime; et les femmes payent pour tous : pour le mariage indissoluble, chose horrible; pour la loi, injuste à leur égard; pour le préjugé féroce qui les condamne, pour l'opinion monstrueuse qui permet tout à leurs maris et leur défend tout.

Qu'on n'aille pas croire que je veux absoudre l'adultère. Je ne veux que prêcher l'indulgence dans la situation si difficile que crée le mariage.

Le mariage est institué par la loi tel qu'il existe; nous devons donc nous y soumettre. Il est cependant permis de le discuter. Constatons d'abord que beaucoup de philosophes, parmi les plus éminents affirment que nous sommes des polygames et non des monogames. Dans tous les cas, la chose est douteuse, et j'aime mieux croire, pour ma part, que nous ressemblons à ces animaux, ni herbivores, ni carnivores, mais omnivores. Nous nous accommodons, en Orient, de la polygamie; et en Occident de la monogamie, et encore de la monogamie avec accommodements. Je voudrais bien qu'on me citât un seul homme — un seul homme, entendez-vous — resté tout sa vie absolument monogame.

Donc le mariage crée peut-être une situation anormale, antinaturelle, et à laquelle on ne peut se résigner que grâce à des abnégations infinies, à une vertu supérieure, à des mérites absolument religieux; une situation à laquelle le mari ne se résigne jamais, une situation qui mettrait éternellement la conscience en lutte avec l'instinct, avec l'amour.

Dans ce cas, lequel est le monstre au point de vue humain, naturel? La femme qui tombe ou le mari qui tue?

Ici un homme, parce qu'il est trompé dans son égoïsme, blessé dans sa vanité, déçu dans sa prétention (peut-être exorbitante) de possession exclusive, détruit un être, supprime la vie, la vie que rien ne peut rendre, commet le seul acte vraiment monstrueux qu'on puisse commettre, et le plus horrible, et le plus immoral : tue!

Là, une femme, élevée pour plaire, instruite dans cette pensée que l'amour est son domaine, sa faculté et sa seule joie au monde (tels sont, en effet, les enseignements de la société); créée, par la nature même, faible, changeante, capricieuse, entraînable; faite coquette par la nature et par la société ensemble; vivant presque toujours seule, pendant que son mari (c'est admis) s'adonne librement à ses passions. Cette femme donc se laisse entraîner par un homme qui met tous ses soins, toute son ardeur, toute son habileté, toute sa puissance à la séduire. Elle tombe entre ses bras, obéissant à la grande loi naturelle et universelle; elle commet un acte blâmable, condamnable au point de vue de la législation, mais humain, fatal, si fatal que rien n'a jamais pu l'entraver depuis que les règlements de la moralité civile et religieuse le combattent; et on proclame cette femme une gueuse, une misérable, une souillée, tandis qu'on salue jusqu'à terre son mari, qui l'assassine, parce qu'on le juge réhabilité.

Je suis pour la femme qui tombe contre le mari qui tue!

***

Pourquoi tue-t-il? Parce qu'il se croit déshonoré!

Nous touchons ici à un de ces préjugés prodigieux qui servent généralement de bases à toutes nos croyances.

Etes-vous déshonoré parce que votre bonne vous a volé? — Non. — Et vous l'êtes parce que votre femme vous a trompé? — Vous, le volé! le trompé! le lésé! le filouté enfin! vous vous considérez comme déshonoré tant que vous n'aurez pas lardé de coups de couteau l'amant que tout le monde considère comme honorable, comme accomplissant, légitimement ses fonctions d'homme séducteur, et la femme qui s'est abandonnée, séduite, entraînée. Que la logique est une belle chose! Mais, sacrebleu! le déshonneur ne peut résulter que d'un acte essentiellement personnel, et ne peut provenir en aucun cas du fait d'un autre. Je n'admets pas que je puisse être souillé par une action à laquelle je ne suis pour rien (bien au contraire), une action à laquelle ma volonté est entièrement étrangère et que tout mon désir est d'empêcher!!! Non, vraiment, c'est fabuleux de stupidité. Mais voilà : cette sensation de déshonneur du mari trompé ne provient que de la crainte du ridicule. L'adultère, pour la galerie, a toujours été une chose comique, et George Dandin reste un grotesque. Il faut donc à tout prix empêcher les spectateurs de rire. Pour cela, on tue quelqu'un, et le public cesse de plaisanter.

Combien je préfère la solution indiquée par l'écrivain naturaliste J.-K. Huysmans dans son très spirituel roman *En ménage*. Un jeune mari, rentrant chez lui, découvre inopinément qu'il *l'est*. En une seconde, il pèse toutes les conséquences de ses actes et se résout immédiatement à adopter le système de la dignité. Il reconduit gravement son rival; puis s'en va, sans davantage s'occuper de sa femme. Elle retourne chez ses parents; lui, reprend sa vie de garçon; et des deux côtés, ils réfléchissent.

Il s'ennuie : la femme lui manque, la CRISE JUPON-NIÈRE le prend; il essaye plusieurs maîtresses, s'en dégoûte, les trouve, au fond, inférieures encore à son infidèle épouse. Elle, de son côté, a reconnu que

233

l'adultère ne donne point toutes les joies rêvées, que la vie est plate, terre à terre toujours ; elle regrette ce mari qu'elle méprisait jadis comme incapable d'ouvrir son cœur aux délices surhumaines de l'amour. Et un jour vient où ils se remettent à vivre ensemble, tranquillement, mûris par cette double épreuve.

**

Je ferai pourtant un reproche à la situation tracée par Huysmans. Le mari me semble trop calme en découvrant subitement son... malheur. Il faudrait qu'il eût au moins un mot, et voilà la solution que j'opposerai à celle de l'assassinat.

L'homme qui frappe est une brute. Assommer ne prouve rien. Mais l'homme qui, dans un moment pareil, aurait la force, le sang-froid et l'esprit nécessaires pour trouver un mot, un mot sanglant ou drôle, un mot célèbre le lendemain, affirmerait ainsi une vraie et indiscutable supériorité sur ses semblables, et se vengerait d'une façon plus certaine et plus terrible qu'avec le poignard ou le pistolet.

Il en existe très peu, de ces mots-là.

Deux ou trois me reviennent en mémoire, et je les déclare admirables, en admettant qu'ils soient authentiques.

Tout le monde les connaît, du reste. Un mari trouve... dans son alcôve, son ami, son meilleur ami, et lui tend la main. L'autre, effaré, se cache derrière sa complice, se blottit contre le mur. « Eh quoi ! demande l'époux, railleur et tranquille, tu refuses maintenant de me donner la main sur la place publique ? »

Et cet autre : « Ah ! mon pauvre ami, et dire que rien ne vous... y forçait ! »

On en cite une douzaine, au plus.

Et quel concours d'esprit cela ouvrirait ! quelle émulation ! quels triomphes ! On s'aborderait au cercle de cette façon : — « Vous ne savez pas le mot que je viens de dire à X... que j'ai trouvé chez moi... » Ou bien ainsi :

— « Cet imbécile de C... qui vient de tuer sa femme! L'idiot, il n'a rien pu trouver à dire... » Les hommes vraiment spirituels feraient naître les occasions et prépareraient de loin leurs effets! Et nous verrions dans les journaux quotidiens, au lieu de l'éternelle rubrique : « Les Drames de l'adultère », cette variante moins sombre et plus française : « Les bons mots des maris trompés ».

(*Le Gaulois*, 26 mai 1881.)

L'ÉCHELLE SOCIALE

Il paraît que certaines professions comportent une dignité particulière, imposent des devoirs spéciaux, forcent à une tenue d'une rigidité exceptionnelle. Un notaire, par exemple, n'est-il pas astreint à une gravité toujours cravatée de blanc? N'est-il pas vrai qu'il ne devra danser qu'avec modestie, ou même s'abstenir de la danse absolument? Ses fonctions le condamnent à une éternelle sévérité. Un notaire follet, spirituel et badin, semblerait un monstrueux contresens.

Or, pourquoi un notaire a-t-il le devoir d'être plus grave qu'un capitaine de hussards? Ne me le demandez pas, je l'ignore, mais c'est ainsi.

Il paraît également qu'il existe toute une gradation d'importance et de considération dans les professions que j'appellerai courantes; et qu'un homme subtil doit saisir instantanément à quel degré d'estime sociale se classe le titulaire d'une place d'avoué, de percepteur, de chef de bureau, de substitut, de commissaire-priseur, d'agent de change, d'inspecteur de quelque chose, etc.

Si vous laissiez entendre à un architecte quelconque que vous le mettez dans la même sphère de respect qu'un pharmacien, il vous en voudrait sans doute mortellement; mais, si votre tailleur pouvait soupçonner que vous ne le considérez pas infiniment plus que votre bottier, il ne le vous pardonnerait jamais.

N'est-il pas admis aussi que les gens possédant des titres et des fonctions officiels doivent avoir le pas sur les simples particuliers exerçant des professions dites libérales ? Voyez, dans un salon, face à face, un de ces culbuteurs qui remplissent passagèrement le rôle à tiroirs de ministre, et un artiste du plus grand talent : l'artiste restera toujours au second plan devant l'Excellence d'aventure qui soulève autour d'elle un nuage de considération.

Un monsieur décoré (les vieux bureaucrates le sont à l'ancienneté) semble supérieur à un monsieur vierge de ruban. Les croix étrangères elles-mêmes donnent un certain vernis d'estime. Les employés de l'Etat se considèrent comme au-dessus des boutiquiers. Les commerçants méprisent les marchands.

Enfin, il existe toute une hiérarchie compliquée, embrouillée, surprenante, qu'il faut connaître sur le bout du doigt. Si vous faites ceci, vous êtes *bien vu,* si vous faites cela, vous êtes *mal vu.* Ceci est plus noble que cela.

Et pourtant il m'avait semblé, à moi, que les fonctions officielles indiquaient toujours un peu de servitude et d'obéissance ; qu'elles entraînaient fatalement un renoncement à l'indépendance absolue de pensée et d'action. L'homme à qui un autre peut commander n'est pas un homme libre ; et quoi de plus noble qu'un homme libre ? Avez-vous entendu quelquefois un ministre savonner la tête d'un chef de division, le chef de division nettoyer le crâne d'un chef de bureau, le chef de bureau étriller ses employés ? Ces hommes-là sont tous des subordonnés ; et le ministre lui-même tremble devant le chef d'Etat, qui frémit à son tour devant le peuple, le plus brutal, le plus violent et le plus grossier des maîtres.

Les titres imposent du respect ! Que signifient-ils ? Aplatissement devant les grands, car on ne donne les titres qu'à l'obsession. Ils veulent dire : longues séances dans les antichambres, compliments et services intéressés, perfectionnement de la souplesse et de l'art de se faire bien voir.

Les décorations? On ne les portera bientôt plus, tant elles sont tombées dans le commun. Quant aux croix étrangères, lorsque j'en vois une sur un habit, il me semble que cet habit parle et dit ceci : « Je suis vaniteux, puisque ce morceau de ruban, vert ou bleu, me fait plaisir; incapable, puisque, malgré mon désir, je n'ai pas pu obtenir la croix de mon pays; en somme, pas fier, puisque j'ose porter cela, dont tant de gens sourient. »

Il m'avait donc semblé qu'on devait respecter d'abord les indépendants et les capables, les parvenus de l'intelligence, ceux qui marchent seuls et forts, avec le mépris de l'enrégimentement et de la servilité, les libres!

Il m'avait semblé jusqu'ici que faire œuvre d'artiste était la plus noble chose qu'on pût rêver, que prouver la valeur de son esprit, donner des marques de talent, constituait pour un homme la première des supériorités. J'avoue que j'étais prêt à saluer des hommes comme MM. Victor Hugo, Emile Augier, Dumas, Halévy, plus respectueusement qu'un ministre même ou qu'un conseiller d'Etat.

Il paraît que je suis dans l'erreur, et je fais amende honorable. MM. les commissaires-priseurs m'ont donné une rude leçon de tact; MM. les agents de change l'ont complétée.

Je viens, en effet, d'apprendre successivement deux nouvelles qui m'ont plongé d'abord dans un océan de stupéfaction.

La première est celle-ci :

Un jeune homme, exerçant le métier de commissaire-priseur, mais sentant poindre une vocation d'auteur dramatique, osa collaborer avec deux *écrivains de profession,* et il se préparait à faire représenter son œuvre quand la Compagnie tout entière des commissaires-priseurs fut soulevée d'indignation!

La salle Drouot frémit. Les marteaux d'ivoire tombaient nerveusement sur le bois des comptoirs où trônent ces princes des défroques parisiennes. Quoi! un homme qui adjuge journellement des pots fêlés et des meubles de toute espèce laisserait imprimer son nom sur des affiches à côté des noms de deux faiseurs de comédies!!! Ce serait la honte et le déshonneur pour tous, la déconsidération jetée sur le corps entier. Comment! un commissaire-priseur veut faire des mots, tourner des phrases, montrer de l'esprit, avoir du succès! Non, jamais.

Et une députation se rendit auprès de l'imprudent pour lui enjoindre de choisir entre le théâtre avec le mépris des honnêtes gens, et la salle des ventes avec l'estime de tous.

Comment la corporation si susceptible des commissaires-priseurs se laissa-t-elle fléchir? Je l'ignore. Mais la pièce fut représentée et le nom de l'auteur proclamé. Je le regrette. Cela jette toujours un peu de mésestime sur une profession; car j'ai fini par comprendre, après de longues réflexions, qu'il est vraiment difficile pour un homme dont le métier consiste à savoir la valeur exacte d'une glace fêlée ou d'une chaise à trois pieds, de laisser imprimer son nom à côté de celui des poètes et des comédiens! Enfin, la chose est faite. Inclinons-nous, mais déplorons.

Je remercie cependant MM. les commissaires-priseurs de m'avoir fourni des indications assez précises pour savoir dans quelle catégorie je puis exactement classer leur profession.

**

Je dois également des remerciements à la puissante corporation des agents de change, qui vient aussi d'éclaircir mes doutes sur un autre point.

Un agent de change devait jouer la comédie dans une fête, et le bruit s'en répandit. Aussitôt, la chambre syndicale s'émut. Un prêtre de la finance ne peut pas, ne doit pas faire métier d'histrion. Il y avait là un manque de tenue choquant, une faute de goût, une défaillance de dignité qui atteignait tous les confrères. On fit comprendre à cet aspirant comédien qu'on ne compromet pas ainsi les reports et les transferts. Il dut céder. Il est plein de verve et d'esprit, dit-on. Tant pis pour la comédie, mais tant mieux pour la Bourse. Ce temple de la richesse ne sera pas confondu avec une assemblée de gens du monde. Ceux qui mettent le pied dans cette enceinte sacrée n'ont pas le droit de vivre comme tous. Ils doivent être immaculés, irréprochables, d'une blancheur de neige et d'une dignité sans défaillances.

Honneur à la corporation des agents de change, qui s'est montrée plus sévère que celle des commissaires-priseurs.

***

Grâce à ces deux grands exemples de dignité professionnelle, je pourrai enfin me reconnaître un peu dans le labyrinthe de la considération due à chaque métier. Mon ignorance en ces matières m'avait valu plusieurs humiliations sensiblement désagréables.

Ainsi, me trouvant dernièrement dans un salon rempli de mères de famille ayant des filles à marier, on en vint par hasard à discuter la question des unions convenables, et à apprécier la valeur de chaque état au point de vue de la respectabilité mondaine. Des doutes s'élevèrent. On me prit pour arbitre. Il s'agissait justement d'établir la nuance existant entre un commissaire-priseur et un oculiste. Je penchais pour l'oculiste. Mais ces dames opinèrent pour le commissaire-priseur, par cette raison que l'oculiste reçoit de l'argent de la main à la main. Une d'elles cependant fut dissidente, s'appuyant sur cet argument que la salle Drouot est une sorte de bazar et que le commissaire-priseur opère en public.

Puis on posa cette question : « Une jeune fille de bonne famille, mais sans fortune, peut-elle épouser un vétérinaire ? »

— Je répondis : — Oui — sans hésiter.

240

Je fus hué.

Alors je me tus, me contentant d'écouter religieusement les raisons excellentes, infiniment subtiles, admirablement déduites, de ces dames, pour ou contre chaque profession. Une d'elles surtout me parut surprenante de pénétration. Elle racontait avec esprit comment et par quelle suite de preuves elle avait décidé son pharmacien à refuser sa fille au fils d'un herboriste. Elle conclut ainsi : « Du haut au bas de l'échelle sociale, il faut établir des degrés, et régler toujours sa conduite sur les nuances d'estime qu'on doit à chacun. »

***

Je manque de finesse pour élucider ces cas. Mais, comme des journaux très répandus ont la spécialité de ces sortes de questions, et demandent gravement à leurs lecteurs si un homme du monde assis dans un salon doit tenir son chapeau sur le genou gauche ou sur le genou droit; comme il se trouve toujours un grand nombre de docteurs en bon goût pour répondre avec une foule de raisons à l'appui, je serais enchanté qu'on voulût bien me renseigner un peu et lever des doutes qui me persécutent.

Ainsi : dans la hiérarchie sociale, pourquoi un propriétaire de hauts fourneaux est-il généralement considéré comme au-dessus d'un filateur de coton? Des gens très distingués m'ont affirmé qu'il y avait une nuance. Je ne la saisis pas bien. Ce que je comprends parfaitement, par exemple, c'est la niaiserie de ces préoccupations, la bêtise élégante de ces argumentateurs du *comme il faut* et du *bien vu*.

Un vieux proverbe dit : « Il n'y a pas de sot métier. Il n'y a que de sottes gens. » C'est vrai, à mon avis, bien vrai; mais il y a tant de sottes gens!...

(Le Gaulois, 9 juin 1881.)

Alors le fit-un une connaissait d'ombre regardée
dont les figures, parfaites, sublimaient mille... ainsi
tableaux déminés de tel temps, pour en contre
chaque profession. L'air d'aller autour me parut sincèrement de génération. Elle racontait avec entr'ouvr...
ment si parfaite vie de précurvé elle sera de la sol
pittoresque à sourire la fille de lit... Elle rapportait. Elle
conduirait...
leur écrit... ces oppères et ... les jours se tenait à la
aux nue, ces o'étant qui racontait à chacun.

L'ESPRIT EN FRANCE

Il est entendu, convenu, indiscuté, que la nation
française est la plus spirituelle de toutes; que l'esprit est
né sur le sol de France; qu'il a grandi là seulement, et
que si, par hasard, un étranger est spirituel, c'est
uniquement parce qu'il a le bon goût de nous ressembler.

Nous parlons toujours de notre esprit, nous en
mettons partout. Nous nous imaginons que l'on dit
dans le monde entier : « Spirituel comme un Français ».

D'abord, qu'est-ce que l'esprit?

Les dictionnaires ne donnent pas de définition satis-
faisante. L'esprit a tant de formes, de manifestations,
d'aspects différents, que toute formule est insuffisante
pour l'exprimer. Je proposerai donc, pour complaire
aux chauvins, cette simple définition :

« Qualité nationale française. »

Cependant l'esprit a des ennemis, même en France.
Les plaisants s'écrient :

— Les ennemis de l'esprit sont ceux qui n'en ont pas.

— Pardon, il en est d'autres encore.

Un grand écrivain contemporain instruisait dernièrement le procès de l'esprit. Il l'accusait de vieillir du
matin au soir, de s'évanouir comme la mousse gazeuse
d'une coupe de champagne, de s'user si brusquement
qu'un mot, après avoir fait trépigner la France de joie
pendant huit jours, ne fait plus même sourire la semaine

242

suivante. On reproche à l'esprit de ne pas faire penser; de ne produire dans l'intelligence qu'une sorte de chatouillement ayant la propriété de plisser les joues autour du nez en faisant sortir de la bouche des petits cris entrecoupés assez drôles. Enfin, on lui reproche de se gâter en vieillissant, comme les vins des mauvais crus.

*
* *

Ainsi qu'Henri IV entre les deux avocats, on est vivement frappé par les arguments des deux partis. Après avoir entendu l'un, on se dit : « Il a raison. » Après avoir écouté l'autre, on se dit : « Il n'a pas tort. » Puis, tout seul, on pense : « Il faudrait pourtant voir clair. » Ne se pourrait-il point qu'on eût un peu confondu?

Il y a l'esprit qui blanchit en vieillissant, comme le chocolat Ménier. Il y en a un autre qui ne blanchit pas.

C'est un peu comme tout le reste. Ce qui passe, c'est l'esprit à la mode, la saillie, le mot; parce que cet esprit-là est tout d'actualité, qu'il se rapporte à des choses du moment, du jour ou de la veille. C'est ce qu'on pourrait appeler l'ESPRIT COURANT.

Ce qui demeure, c'est l'esprit, dans le sens large du mot, l'esprit français, ce grand souffle ironique ou gai répandu sur notre peuple depuis qu'il pense et qu'il parle; c'est la verve terrible de Montaigne et de Rabelais, l'arme aiguë de Voltaire et de Beaumarchais, le fouet de Saint-Simon.

La saillie, le mot est la monnaie très menue de cet esprit-là. Et pourtant, c'est encore un côté, un caractère tout particulier de notre intelligence nationale. C'est un de ses charmes les plus vifs. Il fait la gaieté sceptique de notre vie parisienne, l'insouciance aimable de nos mœurs. Il est une partie de notre aménité.

Autrefois, on faisait en vers ces jeux plaisants; aujourd'hui, on les fait en prose. Cela s'appelle, selon les temps, épigrammes, bons mots, traits, pointes, gauloiseries. Ils courent la ville et les salons, naissent partout, sur le boulevard comme à Montmartre. Et ceux de Montmartre valent souvent ceux du boulevard. On les imprime dans les journaux. D'un bout à l'autre de la France, ils font rire. Car nous savons rire. Pourquoi un mot plutôt qu'un autre, le rapprochement imprévu, bizarre de deux termes, de deux idées ou même de deux sons, une calembredaine quelconque, un coq-à-l'âne inattendu ouvrent-ils la vanne de notre gaieté, font-ils éclater tout d'un coup, comme une mine qui sauterait, tout Paris et toute la province?

Pourquoi tous les Français riront-ils, alors que tous les Anglais et tous les Allemands trouveront stupide notre amusement? Pourquoi? Uniquement parce que nous sommes Français, que nous avons l'intelligence française, que nous possédons la charmante faculté du rire.

Ah! oui, la saillie vieillit vite. Qu'importe! L'autre esprit reste.

Je me suis amusé à chercher ce qu'était autrefois, dans toute sa jeunesse, cet esprit appelé gaulois. J'ai retrouvé dans les poètes antiques ces mots qui déridaient nos ancêtres, ces lointaines gaietés des aïeux.

Tout cela m'a paru bien enfantin, bien naïf, bien bébête (pardon du mot).

Alors on riait facilement, bonnement et simplement, d'un trait grossier, brutal, lourd, sans pointe. Le mot d'esprit était un coup de massue.

Chose étrange : la *gaieté courante* du XVIIᵉ siècle diffère peu de celle des deux siècles précédents.

Lisez donc les épigrammes de Racine et de Boileau. Le sel n'en est guère attique.

Au XVIIIᵉ siècle, par exemple, l'esprit devint acéré comme une aiguille, pénétrant, méchant, mais direct et franc, sans arrière-sens détourné.

Aujourd'hui, il nous faut des raffinements, des contorsions de mots, des postures d'idées inusitées, des à-peu-près drolatiques. Le mot n'est plus une aiguille, mais une sorte de tire-bouchon.

Et voici quelques exemples des antiques gauloiseries, des moins salées, car en général elles s'accommoderaient peu avec la pudeur moderne.

— Du Clément Marot :

> *Tu as tout seul, Jean-Jean, vignes et prés,*
> *Tu as tout seul ton cœur et ta pécune,*
> *Tu as tout seul deux logis diaprés,*
> *Là où vivant ne prétend chose aucune,*
> *Tu as tout seul le prix de ta fortune,*
> *Tu as tout seul ton boire et ton repas,*
> *Tu as tout seul toutes choses, fors une,*
> *C'est que tout seul ta femme tu n'as pas.*

Du même :

> *Catin veut épouser Martin,*
> *C'est fait en très fine femelle.*
> *Martin ne veut point de Catin,*
> *Je le trouve aussi fin comme elle.*

Voici maintenant du Mellin de Saint-Gelais :

> *Notre vicaire, un jour de fête,*
> *Chantait un agnus gringoté,*
> *Tant qu'il pouvait, à pleine tête,*
> *Pensant d'Annette être écouté.*
> *Annette, de l'autre côté,*
> *Pleurait, attentive à son chant ;*
> *Dont le vicaire, en s'approchant,*
> *Lui dit : Pourquoi pleurez-vous, belle?*
> *— Ah! messire Jean, ce dit-elle,*
> *Je pleure un âne qui m'est mort,*
> *Qui avait la voix toute telle*
> *Que vous, quand vous criez si fort!*

Et du Racan :

> *Bien que du Moulin en son livre*
> *Semble n'avoir rien ignoré,*
> *Le meilleur est toujours de suivre*
> *Le prône de notre curé.*
> *Toutes ces doctrines nouvelles*
> *Ne plaisent qu'aux folles cervelles.*
> *Pour moi, comme une humble brebis,*
> *Sous la houlette je me range :*
> *Je n'ai jamais aimé le change*
> *Que des femmes et des habits.*

Et du Scarron :

> *Maynard qui fit des vers si bons*
> *Eut du laurier pour récompense!*
> *O siècle maudit; quand j'y pense,*
> *On en fait autant aux jambons!*

Je n'en finirais point. J'en pourrais citer vingt volumes.

C'est bien bénin, n'est-ce pas, et déplorablement ennuyeux? Ce sont les « nouvelles à la main » de l'époque, les traits à la mode, la poussière volante de l'*esprit français* d'alors. C'est usé.

Mais j'ai nommé tout à l'heure Montaigne! Est-il usé celui-là? Rabelais a-t-il cessé d'être la quintessence même de l'esprit? Voltaire a-t-il tant vieilli? Les Mémoires de Beaumarchais sont-ils devenus illisibles? Et combien d'autres dont l'ESPRIT est jeune et neuf comme aux jours où ils écrivaient!

Et cette verve enragée de Molière ne nous amuse-t-elle donc plus? Je ne parle pas de son génie scénique; mais des mots, rien que des mots! Son trait ne nous arrache-t-il pas le rire tout comme les meilleures POINTES de n'importe quel contemporain?

Et parmi les simples mots d'esprit, n'en avons-nous point conservé d'exquis?

Quand on a dit de l'Académie : « Ils sont là quarante, ils ont de l'esprit comme quatre », n'a-t-on pas prononcé une parole aussi immortelle, dans sa simplicité comique, que l'immortelle assemblée elle-même?

Et le trait suivant ne sera-t-il pas toujours joli?

> *Un gros serpent mordit Adèle.*
> *Que pensez-vous qu'il arriva?*
> *Qu'Adèle mourut, bagatelle.*
> *Ce fut le serpent qui creva!...*

**

Il est vrai de dire qu'en France nous traitons l'esprit en enfant gâté; nous lui permettons tout : il tient lieu de tout. C'est pousser trop loin assurément la complaisance et la faiblesse.

Nous le mettons à toutes les sauces, nous en jetons partout, là même où il n'aurait que faire.

Voici par exemple un homme d'un grand et indiscutable talent : M. Alexandre Dumas fils. Son esprit intarissable arrive souvent à gâter son talent. Toutes ses pièces sont si remplies de « mots » arrivant à tout propos, à tort et à travers, que souvent on est exaspéré. Le public aujourd'hui aime ça; il rit et applaudit sans se demander si l'art véritable, si l'œuvre en elle-même ne souffrent point de cette pluie d'allusions piquantes.

Si l'auteur met en scène un père et une mère au chevet d'un enfant mourant, le père et la mère feront des mots, le médecin survenant entrera sur un mot, et si l'enfant meurt, sa dernière parole contiendra un trait, un mot, quelque chose de spirituel enfin.

Aussi, comme ce genre de pièces vieillit vite, elles se fanent à la façon des nouvelles à la main des feuilles quotidiennes. Quand on les reprend au bout de trois ou quatre ans, le public ne comprend plus; il applaudit bien encore un peu, par respect et surtout par tradition, mais il faut changer l'affiche au bout de vingt représentations.

Nous avons eu tout récemment un exemple de la puissance de cette espèce d'esprit sur la foule.

M. Edouard Pailleron vient de faire jouer au Théâtre-Français, avec un succès éclatant, une très amusante comédie : *Le Monde où l'on s'ennuie*. Cela est tout à fait charmant, tout à fait gai, agréable au possible; mais... mais il y a trop d'esprit... courant, et pas assez d'autre chose.

On rit franchement; je l'avoue. Pourquoi rit-on? Parce que cette œuvre est pleine d'actualité. On a vu tout le temps des allusions, voulues ou non, à des gens connus. Le public est parti là-dessus, saisissant ou croyant saisir les moindres intentions ironiques, soulignant les nuances, éclatant d'enthousiasme à chaque trait. On se disait :

— Vous avez reconnu M. X...? Est-ce assez ça?

— Et Mme B...? Est-elle ressemblante?

Et on riait, on riait à se tordre.

Mais quand M. X... sera mort, quand Mme B... sera morte, l'autre public, le suivant, comprendra-t-il? Reprenez un à un tous les mots de cette pièce : chacun semble une actualité de journal, une allusion à des choses d'hier et d'aujourd'hui. Il faut être initié pour comprendre et pour rire. Que restera-t-il de cette œuvre? Attendons-la, dans trois ans seulement, sur la scène du même théâtre!

Lisez à côté de cela quelque chose de Marivaux, par exemple, de Marivaux, le précieux, le maniéré; il vous amuse encore, il vous amusera toujours, parce qu'on sent couler en lui ce vif, alerte, exquis, éternel esprit français, qui est le sang même de notre littérature.

Donc, l'esprit est un de nos charmes, une de nos grandeurs, une de nos gloires, mais à force de l'aimer, nous lui donnons des proportions de vice, et nous finissons par mêler L'ESPRIT COURANT avec L'ESPRIT IMPÉRISSABLE des vrais maîtres, mettant l'un à la place de l'autre, confondant le cri drôle d'un gavroche avec le mot immortel d'un Voltaire. Nous grimaçons souvent en croyant rire. N'est-ce point un peu cela qui a fait dire à Schopenhauer :

« Le reste du monde a les singes, mais l'Europe a les Français. »

(*Le Gaulois*, 19 juin 1881.)

LES POÈTES GRECS CONTEMPORAINS

Il est, par le monde, un coin de pays qu'on pourrait appeler « la Terre glorieuse ». Toute petite, cette terre a enfanté ce qu'il y a de plus grand dans l'univers, les arts, et tous les arts. Avant que l'homme, sur le reste du globe, sût fixer la pensée en ses formes immortelles, de cette parcelle de l'Europe ont jailli, dans une perfection restée inimitable, la poésie, la sculpture, la peinture, l'architecture. Toutes les puissances du cerveau se sont développées là jusqu'à leur splendeur complète.

Pour quiconque se sent artiste, la Grèce est la mère du monde. Toutes les gloires permises à l'homme y sont nées. On dirait que les flots harmonieux de cette mer bleue qui l'enveloppe l'ont fécondée dans tous ses germes de production.

Là-bas, un pauvre, aveugle et vagabond, s'appelait Homère. Les noms des artistes éclos en cette contrée et dans ces temps anciens, résonnent plus sonores aujourd'hui même que ceux de nos plus grands maîtres.

Mais depuis ces jours lointains, des siècles se sont écoulés, des malheurs, la ruine, l'invasion et la servitude ont passé sur ce coin de pays. On l'a cru mort, mort à tout jamais, sous l'odieuse, barbare, féroce domination du musulman.

Il se réveille. Voilà que, de nouveau, comme une graine oubliée qui pousserait dans un sol ravagé, la Poésie sort des ruines entassées sur la Grèce. On chante encore dans la patrie d'Apollon.

Quand j'ai lu ces mots sur la couverture d'un livre : *Poètes grecs contemporains,* il m'est venu la curiosité folle qu'on pourrait éprouver devant le coffret trouvé dans les décombres d'une ville morte, fermé depuis des siècles, et qui contient des choses inconnues.

Que sont aujourd'hui les fils d'Eschyle, de Sophocle, d'Aristophane, d'Euripide? Que peuvent-ils promettre au monde? C'est une femme, Mme Juliette Lamber, qui nous donne cette joie de connaître et de comparer les artistes grecs de cette Renaissance.

Avant de nous présenter ses poètes, Mme Juliette Lamber, dans une introduction très remarquable, très raisonnée et très judicieuse, établit une classification absolument logique des diverses écoles poétiques qui lui paraissent exister en Grèce.

Ainsi que le feraient un physiologiste et un sociologiste elle explique l'origine de ces écoles, les causes de leurs divergences, les sources de leur inspiration. Elle signale, et avec grande raison, l'étude approfondie des origines de ces générations artistiques à des hommes tels que MM. Taine et Herbert Spencer, qui ont donné leur vie à ces recherches sur les milieux, les filières, les enchaînements secrets d'où proviennent les éclosions d'art ou même les simples faits sociaux.

Voici, du reste, en quelques mots, la classification adoptée par Mme Juliette Lamber :

Ecole ionienne

Les îles Ioniennes « sont la partie de la Grèce qui a été le moins foulée par l'étranger, celle, par conséquent, où la race a eu le moins à souffrir ». C'est sur le sol de l'Ionie, en effet, qu'ont vécu les deux plus grands poètes grecs modernes : Solomos et Valaoritis.

Mais les îles Ioniennes ont subi successivement la domination de Venise et celle de l'Angleterre. Les riches habitants de cette contrée envoyaient communément leurs fils faire leurs études en Italie, d'où il résulte que l'inspiration poétique de cette école a subi sensiblement l'influence italienne.

Ecole de Constantinople

Grâce à leur intelligence, beaucoup de Grecs parvinrent à de hautes fonctions sous le gouvernement turc, amassèrent de grandes richesses, et formèrent à Constantinople même une sorte de colonie grecque où naquirent des poètes. D'autres les ont suivis, sortis de la même souche; mais leur inspiration sent toujours la servitude, la crainte constante; elle n'a rien de mâle, d'original, de libre. Ce sont des roucouleurs qui chantent l'amour et le vin, et qui presque constamment imitèrent les littératures étrangères.

« Cette tendance à l'imitation, demi native dans l'école de Constantinople, devint une passion déclarée DANS L'ÉCOLE D'ATHÈNES. Les poètes de cette école, non seulement pour la plupart sont capables d'écrire en langue étrangère, mais ils sont si bien imbus des idées, des sentiments, du faire, de l'inspiration des poètes étrangers, qu'on croirait vraiment qu'ils n'en ont point d'autres. »

A cela deux raisons.

D'abord « cette école a été formée, au début, de Grecs dont la vie presque tout entière s'est déroulée en Occident ».

Ensuite l'*Université* d'Athènes a étendu ses ailes sur cette pléiade de poètes, organisant des concours, imposant une langue morte, apportant dans les plis de sa robe professorale toutes les idées apprises dans les livres d'autrui, toutes les rengaines classiques, tous les enseignements pédantesques des manieurs de férule.

A ce sujet, Mme Juliette Lamber émet un souhait, celui de voir cette Université athénienne changer d'allures, pousser les jeunes écrivains dans une voie large et nouvelle, renoncer aux vieilles idées d'école; et, dans ces conditions, elle croit à l'influence salutaire de cette Université.

Sans connaître la Grèce, je suis bien persuadé qu'il n'y a rien à attendre de ces moyens. Toutes les Universités se ressemblent. Leur caractère propre est de vivre dans le passé, de l'enseigner. Elles ne comprennent et ne comprendront jamais rien aux littératures nouvelles, originales, spontanées. Comment voulez-vous que ces gens, saturés d'antiquité, mûris, confits dans l'admiration exclusive des anciens, admettent les génies nouveaux, qui sont forcément des révolutionnaires, des ravageurs de l'esthétique professée et officielle? Les admirations des Universités sont toujours en retard d'un demi-siècle au moins sur celles du public qui, lui aussi, retarde toujours de quelques années sur le petit bataillon des esprits d'avant-garde, chargés de découvrir et de signaler les voies nouvelles où vont les lettres.

C'est donc dans l'Ecole épirote, « qui mériterait plutôt le nom d'Ecole nationale », que semble concentré ce qui reste du génie grec, gardé, comme une étincelle sacrée au milieu des montagnes inaccessibles, des contrées indomptables, indomptées, toujours en révolte.

C'est de là que repart la jeune sève; c'est en cette école que se fondront les autres, car elle parle la langue populaire et moderne commune à tous les Grecs, elle ne garde nulle trace d'imitation; l'inspiration de ses poètes est bien originale, vraiment grecque.

Après cette exposition fort précise et dont les lignes qui précèdent ne font qu'indiquer les divisions et les traits principaux, Mme Juliette Lamber passe en revue les poètes grecs contemporains et donne des extraits de leurs œuvres principales.

Il ne m'est pas possible de la suivre dans le détail de cette inspection. Tous les curieux de littérature d'ailleurs liront ce livre; et je me bornerai à mon tour à juger dans leur ensemble tous les morceaux qu'on nous offre.

Mais, en ce cas, *juger* est un gros mot; car, ainsi que le dit fort bien l'auteur : « En poésie, tout n'appartient pas à la pensée, et il y a une grande partie du charme de l'expression, de l'art d'associer les mots, de l'harmonie

253

des consonnes, de la délicatesse de la forme, qui disparaît dans toute traduction. » Cela est vrai absolument. Tout ce qui est rythme, sonorité, musique, élégance, bonheur des mots, m'échappe donc. Je n'ai devant moi que la pensée, toute nue, des poètes. Or, la pensée d'un poète, c'est la matière brute, c'est la mine; mais, plus la matière est précieuse, plus l'objet ciselé par l'artiste aura de valeur. L'or est toujours de l'or avant d'être bijou.

Puis, n'y a-t-il pas bien des poètes que nous admirons, malgré les traductions : Shakespeare, le Dante, le Tasse, Byron, Milton, Gœthe, Pouchkine, etc., etc.?

Ce qui m'a frappé surtout dans les poètes grecs contemporains que cite Mme Juliette Lamber, c'est une ressemblance surprenante avec la pléiade française du xvie siècle. Ils n'en diffèrent que par les chants héroïques où ils célèbrent la liberté et maudissent la servitude.

On m'objectera que les poètes de la Pléiade s'inspiraient eux-mêmes directement des anciens Grecs; que cette sorte de parenté vient de là, et encore de ce que toutes les littératures qui naissent se ressemblent, comme les enfants au maillot; c'est à mesure qu'elles grandissent que les dissemblances s'accentuent.

Je n'ai à répondre que ceci :

Quand Ronsard, Remi Belleau et autres se sont mis à chanter les fleurs, la rosée, la lune et les étoiles, les jeunes filles mortes, le dieu Amour et sa mère Cythérée, ils étaient au milieu d'une Europe peu lettrée encore, presque barbare. Ils charmaient un peuple naïf par une grâce un peu mièvre, mais nouvelle, ou plutôt renouvelée, après des siècles de sauvagerie. Leur inspiration se bornait souvent à réciter des sortes de litanies de la nature, où défilaient toutes les choses gracieuses que nous aimons encore aujourd'hui comme on les aimait alors. Cela pouvait suffire en ce temps.

Mais, depuis, de tels poètes ont passé sur le monde, nous avons lu de tels vers, que notre esprit, courbaturé d'admiration, est devenu fort exigeant. Il nous faut de l'originalité, du nouveau, de l'audace et de la force. Nous ne nous retournons plus pour les simples joueurs de guitare.

Chez les poètes grecs de la nouvelle école, je ne distingue pas encore une originalité bien éclatante. Ils vivent trop sur ce champ communal des « choses poétiques » si utile aux débutants.

Or, nous avons appris, grâce à des maîtres comme Hugo, Baudelaire et bien d'autres, que la poésie est partout et nulle part; je veux dire qu'elle n'existe que dans le cerveau des poètes. La nature entière avec l'humanité est devant eux : qu'ils fassent jaillir la source sacrée en frappant où ils voudront. Mais l'homme (et il y en a beaucoup) qui *rechante* éternellement la rosée, les fleurs, la jeune fille morte, le clair de lune, etc., n'est pas un poète. On a extrait de ces choses toute la poésie qu'elles contenaient : il faut trouver autre part. Où? Je l'ignore, c'est affaire au poète.

C'est de ces *ressucées,* de ces *relavages sans fin* que viennent l'insurmontable ennui, la noire monotonie, l'insupportable insignifiance des innombrables recueils poétiques pondus chaque année par les Chérubins de la littérature française.

Si l'Académie voulait faire de bonne besogne (et elle n'en fera pas), il faudrait qu'elle dressât une liste des mots et des choses poétiques dont il serait défendu aux poètes de se servir désormais. Plus de perles de rosée, plus de lune argentée, plus de blondes jeunes filles, plus d'étoiles d'or. Cela nous donne des nausées comme si nous avions une indigestion de sirops.

C'est qu'il est difficile d'être poète aujourd'hui; après tant de maîtres. Il faut briser les chaînes de la tradition, casser les moules de l'imitation, répandre les fioles étiquetées d'élixirs poétiques, et oser, innover, trouver, créer! On a ramassé, pour les sertir, toutes les pierres fines qui traînaient au soleil; mais il en est d'autres assurément, plus cachées, plus difficiles à voir. Cherchez, poètes, ouvrez la terre : elles sont dedans; remuez les fanges si vous les croyez dessous; fouillez partout

255

dans les profondeurs, car toutes les surfaces ont été retournées.

C'est cette recherche acharnée du *nouveau,* de l'*originalité dans l'invention,* que je ne vois pas encore très accentuée chez les poètes grecs contemporains. Ils célèbrent leur patrie avec talent et répètent, avec beaucoup de grâce il est vrai, trop de lieux communs. Quelques-uns pourtant montrent une allure très personnelle et très franche, un vrai souffle. Mais ils ont de tels ancêtres qu'il ne leur est pas permis de ressembler à tous les poètes qui chantent sur la terre l'amour et la liberté! Mme Juliette Lamber, d'ailleurs, reconnaît elle-même que les poètes grecs contemporains ne font que préluder encore. Mais elle constate que le génie poétique vit, toujours ardent, dans ce peuple; elle indique de quels germes éparpillés va sortir l'école nouvelle qui deviendra l'école grecque moderne; elle pressent, annonce les artistes qui vont naître sur cette terre inépuisable; et tous les fragments qu'elle cite, non comme des chefs-d'œuvre, mais comme de grandes promesses, me donnent la conviction qu'elle ne se trompe pas.

(*Le Gaulois,* 23 juin 1881.)

VIVE MUSTAPHA!

Il est bien difficile, vraiment, de se fier aux renseignements que nous fournit la presse française. Au moment où nos troupes marchaient vers Tunis, à travers le pays qu'on suppose encore être celui des Kroumirs, des journalistes, assurément mal intentionnés, ont fait courir des bruits fâcheux sur le sympathique Mustapha-ben-Ismaïl, que nous possédons aujourd'hui dans nos murs.

On racontait une histoire à peu près pareille à celle de la grande-duchesse de Gerolstein, nommant d'un seul coup général un beau garçon. Le Bey, semblable en cela aux vieux célibataires qui ne veulent être servis que par de jolies bonnes, aurait fait son premier ministre d'un petit, tout petit employé du palais, séduit par sa grâce et sa bonne mine.

On ajoutait que le jeune ministre avait pour nous une médiocre amitié, et qu'il l'avait plus d'une fois prouvé à notre consul.

On accuse vite en France. On tourne vite aussi. La même presse, aujourd'hui, n'a point assez d'encensoirs pour notre gracieux visiteur, qui est devenu notre ami, le meilleur de nos amis, depuis que le képi galonné du général Bréart a franchi les portes de Tunis.

**

Que croire? Les articles d'alors ou ceux du jour? On me dira : « Cela n'a point d'importance. Mustapha est notre hôte, il est de bon goût de ne lui faire entendre que des paroles aimables. » Très bien, j'admets cette raison; cependant, moi, lecteur, abonné du journal, je demande à être renseigné, bien renseigné, jamais trompé par ma feuille.

Mustapha est notre hôte, c'est vrai; mais, si j'avais la fantaisie d'aller demain me promener à Naples, je serais l'hôte de l'Italie, ce qui n'empêcherait point nos deux voisins de m'en faire entendre de belles. Ce n'est pas moi qui l'ai invité, ce ministre tunisien. — Mais, au fait, qui l'a invité à venir nous voir? Est-ce M. Grévy? Je ne crois pas; on dit même qu'il a paru un peu surpris de sa visite. Est-ce M. Duhamel, le secrétaire intime de M. Grévy? Ce n'est pas non plus vraisemblable. — M. Duhamel, qui jouit de toute l'amitié de son président, ne doit point voir d'un très bon œil le nouveau venu. Songez donc : on dit le jeune ambassadeur si charmant, si séduisant! On raconte qu'il a si complètement conquis la faveur de son maître! On affirme que son pouvoir sur le Bey est si complet, qu'un nouveau cas de séduction peut se produire.

C'est bien incroyable, je l'avoue. Mais enfin, il faut toujours craindre, et je suis persuadé que le secrétaire de M. Grévy n'aurait aucun goût pour aller remplacer Mustapha près du Bey, en laissant à l'Elysée son heureux rival. Il est possible aussi que le Bey préfère les services de son ministre à ceux de M. Duhamel.

Qui donc a invité Mustapha? M. Gambetta. Non. — Dans quel but? — Autour de M. Gambetta, qui peut être intéressé à la visite du Tunisien? — Trompette? — Allons donc, quelle folie! — Mais pourtant?... Non, vraiment, ça n'a pas le sens commun.

Je ne trouverai pas, décidément. J'y renonce. Ainsi Mustapha est notre hôte. Soyons Ecossais. Je ne sonderai point ses reins, mais je veux savoir, moi lecteur, abonné du journal, pourquoi les journalistes ont si vite changé d'allure à son égard, même avant qu'il eût mis le pied sur le sol de la France.

Cherchons. Relisons les récits des feuilles. Mustapha monte sur la *Jeanne d'Arc*. Il donne des brillants au capitaine, des brillants aux seconds, des brillants à droite, des brillants à gauche. Ah! diable. Est-ce que je brûlerais? — Puis on parle d'une petite décoration vert et rouge dont il aurait apporté des milliers! — Tiens, y serais-je? — Il arrive, il arrive. Les reporters sont là, presque le front par terre, comme en Orient, et ils murmurent quelque chose. — Quoi? Mustapha a bien entendu, lui; car sur son passage chacun, sur des tons différents, répète sans fin la même phrase. Les commissionnaires des gares, les cochers de fiacre, les garçons d'hôtel, tous, ils disent d'un air humble, ainsi que les pauvres à la porte des églises : « Un petit Nicham, s'il vous plaît! » Comme on dirait : « Un petit sou! » Les pauvres ajoutent ordinairement : « Le bon Dieu vous rendra ça. » Les reporters, eux, ont une autre formule; la voici : Le journal vous revaudra ça en bonne copie.

L'hospitalité écossaise commence.

Le prince (il paraît qu'il est prince) avait annoncé son intention d'aller aux Halles en arrivant. Un journal très subtil, très rusé, très prévoyant, dément cette nouvelle. « Si vous allez aux Halles, Excellence, que ce soit incognito. Autrement on pourrait rire, faire des allusions. Qui sait? Le peuple français est *blagueur,* on vous appellerait peut-être cuisinier, histoire de plaisanter. Il ne faut pas marcher en aveugle à travers Paris, nous serons votre caniche, Excellence. Nous savons exercer les devoirs de l'hospitalité, que diable! Un petit Nicham, s'il vous plaît! »

« Nous savons, d'ailleurs, ce qu'on doit dire à des princes étrangers, qui ont des décorations dans leurs poches. D'abord, vous aimez les arts, n'est-ce pas? —

Non. — Si, pardon, vous les aimez. Allez à l'Opéra. Nous parlerons de votre goût éclairé pour la musique. Vous avez bien entendu quelquefois un orgue de Barbarie, n'est-ce pas? — Non. — Alors, une boîte à musique? — Je sais que le Bey possède une boîte à musique superbe dont il joue un petit air à ses ministres quand ils ont bien travaillé. — Ça suffit. Vous adorez la musique. Vous verrez, d'ailleurs; lisez le journal, demain. »

Ainsi de suite.

En récompense des éminents services rendus par lui de tout temps à la France, le gouvernement pense à le nommer, paraît-il, grand officier de la Légion d'honneur. C'est une gloire pour cet ordre, en général, et pour chaque grand officier en particulier. Quelqu'un, cependant (d'après des rumeurs perfides), aurait prétendu qu'une simple rosette suffirait à l'Excellence africaine. On accuse même un intime de l'Elysée d'avoir soutenu cette opinion. Une basse jalousie seule pouvait inspirer ce malveillant.

**

Quant à vous, mes frères, qui remplissez avec dignité le sacerdoce de dire chaque jour vos pensées à la foule crédule qui vous lit, continuez à célébrer, tous les matins et tous les soirs, en style fleuri, l'envoyé charmant du Bey. Etudiez ses gestes; écoutez sa voix musicale, suivez ses pas, apprenez ses goûts, dépeignez-nous tout cela avec enthousiasme; soyez présents à son lever, à ses repas, à son coucher! On avait affirmé dernièrement que son ignorance était tout orientale et princière, et que la *Cuisinière pratique* constituait le seul ouvrage européen qu'il eût lu. Démentez, mes frères, démentez! S'il achète le *Bon Jardinier* de Vilmorin pour cultiver les œillets du Bey, racontez qu'il s'est enseveli sous des traités de *Haute Agriculture*.

S'il se fait apporter à son hôtel une boîte de physique amusante ou quelque poupée nageuse pour les petits garçons qu'on élève au Bardo, annoncez bien vite qu'il a visité les cabinets de physique et qu'il étudie la mécanique. Dites (cela fait toujours bien) qu'il a demandé à M. Grévy la grâce de tous les détenus condamnés pour vagabondage nocturne sous les ponts. Jurez qu'il est d'illustre origine — comment diable n'avez-vous pas encore pensé à établir son auguste généalogie? — Cela d'ailleurs apaisera les scrupules tardifs de M. Mollard. Comparez-le à la comète qui vient d'apparaître en notre ciel. Ça c'est une mine.

Encensez-le de tous les côtés. Affirmez-lui que nous tous, qui n'avons pas eu l'honneur de l'approcher, nous l'aimons de loin, sans le connaître, et que nous sommes fous de joie à la seule pensée qu'il daignera honorer de sa présence notre grande fête du 14 juillet. — Faites cela, vous dis-je, et vous recevrez, soyez-en sûrs, tout comme M. Vaucorbeil, Trompette et M. Grévy, la croix du Nicham-Iftikar, — ce que je vous souhaite à tous; — ainsi soit-il.

(*Le Gaulois,* 30 juin 1881.)

ZUT!

Joseph!

— Monsieur?

— Ma lance et mon bouclier!

— Monsieur dit?

— Je te demande ma lance et mon bouclier.

— Mais, monsieur...

— Dépêche-toi, maraud, et dis à mon valet de seller mon bon cheval de bataille. Il paraît qu'on nous insulte là-bas, en Italie, et j'irai, par la sambleu! leur clouer la langue au palais avec le fer de ma lance, à ces lazzaroni braillards.

***

Tel est peut-être le dialogue que beaucoup de bourgeois pacifiques ont eu avec leur *larbin* après avoir lu l'autre jour, dans ce journal, l'appel guerrier d'un chroniqueur.

Il était retentissant et fier, cet appel. Il sonnait bien, et a dû remuer des courages endormis. Moi-même, au premier moment, j'étais prêt à demander ma lance et mon bouclier. Je me disais : « Ah! on nous insulte là-bas; ah! on crie : A bas la France! Nous allons voir, voisins, nous allons voir! »

Et je me mis sur mon séant.

Le soleil magnifique entrait par ma fenêtre ouverte. Des chants d'oiseaux passaient dans l'air limpide. Le murmure du fleuve qui coule devant ma porte montait jusqu'à mon lit avec les bruits vagues de la campagne.

Tous les livres autour de ma chambre reposaient sur leurs rayons; et, sur ma grande table, le roman commencé s'arrêtait au milieu d'une page blanche inachevée la veille au soir... Je me dis alors : « Mais... au fait, est-ce qu'on nous insulte tant que ça? » J'avais encore un peu sommeil, et, en me renfonçant dans mon lit et en refermant les yeux, je pensais : « Non, je ne me sens pas insulté, moi. » Je me fouettai avec des idées héroïques, avec tous les grands sentiments d'autrefois, avec le patriotisme. Je ne vibrais pas, décidément. — Je me rendormis.

*

Lorsque je me fus habillé, je raisonnai de nouveau :

— Peut-être suis-je un monstre dans la nature, un sans-cœur, un gueux. Il faut prendre l'avis des autres.

Justement, au bord du fleuve, un monsieur qui paraissait construit comme tout le monde, et dont le visage ne semblait point celui d'un misérable, pêchait placidement à la ligne. Je m'approchai et, le saluant poliment :

— Pardon, monsieur, si je vous dérange.

Il répondit :

— Faites, monsieur.

Alors, encouragé, j'ajoutai :

— Vous sentez-vous insulté, monsieur?

Lui, stupéfait, demanda :

— Par qui?

Alors, avec une grosse voix que j'essayais de rendre héroïque, je lui criai dans la figure :

— Par les Italiens, morbleu!

Il répondit doucement :

— Est-ce que vous êtes fou? Je m'en bats l'œil, des Italiens. Alors j'entassai les raisons, je multipliai les périodes belliqueuses, je cherchai les effets, l'épiant pour voir s'il vibrait. Oui, il semblait vibrer; son œil

263

s'allumait, sa ligne tremblait dans sa main; puis soudain il se retourna vers moi, le visage enflammé, la lèvre frémissante. Je pensai : « Ça y est! » Ah! bien oui! Exaspéré, il me hurla sous le nez :

— Allez-vous me ficher la paix, vous, avec vos histoires? Vous ne voyez donc pas que ça mord, sacré bavard!

Je n'avais qu'à me retirer. Ce que je fis.

Mais, poursuivi par mon idée, je pris dans le jour un train pour Paris. Sur le boulevard, un de mes amis vint à moi. C'était justement ce qu'on appelle un mauvais coucheur. Je lui demandai :

— Eh bien! te disposes-tu à partir en guerre?

Il répondit, surpris :

— De quelle guerre parles-tu?

Je simulai la stupéfaction indignée :

— Mais de la guerre avec l'Italie. On nous insulte là-bas tous les jours.

Il répondit :

— Je m'en fiche un peu, de l'Italie. Quand ils auront fini de crier, ils se tairont; ce sont des hâbleurs grotesques.

Je le quittai.

Vingt pas plus loin, je me trouvai en face d'un ex-membre de la Commune dont l'esprit aigu me plaît beaucoup, je l'avoue. Il a, du reste, un superbe talent d'écrivain, c'est un maître. Il s'est battu comme un forcené pour sa cause; et l'indépendance absolue de sa pensée, son mépris des formules et des croyances toutes faites, le rendent même suspect à ses frères. Je lui demandai : « Et l'Italie, qu'en pensez-vous? Ce sera la guerre, n'est-ce pas? C'est inévitable maintenant ». Il répondit : « Bast! est-ce assez bête, tout ça, Tunis et le reste! » Puis, après un mouvement de réflexion, il ajouta : « Qu'ils se battent s'ils veulent pour ces niaiseries-là. Moi, je me réserve pour la guerre civile! »

La drôlerie de cette réponse m'amusa, et je partis, mon enquête finie.

**

Mais en route je réfléchis à cette phrase : « Moi, je me réserve pour la guerre civile ». Cela paraît monstrueux d'abord. Toutes les antiques déclamations vous reviennent à la mémoire : « La guerre entre concitoyens, entre gens parlant la même langue, entre frères, c'est horrible ». Puis peu à peu, en raisonnant, on change d'avis ; on arrive à écarter les rengaines philosophiques, on pense tout seul, et on se dit : « Mais il a raison, cet homme, mille fois raison! Une seule guerre est logique, la guerre civile. Là au moins, je sais pourquoi je me bats ».

Les vraies haines sont les haines de famille, les haines entre proches, parce que tous les intérêts sont en jeu; les vraies guerres sont entre concitoyens, par la même raison : parce qu'on est en lutte tous les jours, à toutes les heures, parce que tous les sentiments humains sont remués, l'envie, les rivalités incessantes, etc. C'est le « ôte-toi de là que je m'y mette » appliqué. Oui, la guerre civile est logique. Mais l'autre, non. Est-ce que je les connais, les Italiens? Avons-nous des intérêts communs? Je n'aime pas le macaroni, moi. Qu'est-ce que j'irais faire chez eux? On me répond :

— Mais ils t'insultent, malheureux!

— Eh bien, tant pis pour eux. Ça prouve qu'ils ont du temps à perdre.

Et je me rappelai deux ouvriers que j'avais vus se quereller quelques jours auparavant.

L'un furieux, gesticulant, bavant, au milieu d'un groupe placide, criait à l'autre : — « Fainéant, t'es un fainéant, un rien-du-tout, un lâche, t'es un lâche; je vais t'enlever le nez, entends-tu, fainéant! » — L'autre, très calme, appuyé sur sa pelle, écoutait, et quand son adversaire vociférait : « je vais t'enlever le nez », il se contentait de répondre d'une voix tranquille : « viens-y donc, viens-y donc! » L'énergumène hurlait, mais n'avançait pas; puis soudain, se tournant vers ses camarades, il leur dit d'une voix presque calmée : « Retenez-moi, vous autres, ou je ferai un malheur ». Comme les autres ne le retenaient pas, il s'en alla. Je regardai l'insulté se remettre à sa besogne et je pensai : « — Comme cet homme est sage, et digne en même temps, maître de lui et supérieur ! Quand donc les peuples dont l'honneur collectif me paraît chose bien problématique, auront-ils cette raison et ce calme ? »

***

Eh bien, la France vient d'avoir ce calme et cette raison ! Ce que ressent notre peuple en ce moment, c'est plus que de l'indifférence pour des braillards, c'est le mépris de la guerre elle-même. Les grands souffles héroïques sont finis : nous sommes devenus, heureusement, des hommes de raisonnement et non plus des hommes d'emportement. Les airs de bravoure ne portent plus, les périodes magnanimes restent sans effet. Quand on nous crie : « je vais t'enlever le nez », nous répondons tranquillement : « Viens-y donc ! », qu'on y vienne.

Et je trouve cela beau, moi, très beau. Le Moyen Age — enfin — est enterré, messeigneurs ; tant mieux. Je n'ai jamais aimé cette période d'estoc et de taille, et d'imbécillité. Les rustres blasonnés, couverts de leur armure, me mettent dans le nez une sensation de mauvaise odeur effroyable ; et, au lieu de m'exalter sur leurs grands coups d'épée, je pense à l'infection que devaient répandre ces hauts barons quand ils sortaient de la marmite héroïque où ils avaient cuit tout le jour.

Nous devenons calmes, tant mieux. Est-ce que le ridicule chauvinisme s'affaiblirait ? Et voilà que, pour la première fois, il me vient une sorte d'estime pour un gouvernement. (Je ne parle pas de sa représentation, mais de la forme même du gouvernement.) Est-ce à la République que nous devons cette sagesse de la population entière ? — Sous les monarchies, des hurlements frénétiques sortaient de toutes les bouches dès que le mot « guerre » était prononcé. Sous la République, nous regardons, indifférents, et nous attendons, tranquilles! A quoi cela tient-il? Je n'en sait trop rien; je constate un progrès surprenant, voilà tout.

Pas de guerre, pas de guerre, à moins qu'on ne nous attaque. Alors, nous saurons nous défendre. Travaillons, pensons, cherchons. La gloire du travail seule existe. La guerre est le fait des barbares. Le général Farre a supprimé les tambours dans l'armée; supprimons-les aussi dans nos cœurs. Le tambour est une plaie de la France. Nous en battons à tout propos.

Et des ministres viendront qui supprimeront les canons, plus tard, bien plus tard.

Quant à moi, la vue d'une simple tondeuse mécanique m'intéresse, m'empoigne et me séduit infiniment plus que celle d'un régiment qui passe, musique en tête et drapeau au vent.

(*Le Gaulois*, 5 juillet 1881.)

LETTRE D'AFRIQUE

Mon cher directeur,

J'apprends que plusieurs journaux algériens ont répondu avec aigreur à mes chroniques sur l'Algérie. Comme je me suis trouvé presque toujours en route, aucun de ces articles ne m'est tombé sous les yeux. Je n'en ai entendu parler que par des étrangers, et il m'est fort difficile, par conséquent, de savoir au juste ce qu'ils contenaient.

Voici pourtant, à ce que je crois, les points sur lesquels on m'a le plus critiqué. J'ai écrit que le monde jetait en Algérie ses aventuriers. Là-dessus, un journal local m'a répondu : « Aventurier vous-même ! » L'argument m'a réjoui et m'a ouvert des horizons. Comme j'ai l'intention d'ajouter à mes critiques sur l'Algérie celle de la détestable cuisine qu'on mange en ce pays, je m'attends à lire dans quelques jours d'autres injures analogues à la première, et je frémirai certainement en apprenant que je suis moi-même un mauvais cuisinier ou un détestable coiffeur, si je proteste contre la façon dont on m'a coupé les cheveux. Quant au fond de la question, je mets en fait qu'il est impossible de passer une demi-journée avec un Algérien intelligent et aimant l'Algérie sans l'entendre s'élever avec violence, et peut-être avec raison, contre le flot d'aventuriers étrangers qui s'est jeté sur son pays.

Que ne dit-on pas contre les Espagnols qui peuplent toute la province d'Oran, contre certains Italiens dont l'argent coûte cher à ceux qui sont gênés, et contre les juifs cosmopolites dont l'extermination par les Arabes suivrait de près sans doute, celle des alfatiers espagnols si les Français cessaient soudain d'occuper le pays.

A propos des alfatiers espagnols massacrés, permettez-moi d'ouvrir une parenthèse. Je viens de parcourir tout le pays qu'ils occupaient, et j'ai beaucoup entendu parler d'eux par des gens assurément impartiaux et qui se désespéraient de la fuite des survivants. Or, voici ma conviction : si on les a tués, c'est leur faute bien plus encore que la nôtre.

L'histoire nous a appris comment l'Espagnol se comporte ordinairement en pays conquis : avec quelle violence il traite les vaincus.

Eh bien, il me paraît évident que les alfatiers ont suivi en Algérie leur coutume nationale; et qu'il n'est point de durs traitements qu'ils n'aient infligé aux Arabes dont ils occupaient le territoire et qu'ils privaient de travail en accaparant la cueillette de l'alfa. Ce sont les tribus au milieu desquelles vivaient ces étrangers qui les ont massacrés, et non les cavaliers de Bou-Amama. Or, aucun Français n'a été tué; la ligne du chemin de fer qui traverse le pays n'a point été endommagée; et les personnes forcées par leurs fonctions de parcourir cette contrée m'ont affirmé qu'elles se seraient estimées beaucoup plus en sûreté au milieu d'une tribu insurgée qu'au milieu d'un de ces groupes d'alfatiers qui vivaient isolés sur les hauts plateaux. Quoi d'étonnant à cela? ces émigrés étaient pour la plupart le rebut de leur nation. C'est la règle, d'ailleurs; ce que rejette un pays ne constitue pas ordinairement ce qu'il possède de meilleur. Des Espagnols établis en Algérie, et fort bien vus sous tous les rapports, ne m'ont pas paru éloignés de penser ainsi.

D'où je conclus que les revendications de l'Espagne, très fondées en principe, le sont, en fait, beaucoup moins.

Or, s'il arrivait que des Français, tentés par l'argent qu'on peut gagner dans l'industrie de l'alfa (dans les ateliers d'Aïn-el-Hadjar, les femmes sont payées jusqu'à cinq francs par jour), s'il arrivait, dis-je, que des Français, tentés par ces bénéfices, émigrassent à leur tour et vinssent en foule ici, vous entendriez les Espagnols pousser bien d'autres cris, car ils attendent, ces fugitifs, que la question d'indemnité soit réglée entre les deux pays, et nous ne tarderons pas à les voir revenir en plus grand nombre encore qu'auparavant.

On m'a reproché, en outre, d'avoir affirmé que la France envoyait ici ses fonctionnaires avariés. Il n'en est plus ainsi, paraît-il. Tant mieux. Je voudrais bien seulement savoir s'il en a été ainsi et si on n'a pas, pendant longtemps, livré la colonie à bon nombre d'autorités d'un placement difficile dans la mère patrie.

Au fond on m'en a surtout voulu, je crois, de la sympathie que l'Arabe m'a inspirée à première vue, et de l'indignation qui m'a saisi en découvrant quels sont les procédés de civilisation qu'on emploie envers lui.

Nous n'avons, à Paris, aucun soupçon de ce qu'on pense ici.

Nous nous imaginons bonnement que l'application du régime civil est l'inauguration d'un régime de douceur. C'est, au contraire, dans l'espérance de la plupart des Algériens, le signal de l'extermination de l'Arabe. Les journaux les plus hostiles au système des bureaux arabes publient à tout instant des articles avec des titres comme celui-ci : « Plus d'arabophiles ! », ce qui équivaut à ce cri : « Vivent les arabophages ! » Le mot d'ordre est : « Extermination ! » la pensée : « Ote-toi de là que je m'y mette ! » Qui parle ainsi ? — Des Algériens d'Alger qui dirigent les affaires à la place du gouvernement. Ils n'ont point vu d'autres Arabes que ceux qui leur cirent les bottes : ils font de la colonisation en chambre et de la culture en gandoura.

Ont-ils parcouru leur pays ? — Jamais. Ont-ils passé huit jours dans un cercle militaire ; puis huit jours dans une commune, auprès d'un administrateur civil, pour se rendre compte de la façon dont les deux principes sont appliqués? — Jamais. Ils crient : « L'Arabe est un peuple ingouvernable, il faut le rejeter dans le désert, le tuer ou le chasser; pas de milieu. »

Alors on part pour l'intérieur du pays avec les idées que les journaux algériens vous ont inculquées. On gagne un cercle militaire et on se présente chez ces légendaires capitaines de bureaux arabes, ces ogres féroces, ces monstres, ces spoliateurs!!! On trouve des hommes charmants, instruits, pleins de réflexion, de douceur et de pitié pour l'Arabe. Ils vous disent : « C'est un peuple enfant qu'on gouverne avec une parole. On en fait ce qu'on veut, il suffit de savoir le prendre. » Et savez-vous ce qu'ils font, ces capitaines de bureaux indigènes? — Ils défendent l'Arabe contre les vexations et les exactions du colon.

Alors vous dites : « Je comprends : c'est un rôle nouveau qu'ils jouent pour faire pièce à l'autorité civile. C'est de bonne guerre. Allons voir la boutique à côté. Et on se rend dans un pays gouverné par un administrateur en redingote. A vos questions, il répond : « Oh! mes idées ont bien changé depuis que je suis ici. A Alger, je pensais tout autrement. Avec de la justice et de la fermeté, de la bienveillance sévère, on fait ce qu'on veut de l'Arabe. Il est docile et toujours prêt pour les corvées. Il tient de l'enfant et de la femme. Il suffit de savoir le prendre. »

La stupéfaction vous saisit. Et on s'écrie : « Alors nous sommes terriblement coupables. Comment! ce peuple qu'il suffit de surveiller avec soin, les citadins ne parlent de rien moins que de l'exterminer et le chasser au désert, sans s'occuper de la façon dont on le remplacera. »

Il se révolte, dites-vous; mais est-il vrai qu'on l'exproprie et qu'on lui paie ses terres un centième de ce qu'elles valent? Il se révolte. — Est-il vrai que, sans raison, même sans prétexte, on lui prenne des propriétés qui valent environ soixante mille francs et qu'on lui donne comme compensation une rente de trois cents francs par an?

On lui a reconnu le droit de parcours dans SES FORÊTS, seul moyen qui lui reste de faire paître ses troupeaux quand toutes les plaines sont séchées par le soleil et quand on lui a fermé l'entrée du Tell; mais est-il vrai que l'administration forestière, la plus tracassière et la plus injuste des administrations algériennes, ait mis alors la presque totalité de ces forêts en défense et fasse procès sur procès aux pauvres diables dont les chèvres passent les limites, limites que peut seul apprécier l'œil exercé des forestiers?

Alors qu'arrive-t-il? les forêts brûlent.

Elles brûlent en ce moment partout : des milliers d'hectares sont dévorés, des parties du pays sont ruinées par le feu. On a vu, de loin, les incendiaires. Et on crie : « Extermination! » Mais, c'est justement quand on l'extermine qu'il se révolte, ce peuple.

Ce que je dis là, du reste, il n'est peut-être pas un officier du bureau arabe qui ne le pense et ne le dise à l'occasion.

Mais à Alger, les gens sédentaires et compétents ne voient que les torts et les vices de l'Arabe. Ils répètent sans fin que c'est un peuple féroce, voleur, menteur, sournois et sauvage. Tout cela est vrai. Mais, à côté des défauts, il faut voir les qualités.

J'aurais peut-être cédé moi-même et accepté enfin la manière de voir des fougueux Algériens, si je n'avais appris tout à coup, par l'article virulent d'un petit journal local, qu'il se fonde en ce moment, à Paris, une société protectrice des indigènes algériens.

A la tête de cette société, on voit les noms de MM. de Lesseps, Schœlcher, Elisée Reclus, etc., etc.

Or, si les indigènes ont tant besoin d'être protégés, c'est donc qu'on les opprime. Qui les opprime? Ce n'est pas moi assurément. Alors c'est l'Algérien. Vraiment, si des hommes comme MM. de Lesseps et Elisée Reclus reconnaissent qu'il faut secourir ce peuple, à la façon des animaux que protège la loi Grammont, c'est qu'il est bien nécessaire de venir à son secours.

Ici, dans l'intérieur, tout à fait au sud de la province où je me trouve en ce moment, les Algériens sortis d'Alger admettent parfaitement l'utilité de cette société.

J'ai dit également qu'on perdait en ce pays la notion du droit. C'est tellement vrai que je n'ai pu m'empêcher de rire à mon tour en voyant un conducteur de voiture payer à coups de matraque deux perdrix achetées à un Arabe. Ici, on s'accoutume à l'injustice, tant on vit dans l'injustice; mais je défie un Français quelconque de ne pas s'indigner véhémentement s'il passe, comme je viens de le faire, vingt jours sous la tente, au milieu des Arabes, allant de tribu en tribu.

Et cependant, les bureaux arabes sont animés d'un esprit de justice qui m'a fortement surpris; les administrateurs civils sont, pour la plupart, dans les mêmes idées. Mais, que voulez-vous? l'habitude est prise, et Alger pousse à la roue.

Pardon pour cette longue lettre. Je pars pour l'oasis de Laghouat, et je suivrai ensuite le sud de la province d'Alger et de Constantine par Aïn-Rich et Bou-Saada. On dit que les tribus de ce côté sont travaillées et qu'un mouvement aura lieu dès la fin du Ramadan. Je vous parlerai incessamment de ce pays, dont il n'existe même aucune carte et que bien peu de voyageurs ont visité. Les officiers des bureaux sont presque seuls à le connaître. C'est avec deux officiers que je pars.

(*Le Gaulois*, 20 août 1881.)

VA T'ASSEOIR!

Quel triste métier, vraiment, que celui d'homme politique! Je ne veux point parler, bien entendu, des saltimbanques de la chose, de ceux qui font uniquement du trapèze avec les élections. Ceux-là ne sont jamais à plaindre, quoi qu'il arrive, et ils forment assurément la grosse majorité des Parlements. Petits journalistes sans talent, petits avocats sans murs et sans veuves, petits médecins sans moribonds, ils demandent à un métier facile d'ascamoteur le pain que ne donnent point aux avortés les professions naturelles. Le procédé est commode. Dès qu'ils se sentent impuissants dans les fonctions normales que remplissent les simples bourgeois, ils se mettent à crier, d'une voix claire et retentissante : « Vive le peuple! »

Rien que ça. On leur demande leurs idées, leur programme, leurs croyances. « Vive le peuple! » Au Parlement, ils servent, dans chaque discussion, un gros « Vive le peuple! » avec quelques légumes autour. S'ils sont menacés, ils descendent dans la rue en hurlant : « Vive le peuple! » Et lui, le peuple malin, se dit : « Pourvu qu'ils crient toujours comme ça, ça me suffit, à moi. »

Mais ils vieillissent. Leur voix s'éraille, grouille dans leur gorge; et ils s'époumonent encore à grogner, sur le ton enroué des ivrognes à perpétuité : « Vive eul' peupe! »

Et le peuple rit. Il les reconnaît à l'intonation et

murmure : « Ça, c'est un solide ; votons pour lui. » Et il vote.

Ainsi l'on voit, du berceau à la tombe, siéger les mêmes ganaches ânonnantes et sans cesse furibardes, qui perdent un à un tous leurs cheveux sur le dossier du même fauteuil, au Parlement. Elles deviennent alors les vieilles barbes, les vieilles barbes, immortelles tout comme les principes de 89. La pépinière est fournie, ne nous occupons point de ceux-là. Parmi les jeunes siégeant aujourd'hui, il y en a qui siégeront encore dans quarante ans.

Parlons des autres, des convaincus, des naïfs, des honnêtes, de ceux qui croient à la politique, au peuple, aux principes, au progrès, à la sagesse, à la puissance de la raison, à toutes les blagues sonores et vénérables, qui forment le fond de la malle politique d'un républicain sincère.

Oh ! les pauvres diables, quelle tête piteuse ils doivent faire le jour où le peuple souverain leur dit plaisamment, dans un moment de caprice et de gaieté : « Va t'asseoir ! »

Ils ont travaillé avec conscience, étudié, pioché : ils sentent vraiment battre leur cœur en prononçant ce mot « la République » ; car ils ont collaboré à sa naissance et à son élevage ; et voilà que ce grand Manitou de suffrage universel leur crie au nez : « Va t'asseoir. »

Et ils vont s'asseoir au milieu de leurs familles abasourdies. Ils rentrent dans leurs foyers à la façon des troupiers réformés pour infirmité quelconque.

Oh ! le misérable député que les électeurs viennent d'envoyer s'asseoir ! Il a l'aspect aplati et navrant d'un ballon crevé, tombé du ciel.

Il lui reste, pour toute consolation, la faculté de faire imprimer sur ses cartes de visite : « M. X..., ex-représentant du peuple. » — Mais il est devenu celui dont on dit avec un sourire : « Vous savez bien, c'est ce pauvre X..., l'ancien député. — Ah ! oui, va t'asseoir. »

Et il me semble les voir, en ce moment, assis par tous les départements de France, ces lamentables Refusés, qui regardent d'un air piteux partir pour Paris leurs rivaux, avec un chapeau neuf et des papiers sous le bras.

***

Voici un exemple remarquable : M. Gambetta. On peut l'aimer ou ne point l'aimer, mais il me semble impossible de contester qu'il possède plus que tout autre, aujourd'hui, la science et l'instinct politiques. Je ne nie pas qu'il puisse être une graine de despote, et qu'il ait montré en bien des occasions des tendances fort autoritaires. Je ne nie pas qu'il semble, à un moment donné, avoir rêvé le rôle dangereux de sauveur, et projeté, au milieu d'une sorte d'enivrement de puissance, d'acquérir aussi la gloire militaire en nous restituant les provinces perdues.

Aucun homme n'est infaillible. En est-il moins vrai qu'il a rendu au parti républicain d'immenses services; qu'il a écrasé ses adversaires politiques en sachant rallier autour de lui les combattants inquiets dans les moments difficiles; qu'il a été habile, rusé, audacieux quand il le fallait, et toujours clairvoyant? On lui devait au moins beaucoup de respectueuse reconnaissance. Mais voilà! En sa conscience d'homme politique, il a cru devoir marcher dans une voie déterminée. Il a cessé de crier uniquement : « Vive l' peupe quand même! » et son peuple (couche Charonne-Belleville) vient de lui dire, tout bas, il est vrai : « Va t'asseoir, mon vieux, et ne te le fais pas répéter! » C'est une sorte d'avertissement sans frais. A bon entendeur, salut!

Et lui, tout surpris, reste là, se demandant si c'est pour rire ou pour *de vrai*, s'il doit s'asseoir ou demeurer debout. — « C'est pour DE VRAI, monsieur; le peuple souverain ne rit pas. Choisissez-en bien vite une autre couche ou résignez-vous à vous asseoir. »

***

M. Vallès me semble plus malin. Ce romancier d'un grand talent et d'un grand esprit a choisi pour électeurs des gens qu'on a envoyés eux-mêmes s'asseoir d'une façon définitive, les fusillés de la Commune. L'idée est drôle et peut être prise par les deux bouts, côté comique ou côté sérieux, à volonté. Je soupçonne M. Vallès d'être au fond un grand sceptique, un pince-sans-rire communardo-farceur.

Je ne puis songer à lui sans me rappeler le mot d'un ex-membre de la Commune, à qui je montrais dernièrement, de loin, la Chambre des députés, en lui disant :

— Eh bien, pétroleur, quand donc entrez-vous là ?

Il me répondit en riant :

— Je n'y entrerai jamais que pour flanquer des coups de pied... à ceux qui y sont ou y seront.

En voilà encore un qui n'ira point s'asseoir.

J'ai dit que M. Vallès me paraissait être un grand sceptique. J'en prends pour preuve son très remarquable livre publié au printemps : *Le Bachelier*. Personne n'ignore que l'écrivain a raconté sa propre histoire. Lisez-la. Vous verrez comment monte le dégoût des choses politiques ; comment les formules consacrées, les principes stupides et immortels, la bêtise, l'intolérance, l'aveuglement, l'étroitesse d'esprit des doctrinaires de tous les partis, finissent par tuer la confiance, l'espérance, le courage et l'enthousiasme des cœurs exaltés.

M. Vallès est assurément resté fidèle à son amour pour la justice théorique, pour la révolution intègre et vengeresse ; mais comme il la rêve autre qu'elle ne peut être, et comme on le sent, lui, à jamais déçu dans sa foi, à jamais dégoûté de la sottise de ses compagnons de lutte, écœuré des phrases ronflantes, des rengaines et des traditions révolutionnaires !

Aujourd'hui il en est arrivé à n'avoir plus confiance que dans la COUCHE des fusillés ; et ceux-là aussi étaient sans doute des utopistes, des croyants sincères, puisqu'ils sont morts pour leur cause.

C'est que M. Vallès est un maître écrivain et, chez lui, l'homme politique découragé se confesse au romancier qui, à son tour, malgré tout, parle, avoue les misères profondes de sa foi, parce que la passion de l'art est devenue plus puissante que la passion politique, parce que M. Vallès est avant tout un artiste.

*

Sapons les immortels principes.

Les monarchies sont trépassées; elles avaient vécu leur temps. Des hommes nouveaux et hardis sont venus qui ont SAPÉ le principe équilibriste du droit divin avec ce simple raisonnement que, pour gouverner tous les hommes, il faudrait qu'un homme pût avoir à lui seul autant d'intelligence, d'esprit, de savoir, d'aptitudes diverses, etc., que tous les autres réunis.

Ces révolutionnaires avaient raison; ils ont triomphé. Mais, à la place du principe abattu, ils en ont élevé d'autres, qualifiés immortels, et qui sont aussi fantaisistes, aussi faux, aussi inacceptables que le premier. Sapons-les donc à notre tour.

Le gouvernement s'appuie aujourd'hui sur cette idée que tout citoyen doit avoir la même part d'autorité dans l'administration des affaires de la patrie; et que la voix du plus remarquable des hommes ne vaut pas plus que la voix du plus bête.

Cela s'appelle : l'égalité! Oh! la bonne farce!

Puisque les hommes ne sont égaux ni dans la vie ni dans l'état, pourquoi concourraient-ils d'une manière égale au fonctionnement de la vie commune : l'Etat?

Existe-t-elle dans la nature, cette égalité rêvée? Montrez-moi donc seulement deux êtres que la création ait fait semblables, ayant exactement la même intelligence, le même esprit, les mêmes aptitudes, la même fortune et le même ventre. Mais les frères Lionnet, le plus légendaire phénomène de ressemblance connu, ne sont point en tout pareils! Il y en a un qui chante mieux que l'autre. L'égalité! Cela n'existe nulle part, pas même dans les étoiles, ce monde des rêves, puisqu'elles n'ont jamais une égale grosseur. Donc, la LOI de la nature est la loi de proportion; et vous allez asseoir un gouvernement sur une loi d'égalité contraire à toute règle, à toute logique, à tout bon sens, à tout fait observé.

Sapons les immortels principes.

Que devrait être, en réalité, ce suffrage de tous? La représentation exacte de toutes les forces vives, effectives, agissantes, d'un pays, proportionnellement à la puissance de ces forces.

Or, une seule est représentée : le nombre. La richesse territoriale, l'argent, l'industrie, ne travaillent donc point à la grandeur de la nation?

Est-ce que l'intelligence et le savoir ne sont point encore les deux *forces* les plus agissantes et les plus respectables?

L'homme qui possède une partie plus ou moins vaste du sol même de sa patrie, le propriétaire, bourgeois ou paysan, n'a-t-il pas plus de droits et de moyens pour comprendre les besoins réels du pays, pour concourir à son administration, que le casseur de cailloux des routes?

Est-ce que le grade universitaire (puisque l'Etat octroie des grades) ne devrait pas conférer une autorité particulière à celui qui l'a reçu?

Mais non. Le nombre imbécile seul est puissant.

Sapons les immortels principes.

On criera : « Vos utopies sont irréalisables. Que voulez-vous donc? » — Ce que je veux? Tout plutôt que ce principe absurde, — parce qu'il est universellement faux, — de l'égalité.

Je veux la représentation proportionnelle. Elle est possible. Tenez, j'admettrais encore que chaque profession nommât ses représentants. Les épiciers nommeraient un épicier, les photographes un photographe, les pharmaciens un pharmacien, etc. On rirait; mais ce serait logique.

Par exemple, je ne vois nullement la nécessité de faire nommer par le TAS des centaines de messieurs quelconques sans certificats d'aptitudes ni brevets de capacité, qui s'enferment dans un grand bâtiment pour échanger des injures et troubler les gens tranquilles.

Il est vrai que le TAS ne se gêne guère pour leur crier : « Va t'asseoir ! »

Je préfère le gouvernement proclamé jadis par M. Rochefort :

« Art. 1er. — Il n'y a rien.

« Art. 2. — Personne n'est chargé de l'exécution du présent décret. »

Si les personnes timorées redoutaient par trop ce genre d'organisation, je consentirais encore à ce qu'on élevât sur l'emplacement des Tuileries une colonne représentant l'Etat et sur laquelle on écrirait ce seul mot : « Liberté ! »

Que si les plus timides tremblaient encore, j'accorderais une petite Chambre tranquille, à la papa, composée de gens peu capables, afin qu'ils ne soient pas très ambitieux, et vieux, et libéraux jusque dans les moelles, une assemblée à la Jules Grévy, enfin. Et on pourrait encore leur crier : « Va t'asseoir ! », il leur serait défendu de délibérer.

***

Mais ces vérités sont inutiles et puériles. Pourquoi cette indignation m'est-elle venue? Pour une cause bien niaise et bien futile. C'est que, me promenant au milieu des ruines d'Hippone, au bord du rivage d'Afrique, je viens de lire, sur une colonne de la ville antique, ces mots tracés d'une main novice par un citoyen quelconque, radical ou réactionnaire : « Ohé! Gambetta, va t'asseoir ! »

Et cela m'a paru déplacé dans ce lieu.

(*Le Gaulois,* 8 septembre 1881.)

AUTOUR D'UN LIVRE

J'ai reçu de Bruxelles, l'autre jour, par la poste, un livre dont je connaissais l'histoire et dont la lecture m'a vivement surpris en me faisant beaucoup réfléchir. Cette œuvre contient, du reste, des qualités de premier ordre. Elle a pour titre : *Un Mâle,* et pour auteur M. Camille Lemonnier. C'est l'histoire très simple d'un braconnier, une espèce de bête humaine, de plante vivante grandie dans les bois, pleine de la sève des arbres, brute magnifique qui devient amoureuse de la fille d'un fermier. La fille se laisse toucher par l'emportement passionné de ce mâle terrible ; elle cède. Puis la lassitude arrive ; elle cherche à rompre ; mais le braconnier veille sur son amour avec une fureur jalouse ; il assomme un des prétendants de sa maîtresse, et finit lui-même par mourir dans un fourré, comme un gibier blessé, abattu par la balle d'un gendarme. La donnée est donc fort simple. C'est l'éternelle histoire, l'éternel drame de l'amour.

La grande valeur de cette œuvre vient de l'atmosphère champêtre et sauvage dans laquelle l'auteur a eu le talent d'envelopper ses personnages et son action. On est grisé par l'odeur des bois, par les bouillonnements des sèves, par toutes les fermentations des campagnes.

Mais il y a une chose surprenante dans l'histoire de ce roman, c'est qu'il a excité de grosses colères lorsqu'il parut en feuilleton. On l'a traité d'œuvre naturaliste ou réaliste remuant les passions basses et sales. Or, s'il y a une critique à adresser à ce livre (critique que je suis tenté de faire), c'est qu'il est, au contraire, conçu et exécuté comme un poème : il est épique. Les paysans y apparaissent grandis à l'égal de héros; les petits faits de l'existence campagnarde prennent des proportions d'épopée. Il est vu enfin à travers l'optique spéciale et grossissante des poètes, et non avec l'œil froid du romancier.

**

Alors comment s'est-il trouvé des gens pour qualifier de réaliste ce poème exalté des sèves frissonnantes! Comment une aussi monstrueuse confusion a-t-elle pu se produire?

Que s'est-il passé dans l'esprit du public? Une chose bien simple. — Le public n'attache pas aux mots « idéalisme » et « réalisme » le même sens que les romanciers. Une confusion persistante a lieu qui empêche les uns et les autres de se comprendre.

Pour le public, il n'y a en cette affaire aucune question d'*art* ni de *littérature*. Pour les artistes, les idéalistes sont des rêveurs dont le métier consiste à présenter la vie déformée par une espèce de prisme grossissant qu'on nomme la Poésie.

Les réalistes, au contraire, sont des gens qui ont la prétention de rendre la vie telle qu'elle est, dans sa vérité brutale.

Les deux écoles sont logiques, bien qu'à mon sens le véritable romancier ne doive être ni idéaliste ni réaliste de propos délibéré. Ou plutôt il a le devoir d'être l'un et l'autre. Il me semble clair comme le soleil que son unique prétention doit être d'exprimer la vie telle qu'elle apparaît à ses yeux d'artiste, sans parti pris d'école ni pactisations d'aucune sorte. Il sent avec le tempérament spécial que la nature lui a donné! Qu'il exprime donc avec toute l'habileté, tout l'art, toute la conscience dont il est capable; qu'il fasse de son mieux, enfin. Que peut-on exiger de plus?

282

Avons-nous d'autres modèles que la vie? Non. Possédons-nous les moyens de connaître autre chose que ce qui est? Non. Alors quoi? aurions-nous donc la prétention de représenter ce qui existe, mieux que la nature ne l'a fait? De corriger la création? Cet orgueil serait gigantesque! Et voilà pourtant ce que le public ose demander! Art, lettre, style, conscience d'écrivain, il s'en moque : par littérature idéaliste, il entend uniquement de la littérature *invraisemblable, sympathique* et *consolante*.

Toute cette grosse question littéraire se borne là, à mon avis. Rien de plus. Donc que l'auteur, l'action, le personnage soient *sympathiques* au lecteur; qu'on sente même que l'auteur, lui aussi, a de la *sympathie* pour ses bonshommes. Enfin de la sympathie dans le titre, de la sympathie entre les lignes, de la sympathie partout. Tarte à la crème! Vous serez, grâce à cette simple recette, un idéaliste.

Le lecteur veut être attendri; il consent à être remué doucement; il ne se refuse pas au larmoiement, à la petite émotion bourgeoise. Tout cela ne sort point du sympathique.

Mais, si un écrivain de grande race, âpre, sincère et désabusé, planant au-dessus de toutes les rengaines sentimentales, de toutes les fausses poésies, de toutes les illusions intéressées où se berce la pauvre humanité, saisit le lecteur tranquille et le traîne, éperdu, à travers la vie telle qu'elle est, empoignante, sinistre, empestée d'infamies, tramée d'égoïsme, semée de malheurs, sans joies durables, et aboutissant fatalement à la mort toujours menaçante, à cette condamnation de tous nos espoirs que nous nous efforçons, par lâcheté, de ne pas croire sans appel; s'il montre à chacun son image sans la farder, sans l'embellir; chacun alors se fâche à la façon des enfants pris en flagrant délit, et crie : « Ce n'est pas moi, ce n'est pas moi! Ce n'est pas vrai, ce n'est pas vrai! »

Les uns ajoutent : « Eh bien! si la vie est triste, je veux être *consolé*, et non pas désespéré; je veux qu'on voile mes misères, qu'on me donne des illusions, qu'on me trompe enfin. »

Cela veut dire : « Je sais bien que je ne suis guère bon, guère honnête, guère vertueux ; que les autres ne le sont pas davantage ; mais faites-moi croire que je suis parfait au milieu de voisins irréprochables ! — Quand je reviens de mon cabinet d'affaires, où j'ai le plus possible filouté mes clients ; quand je reviens de la Bourse où j'ai tâché de ruiner mes confrères pour m'enrichir à leurs dépens, où j'ai joué à la hausse, à la baisse afin de tromper le public, de faire vendre ou acheter les naïfs ; quand je reviens de mon magasin où j'ai tenté de réaliser beaucoup de gains, même exagérés et illicites ; quand je reviens de chez ma maîtresse pour laquelle je ruine ma femme légitime, je veux être consolé de mon improbité, de mes subterfuges inavouables, du sentimentalisme de mes pactisations avec ma conscience, de mon infidélité, de mes faiblesses, etc., par la lecture saine d'un livre honnête où tous les commerçants seront irréprochables, les financiers probes, les maris fidèles, etc. Je veux enfin sentir mon âme purifiée par le spectacle d'un monde idéal, par le reflet trompeur d'une existence de convention. »

**

Alors qu'arrive-t-il ? Des écrivains de talent, des romanciers fort respectables répondent à ce goût du lecteur pour la littérature sympathique et consolante ; et ils créent une humanité d'étagère, en sucre colorié, qui fait pâmer les femmes du monde dans leurs boudoirs.

C'est toujours la jeune fille pauvre qu'épouse un jeune ingénieur riche et plein d'avenir ; des cousins qui s'aiment et se marient, ou bien un jeune homme ruiné que choisit une riche héritière, et cela se passe avec des surprises, des héritages inattendus pour équilibrer les situations, et des aventures dramatiquement attendrissantes dans le parc d'un vieux château breton. Il y a la scène de la tour, la scène de la chasse, la scène du duel et la scène de l'aïeule invariablement. Mais où triomphe le romancier mondain, c'est quand il touche au vice. Oh! le vice, aimable, ganté, parfumé comme il faut! Comme les femmes l'aiment, ce grand seigneur criminel, blasé, sceptique et charmant! Et comme le milieu où se déroule l'action est choisi avec goût! Quel monde d'élite, dont toutes les pensées semblent des poésies et toutes les attitudes des poses de gravures de mode! Tarte à la crème!

De cette littérature « sirop » à l'usage des *dames*, on tombe bien vite dans la littérature mélasse à l'usage des petites bourgeoises; et de la littérature mélasse on dégringole dans la littérature tord-boyaux (pardon!) à l'usage des portières. Lisez plutôt les romans des petits journaux.

Voilà à quoi aboutissent les acquiescements au goût du public.

*

Employons enfin les grands mots, qui sont les mots justes; cette vieille querelle littéraire n'est, au fond, que la querelle de l'hypocrisie contre la sincérité. L'art n'a rien à y voir.

Et voilà notre grande plaie toujours purulente : l'hypocrisie. Nous sommes hypocrites dans les moelles, comme on est scrofuleux. Toute notre vie, toute notre morale, tous nos sentiments, tous nos principes sont hypocrites; et nous le sommes inconsciemment, sans le savoir, comme M. Jourdain était prosateur, cela s'appelle : l'art de sauver les apparences! C'est tellement passé dans notre sang que ce phénomène monstrueux a lieu : — tout ce qui n'est plus hypocrite nous blesse comme un outrage à notre honnêteté de parade, à nos conventions mondaines, à nos usages de fausses paroles, de fausses protestations, de faux visages.

Oh! si l'on découvrait les dessous de la vie! si l'on ouvrait les consciences des hommes qui crient à l'immoralité! les alcôves des femmes qui s'évanouissent d'un mot un peu vif! Oh! les bonnes pudeurs qu'ont celles-ci! Oh! les belles indignations qu'ont ceux-là! Quelle amusante colère de singes à qui l'on présente une glace!...

N'ai-je pas entendu un homme connu et respecté dire, au milieu d'un cercle d'auditeurs : « Non, certainement, je ne crois pas; la foi n'est plus faite pour les hommes; mais je pratique par devoir... quand ce ne serait que pour *notre monde.* » Et il ne songeait guère, en vérité, à l'abîme d'hypocrisie que contenait cet aveu.

Et tous ces gens veulent, à leur image, une littérature hypocrite.

Oui, ces romans parfumés, ces mariages d'amour sans discussions de dot, ces dévouements sans récompenses, ces services tout désintéressés, cela n'est, en réalité, que de l'hypocrisie commandée à l'écrivain par le public. Tout le monde le sait : les lecteurs ne l'ignorent point; et les auteurs le savent si bien, qu'on voit à tout moment les plus honorables faire des concessions à ce besoin de fausseté, et introduire en des œuvres vraiment belles, artistiques et viriles, des épisodes attendrissants, à la manière anglaise, afin qu'on pardonne le reste à la faveur de ce tour de passe-passe.

Et le public se délecte à la lecture des aventures invraisemblables de fantoches niaisement parfaits, toujours les mêmes; et, dans sa joie, il déclare le livre « bien écrit », ce qui est, en ce cas, la pire insulte que la plupart des lecteurs puissent adresser à l'écrivain.

***

N'avons-nous pas inventé cet odieux adage : « Toute vérité n'est pas bonne à dire. » Nous l'appliquons à la littérature. Alors il faut mentir? — Vous répondrez : « Non! se taire. » — Ce qui est encore mentir par le silence. Mais quand il s'agit d'un écrivain, il n'y a pas de milieu : il faut qu'il dise ce qu'il croit être la vérité ou qu'il mente.

Donc, en résumé, les querelles littéraires se bornent à

286

ceci : lutte de l'hypocrisie humaine contre la sincérité du miroir, ou exaspération du lecteur contre le tempérament particulier de l'écrivain.

En général, nos vices ou nos défauts préférés sont ceux dont l'image nous blesse le plus, vérité constatée par cet autre adage : « On ne parle pas de corde dans la maison d'un pendu. »

Je pourrais citer beaucoup d'exemples. Je m'en abstiendrai. Je reviens au livre de M. Camille Lemonnier.

J'ai dit que ce livre était un poème. Tout se passe, en effet, dans une atmosphère poétique très sensible et très puissante. Les arbres deviennent des espèces d'êtres; la forêt semble une sorte de monde animé; les sèves parlent et chantent; la chasse acharnée du braconnier est un symbole; il grandit comme une de ces créations quasi fantastiques de Victor Hugo. Ce sont des luttes d'idées, de puissances animales, de créatures éternelles dans ce bois qui est plus vaste que la création même, et non les simples embuscades d'un petit paysan qui guette un lapin.

Alors comment a-t-on qualifié ce roman de réaliste?

Uniquement parce qu'on y sent un peu la bête humaine au milieu des senteurs forestières.

L'amour simple de ces deux êtres simples se déroule d'une façon normale, passe de l'exaltation à la fatigue chez l'un, tandis qu'il demeure toujours ardent chez l'autre, ainsi que cela a lieu dans la plupart des créatures. La vie est grossie, grandie, étendue, mais non fardée. C'est un chant, soit; mais il dit tout, ce chant; les paysans deviennent épiques, mais restent vraisemblables cependant; ils n'ont point de morale à la Florian, ni de tendresses champêtres à la Deshoulières. Les personnages enfin, ne sont ni *sympathiques* ni *consolants,* ainsi que l'entend le bon public.

(*Le Gaulois,* 4 octobre 1881.)

LA POLITESSE

Je ne voudrais point qu'on me crût assez fou pour prétendre ressusciter cette morte : la Politesse. Les miracles ne sont plus de notre temps et, pour toujours, je le crains bien, la politesse est enterrée côte à côte avec notre esprit légendaire. Mais je désire au moins faire l'autopsie de cette vieille urbanité française, si charmante, hélas! et si oubliée déjà; et pénétrer les causes secrètes, les influences mystérieuses qui ont pu faire du peuple le plus courtois du monde un des plus grossiers qui soient aujourd'hui.

Non pas que j'entende par politesse les formules d'obséquiosité qu'on rencontre encore assez souvent; non pas que je regrette non plus les interminables révérences et les beaux saluts arrondis dont abusaient peut-être nos grands-parents. Je veux parler de cet art perdu d'être bien né, du confortable savoir-vivre qui rendait faciles, aimables, douces, les relations entre ces gens qu'on appelle du « monde ». C'était un art subtil, exquis, une espèce d'enveloppement de fine délicatesse autour des actes et des paroles. On naissait, je crois, un peu avec cela; mais cela se perfectionnait aussi par l'éducation et par le commerce des hommes bien appris. Les discussions même étaient courtoises. Les querelles ne sentaient point l'écurie.

Et cependant l'ancien langage usuel était plus cru, plus chaud que le nôtre; les mots vifs ne choquaient point nos aïeules elles-mêmes, qui aimaient les histoires gaillardes saupoudrées de sel gaulois. Si les gens qui s'indignent aujourd'hui contre la brutalité des romanciers lisaient un peu les auteurs dont se délectaient nos grand'mères, ils auraient, certes, de quoi rougir.

Ce n'était donc pas dans la langue, c'était dans l'air même que flottait cette urbanité; il y avait autour des mœurs comme une caresse de courtoisie charmante.

Cela n'empêchait rien; mais, enfin, on était bien né.

Aujourd'hui nous semblons devenus une race de goujats.

**

Depuis quelque temps surtout, il me semble sentir vraiment une recrudescence de grossièreté. Nous y sommes d'ailleurs tellement accoutumés que nous n'y songeons plus guère. Je ne sais ce qu'ont dû penser tous les lecteurs de nos journaux, mais j'ai eu, quant à moi, le cœur soulevé de dégoût par la *période électorale*.

J'étais alors loin de Paris, et souvent des journaux locaux me sont tombés sous les yeux. On ne saurait croire quel vocabulaire poissard et honteux employaient ces feuilles; quels tombereaux d'injures ordurières elles charriaient tous les matins pour en souiller leurs adversaires; quelle absence de style et quelle surabondance de malpropretés on trouvait dans leurs colonnes. Les mots les plus grossiers semblaient avoir perdu leur sens, tant on les employait à tout propos; et il n'est certes pas un des candidats qui n'ait été traité de menteur, de voleur, d'infâme crapule, de polisson, de saltimbanque, de vendu, de crétin, etc., etc.

Personne, d'ailleurs, ne s'étonnait à la lecture de ces articles, comme s'il eût été tout naturel de salir au préalable les futurs représentants de la nation. Et voilà comment on apprend au peuple à respecter ses élus. Mais là n'est point la question.

Quelques jours plus tard, je traversais une autre contrée et j'y retrouvais la même langue dans les journaux des divers partis. Les hommes politiques opposés, ennemis honorables, étaient traités au moins d'exploiteurs, de menteurs, de calomniateurs et de corrupteurs; sans compter des grossièretés plus directes encore.

Je me disais : « Ces mœurs sont odieuses; mais nous sommes loin de Paris : on ne peut demander aux écrivains locaux de frapper par l'idée et non par le mot, de blesser leurs adversaires avec une phrase habile, perfide et polie, et non de le couvrir de fange. L'injure est toujours facile, mais l'ironie cinglante n'est pas donnée à tous; l'esprit qui tue ne se rencontre plus guère. Par l'insulte on évite la discussion, on se dérobe à la réplique, et, quand on a affaire à des gens propres, on garde le dernier mot à la façon de Cambronne. » Mais voilà que je viens de parcourir la plupart des journaux parisiens parus à la même époque! On reste confondu devant le langage d'assommoir employé par un grand nombre des soi-disant écrivains qui les rédigent.

Donc tout homme qui nourrira désormais le désir singulier, mais excusable, de représenter ses concitoyens à la Chambre des députés devra se résigner d'avance à être injurié à gueule-que-veux-tu, à être calomnié dans sa vie privée et dans sa vie publique, accusé de toutes les infamies et finalement soupçonné, sans aucun doute, d'avoir commis la plupart de ces gredineries, par un grand nombre d'électeurs stupides qui ont foi dans le papier à cinq, dix, ou quinze centimes, que leur apporte le facteur.

Je sais bien ce que répondront les partisans des régimes écroulés : « On savait vivre sous les monarchies; on ne le sait plus sous la république. Les pays démocratiques sont mal élevés. » L'argument ne vaut guère; j'en ai pour preuve que les feuilles de l'extrême droite sont tout aussi mal apprises que celles de l'extrême gauche. Les sentines où elles puisent leurs grossièretés sont bien les mêmes.

Or, si du journal politique on pénètre au Parlement, on remarque bien vite que dans les discussions orageuses, les insolences, les expressions sentant les querelles de palefreniers partent autant de droite que de gauche, sinon plus. On donnait jadis aux grands orateurs le surnom poétique de « Bouche-d'Or ». Quant à nos parleurs politiques, si un surnom peut leurs aller, c'est celui de « Bouche-d'Egout ».

Donc, aujourd'hui, on est mal élevé, quoique bien né. L'habitude des salons, la fréquentation du monde ne donnent plus le savoir-vivre. Les causes de l'impolitesse générale viennent d'autre part que de la démocratisation du pays.

* *
*

Mais là où il faut saisir les habitudes de vie d'un peuple, sa manière d'être habituelle, c'est dans la presse quotidienne, qui représente exactement la physionomie intime du pays. Or, la presse offre maintenant des exemples journaliers de la plus mauvaise éducation.

C'est à elle, au contraire, qu'il devrait appartenir de donner l'Exemple des formes les plus irréprochables, et cela par l'excellente raison que les journalistes ont pour métier de bien écrire!

On est écrivain de profession : cela veut dire qu'on ne doit ignorer aucun des secrets de cette dangereuse escrime de la polémique; qu'on a entre les mains cette pierre qui peut frapper au front et abattre les plus grands : le mot, le mot qu'on jette avec la phrase, comme on lance un caillou avec la fronde; qu'on sait toutes les ruses des attaques, les perfidies cachées sous les compliments, les allusions trompeuses comme les feintes; qu'on jongle avec les difficultés de la langue comme un escamoteur avec des billes; qu'on cingle enfin avec ce fouet dont Beaumarchais laissait à ses ennemis d'ineffaçables traces.

Mais dès qu'un monsieur d'un avis contraire au vôtre déclare son sentiment, on s'empresse de s'asseoir à sa table et d'écrire avec sérénité : « Un drôle, un polisson dont les antécédents nous sont inconnus et par conséquent suspects, mais que nous tenons, dans tous les cas, pour un misérable gredin, fils de banqueroutier sans doute et de drôlesse, etc. » Le monsieur ainsi traité envoie ses témoins à son contradicteur. On se bat pour *laver l'honneur*. L'un d'eux est blessé. L'incident est clos.

**

Pendant les deux siècles derniers, la Société, plus restreinte, triée, était fort instruite, pédante même. Hommes et femmes savaient leur Antiquité, et l'histoire universelle, et mille autres choses. On possédait le grec et le latin tout autant que le français; on causait par citations, on folâtrait avec des réminiscences de poètes antiques.

Toutes les phrases étaient saupoudrées d'érudition; et ce savoir, cette littérature de la classe, qui seule comptait, jetait sur les mœurs un vernis d'urbanité. Le reste de l'humanité n'existait pas.

Aujourd'hui, tout le monde compte. Tout le monde parle, discute, affirme ce qu'il ignore, prouve ce dont il ne doute point. On veut être tout, tout connaître, tout trancher. Nous ressemblons à des dos de volumes, avec des titres prétentieux, et dont l'intérieur n'est que de papier blanc. On sait tout sans rien apprendre, et cette façon de savoir rend naturellement grossier.

Cette manière d'être est tellement passée dans les mœurs, que nous nommons, pour nous gouverner, des hommes dont nous n'exigeons aucune garantie de connaissances spéciales, qui peuvent à leur aise ignorer notre histoire (ce qui serait fâcheux) autant que l'économie politique (ce qui serait regrettable).

Jetons un coup d'œil dans la presse. Est-ce que les écrivains de grand renom, les maîtres, ont parfois l'injure à la plume? Les polémistes politiques comme M. Weiss, M. John Lemoinne ou autres, ont-ils pour habitude de traiter leurs adversaires de polissons ou de voleurs?

M. Renan, un des plus grossièrement insultés des écrivains modernes; M. Littré, si souvent maltraité, ont-ils jamais répondu à leurs antagonistes par des gros mots?

Je ne pense pas non plus que MM. Darwin, Herbert Spencer, Stuart Mill, et cent autres, mille autres de moindre valeur, se servent, dans leurs arguments, de l'ordure jetée à la face de leurs contradicteurs.

D'où je conclus que l'absence d'éducation vient principalement de l'absence d'instruction. On ne sait rien dans notre monde, ou presque rien. Les gens instruits sont bien élevés. C'est donc au livre, aux livres, à tous les livres, qu'il faudrait demander une nuance de cette ancienne courtoisie qui nous manque vraiment un peu trop.

(*Le Gaulois,* 11 octobre 1881.)

CAMARADERIE?...

Elle a compté parmi ses enfants tout ce qui a passé de plus illustre sur la terre, cette république des lettres à laquelle ont appartenu les plus grands noms laissé à la mémoire des peuples. Elle a été l'élite de la race humaine, la mère de la pensée, des idées superbes, de l'esprit dans ses plus fières manifestations.

Pour cela même, par respect pour la littérature, par estime de soi, par orgueil de son art, les écrivains n'ont-ils pas le devoir de s'entre-soutenir, de s'entre-défendre, et surtout de conserver intacte la mémoire de leurs grands morts, de ceux dont le nom jettera dans l'avenir une gloire, une lumière plus vives sur cette difficile et noble profession d'homme de lettres!

Le mot « camaraderie », banal en toute occasion, ne prend-il pas une signification particulière quand il devient la « camaraderie littéraire »? Ne devrait-il pas exister un lien de plus, un lien sacré, entre ces hommes qui vivent uniquement pour la pensée, qui vivent de la pensée, c'est-à-dire de ce qu'il y a de plus haut et de plus immatériel au monde?

Hélas! s'il existe un lien entre les écrivains — c'est le lien de la jalousie.

Non, jamais dans aucune carrière, dans aucun métier, dans aucun art, on n'a porté plus loin le besoin de dénigrement du rival, la rage des succès d'autrui, l'incompréhension, volontaire ou non, de toutes les manifestations diverses du talent chez les autres. Partout où les hommes de lettres se réunissent, ils *débinent* le confrère.

Aussi, si quelqu'un de nous n'est pas assez fort pour ne demander à personne ni affection ni sympathie, s'il a besoin d'avoir un ami en qui il verse tout son cœur qu'il ne choisisse point cet ami parmi les écrivains!

Je ne nie pas qu'il y ait des exceptions. J'en ai vu; mais elles sont rares.

L'amitié d'un homme de lettres, même fidèle, sincère, tout acquise, est dangereuse, parce qu'il porte en lui, plus fort que son dévouement à l'ami, une sorte de démangeaison de parler, d'écrire, de juger, qui le pousse, même inconsciemment, à des choses dont il calcule mal la portée.

Cela s'est vu tout dernièrement encore, et j'aurais voulu n'être point amené à parler des *Souvenirs littéraires* publiés dans la *Revue des Deux Mondes,* par M. Maxime Du Camp.

M. Du Camp, qui fut un des plus intimes amis de Gustave Flaubert, et qui l'aima ardemment, je n'en doute pas, n'avait point prévu, assurément, l'effet que produiraient ses révélations.

Gustave Flaubert, on le sait donc aujourd'hui, était atteint d'un horrible mal, l'épilepsie, dont il est mort. Tous ceux qui connaissaient ce secret, l'avaient soigneusement caché; et quand des étrangers s'étonnaient de voir que jamais le maître ne voulait regagner seul sa maison pendant la nuit (pas même en fiacre), nous ne leur racontions point les profondes angoisses du grand écrivain qui celait son tourment comme une honte, avec une pudeur maladive.

La publication de ce document intime m'a blessé jusqu'au cœur. Mais je me disais que j'apportais là, sans doute, une délicatesse exagérée. Puis voilà qu'à mesure que je revois les amis du mort, je les trouve frappés de stupeur par le procédé assurément irréfléchi de

M. Maxime Du Camp. Ce n'est pas tout ; même des indifférents, comme M. Louis Ulbach, dans la *Revue politique* ont protesté durement, mais non sans raison, contre cette révélation. D'autres ont suivi. Puis j'ai reçu des lettres, beaucoup de lettres, de gens qui ont aimé l'illustre romancier disparu. Une d'elles m'a ému. Elle venait d'une femme que je n'ai jamais vue et qui n'a point connu mon cher et pauvre maître. Admiratrice passionnée de son œuvre, froissée dans son instinctive et vibrante sensibilité de femme, elle m'a écrit vingt lignes adorables, qui m'ont fait songer à ces AMIS IGNORÉS dont Flaubert lui-même parlait souvent. M. Du Camp ajoute qu'à partir du jour où la grande névrose s'abattit sur lui, l'esprit de Flaubert sembla noué ; qu'il tourna dès lors dans le même cercle d'idées et de plaisanteries ; qu'il ne se renouvela plus. Et le critique, tout en reconnaissant le talent exceptionnel de son vieux camarade, estime que, si son entendement n'avait été obscurci par cette horrible maladie, il aurait eu *du génie !*

Mettant à part la question d'amitié, je ne répondrai que deux choses :

— Si l'homme qui, à côté de Balzac et après Balzac, a créé le roman moderne ; l'homme dont l'inspiration personnelle a mis sa marque sur toute notre littérature ; l'homme dont le souffle générateur passe encore dans tous les romans qu'on publie aujourd'hui ; l'homme qui a laissé des livres comme *L'Education sentimentale* et *Madame Bovary, Salammbô* et *La Tentation,* sans compter ce prodigieux chef-d'œuvre qui s'appelle *Saint Julien l'Hospitalier,* — si cet homme-là n'est pas un être de génie, j'ignore absolument ce qu'est le génie ! M. Maxime Du Camp remarque encore que son ami, dont *l'imagination fut foudroyée,* n'a passé le reste de sa vie qu'à réaliser les conceptions de sa jeunesse. Parbleu ! Il me semble que cela suffit ! Nul n'ignore d'ailleurs que la faculté imaginative et conceptrice semble s'affaiblir chez tout artiste dès *qu'il est mûr.* Il produit alors. Les fleurs ne durent pas toute l'année ; celles qui sont fécondes forment des fruits ; les autres tombent. Il en est des hommes comme des arbres.

M. Du Camp semble encore reprocher à Flaubert sa singulière conscience d'écrivain, son prodigieux travail pour élaborer une phrase.

Boileau n'a-t-il pas dit : « Toujours sur le métier, etc. » ?

Buffon n'a-t-il pas écrit : « Le génie n'est qu'une longue patience » ?

Je ne fais du reste aucune difficulté pour convenir que les articles de M. Du Camp sont, en beaucoup de points, d'une singulière exactitude, d'une analyse profondément subtile. Mais enfin, cet écrivain de talent, qui semble se faire une spécialité des révélations, aurait peut-être pu se dispenser de celles-là.

**

Je n'aurais cependant jamais parlé de ces études, malgré le bruit qu'elles ont soulevé, si on ne venait de m'apporter une revue où je lis à ce sujet les lignes suivantes, sous une signature qui m'est totalement inconnue :

« Il (M. Du Camp) évoque la figure étrange, maladive, de ce Gustave Flaubert, l'homme d'un seul livre, ou plutôt de deux livres, dont l'atroce souffrance explique l'énorme orgueil, la vanité colère, les bizarreries agaçantes. »

« Ce Gustave Flaubert ! » — Il paraît que l'illustre auteur de cet article a le droit de mépriser *ce* romancier de peu.

« L'énorme orgueil ! » — Cela signifie que, ayant conscience de sa valeur, jamais Flaubert n'a dit à des médiocres : « Passez-moi la casse, je vous rendrai le séné. » Il s'est tenu en dehors de toutes les luttes journalistiques, de toutes les querelles, de toutes les rancunes d'écrivains ; il n'a vécu qu'avec des fidèles de sa taille, comme MM. Tourgueneff, de Goncourt, Renan, Taine, ou de vrais amis, illustres aussi maintenant, mais de la génération suivante, comme MM. Zola et Alphonse Daudet. Il jugeait à sa valeur cette camaraderie littéraire de l'article réciproque, lui qui fut le meilleur, le plus dévoué, le plus ardent des camarades, lui qui, jusqu'à sa mort, a lutté pour la mémoire de son vieil ami Louis Bouilhet, consentant même à engager une polémique avec un grotesque conseil municipal, à écrire une préface, ce qu'il abhorrait, et à donner toutes ses heures au souvenir de ses chers disparus.

C'est cela sans doute que vous entendez aussi par « bizarreries agaçantes », ô critique qui niez *La Tentation* et *L'Education,* qui acceptez à peine *Salammbô,* et qui osez écrire ces choses, plus funestes assurément pour votre renom que pour la mémoire du grand maître du roman moderne.

J'ai dit « grand maître du roman moderne ». Je ne suis pas seul à penser ainsi. Qu'on me permette de citer ce passage d'une lettre reçue ces jours derniers, d'un étranger que je ne connais que de nom, le docteur Eduard Engel, directeur d'une des plus grandes revues critiques d'Europe, le *Magazin,* de Berlin :

« Et je vous prie de croire que toutes mes sympathies littéraires et personnelles sont pour vous comme pour tous ceux qui ont été les amis du *grand maître de l'Art moderne,* Gustave Flaubert. Vous trouveriez ici, si le hasard vous amenait à Berlin, un cercle dont Flaubert est le Dalaï-Lama. » Voilà ce qu'on pense, même en Allemagne. Le chroniqueur de *L'Illustration* juge autrement. Ce n'est pas tant pis pour Flaubert.

(*Le Gaulois,* 25 octobre 1881.)

UNE RÉPONSE

Plusieurs journaux ont apprécié, à des points de vue différents, l'article que je publiais avant-hier au sujet des révélations de Maxime Du Camp sur Gustave Flaubert. La chronique de M. Léon Chapron, dont l'opinion me paraît toujours intéressante, car son talent me séduit beaucoup, contient plusieurs points auxquels il me paraît nécessaire de répondre quelques mots.

M. Chapron me loue de vouloir laver le caractère de Flaubert des accusations d'orgueil, de vanité colère et de bizarrerie, accusations qui ne peuvent subsister une seconde pour quiconque a connu le romancier.

Mais M. Chapron me reproche vivement de vouloir forcer tout le monde à plier le genou devant *mon idole*. Je n'ai point cette excessive prétention, et je conviens très volontiers avec le chroniqueur de *L'Evénement* que chacun est libre d'admirer qui il veut, et comme il le veut. J'ai l'incontestable droit de nier tout talent à Victor Hugo, s'il me plaît. Je me hâte d'ajouter que je suis loin de penser ainsi.

Je n'aurais certes pas répondu à l'article signé Perdican, s'il avait contenu les appréciations personnelles de cet écrivain relatives seulement au talent de Gustave Flaubert.

Ici d'autres explications me semblent indispensables. Grâce à une phrase qu'on répète à tout moment : « Passez-moi la casse, et je vous passerai le séné », M. Chapron a conclu — j'ignore pourquoi — que j'avais indubitablement découvert M. Jules Claretie derrière le pseudonyme de Perdican.

Si j'avais été persuadé que j'avais devant moi M. Claretie, j'aurais assurément répondu en termes plus modérés, n'ayant jamais eu que d'excellents rapports avec cet écrivain. Mais je ne puis admettre que M. Claretie, critique consciencieux, ait écrit sous un pseudonyme la phrase qui m'a révolté, alors que, dans son volume, *La Vie à Paris,* je trouve ceci, sous son nom : « Nous ne pouvons aujourd'hui résumer, en quelques lignes qui seraient trop rapides la physionomie littéraire de ce fin et grand lettré Gustave Flaubert, qui, mêlant les procédés pittoresques de Théophile Gautier à l'analyse de Balzac, fut le maître du roman contemporain et détermina le grand mouvement qui entraîne la littérature d'imagination vers la vérité ....

« D'autres qui ont vécu dans l'intimité de sa vie, diront l'existence quotidienne de ce maître laborieux, soucieux de la dignité littéraire, ennemi du charlatanisme, détestant les réclames du reportage, ne voulant livrer au public que ses livres, — *son œuvre et non sa personne.* Ceux-là raconteront les délicatesses, les tendresses de cœur de l'ami, du fils, cachant, sous une affectation d'indifférence et de dégoût les sentiments les plus exquis.

« Pour nous, qui l'avons peu connu, mais *admiré autant que personne,* nous voulons rendre un suprême hommage à ce maître écrivain qui laisse des chefs-d'œuvre... »

Ces lignes suffiraient pour m'enlever toute hésitation, quand même je n'aurais pas le souvenir toujours vivant des paroles que m'a dites M. Claretie derrière le cercueil de Flaubert, paroles émues, venues du cœur, qui ont contribué pour beaucoup à la sympathie que j'ai gardée depuis pour l'auteur de *Monsieur le Ministre.*

(Le Gaulois, 27 octobre 1881.)

LES FEMMES

L'an dernier, une nouvelle désolante nous arrivait de l'Est : « L'écrevisse disparaît. » Ce fut une panique. L'écrevisse, cette perle des fontaines claires, cette petite bête exquise, montante, chaude au palais, ce rien du tout délicieux, cet idéal du gourmand ! Idéal, car il n'y a rien dans cette carapace, rien ou presque rien ; ce n'est pas une nourriture, c'est une saveur ; et cette chair introuvable du frêle animal, vous emplit la bouche d'une sensation plus forte que la viande capiteuse des gibiers.

La Meuse, disait-on, se dépeuplait, tous les ruisselets étaient vides ! On chercha la cause du désastre. D'après les uns, les fabriques nombreuses empoisonnaient les eaux. D'après les autres, il fallait attribuer la raison de cette calamité à la forme du gouvernement. Et cependant, cet hiver, on mange encore des écrevisses. Il en restait donc quelques-unes ; elles se sont multipliées, que sais-je ? Enfin l'écrevisse n'est point disparue.

Mais voilà qu'une nouvelle autrement affreuse nous arrive aujourd'hui d'Angleterre : « La Française n'est plus. » Une grave revue, une revue à raisonnements, a jeté ce cri qui fait frémir les peuples.

Elle dit d'abord, cette revue, ce qu'était la femme de France, sa prédominance dans le monde, son charme, sa séduction particulière ; puis elle constate que les salons parisiens sont aujourd'hui presque vides de femmes. Et elle se lamente, elle se désole, au nom de l'Europe

301

entière. Cette oraison funèbre de la Femme française est longue, très longue, assez vraie parfois, parfois grotesque. Avant d'y répondre, je voudrais connaître seulement l'âge de cet écrivain désespéré. Non, assurément, il n'y a plus de femmes en France pour bien des hommes... Il en existe encore pour nous.

Le publiciste anglais adjure ensuite la République de faire tous ses efforts pour rendre à l'Europe ce bijou perdu : la Parisienne. Par-là même il semble accuser le gouvernement d'avoir arrêté la fabrication de cet article spécial. A-t-il tort? A-t-il raison? Cherchons. Cependant je ne suis pas trop inquiet. On mange encore des écrevisses.

⁎

La Parisienne! qu'est-ce? Elle n'est pas belle, elle est à peine jolie. Son corps n'a rien de sculptural, ce petit corps souvent maigrelet, souvent corrigé par l'industrie, une femme en TOC, enfin, rien d'une Grecque. Mais tout son être est un langage qui parle aux raffinés mieux que la grande beauté plastique. Ses yeux disent ce que tait sa bouche. Son geste, son sourire, un éclair de ses quenottes, un mouvement de ses menottes, une ondulation de sa robe quand elle se lève ou s'assied, ce qu'elle sait faire entendre, son babil charmant, méchant, perfide, sa grâce artificielle et grisante, tout ce qu'elle peut être par sa fine intelligence de sensitive, vous enveloppent d'une séduction irrésistible, d'une atmosphère féminine délicieuse, pénétrante, adorable. Détaillez-la, ce n'est rien ou presque rien : c'est une saveur, un charme. Ses vraies beautés restent presque introuvables, mais elle vous emplit le cœur d'une sensation plus troublante que les grandes statues parfaites en chair vivante.

Certes la Parisienne d'aujourd'hui n'est plus tout à fait la Parisienne d'autrefois; il y a décadence, mais non disparition. Est-ce la faute de la République? C'est discutable. Il y a confusion, je crois, en ce sens que le gouvernement est toujours un résultat de la société, tandis que la femme est aussi un reflet de cette société. Le monde me semble donc être le vrai coupable.

Avez-vous lu le livre de MM. Edmond et Jules de Goncourt : *La Femme au dix-huitième siècle?* C'est le plus admirable ouvrage que je connaisse où il soit traité de l'art d'être femme. J'y trouve ceci :

« Façons, physionomie, son de voix, regard des yeux, élégance de l'air, affectations, négligences, recherches, sa beauté, sa tournure, la femme doit tout acquérir et tout recevoir du monde. »

Comme elle est vraie, cette parole du grand romancier! La femme se forme et se modifie à l'image de la société où elle vit. A quelle époque, en France, a-t-elle atteint sa perfection? C'est justement pendant ce XVIIIe siècle, le siècle féminin par excellence, dont nous parle si subtilement l'écrivain. C'est alors qu'apparurent dans Paris ces êtres adorables dont on croit encore respirer le passage, ces radieuses figures, étoiles d'amour dont l'éblouissement nous est resté. Elles se sont formées dans l'air parfumé de cette époque qui fit éclore toutes les élégances; et elles étaient bien, ces femmes, les fruits de ce XVIIIe siècle où toutes les fines qualités de notre race ont atteint leur complet épanouissement, où la grâce semble née, où l'esprit semble inventé, où tous paraissent fous d'art et de raffinements infinis. C'est le siècle de Watteau et de Boucher, le siècle de Voltaire, le siècle aussi de Diderot, le siècle de l'incroyance, de la galanterie et de l'amour, le siècle qui grise, même de loin, le siècle français, le seul grand, le seul admirable siècle où notre pays reste sans rival, le siècle enchanteur et poudré!

**

Autres temps, autres femmes. Elles ont cette singulière et précieuse qualité d'être ce qu'elles doivent être dans le milieu où elles se trouvent. Douées d'un tact infiniment subtil, tout instinctif, d'une pénétration aiguë, vibrantes, impressionnables, faciles aux influences, avec des aptitudes surprenantes pour deviner, dominer, serpenter, ruser, séduire, les femmes prennent le ton d'une époque et ne le donnent pas. Elles sont cependant un peu dépaysées aujourd'hui dans ce monde d'hommes à peu près élevés, qui sentent le tabac, passent au fumoir après le dîner et au cercle après le fumoir, fréquentent la Bourse et non les salons, ne lisent rien de ce qui fait charmante la vie, ignorent l'art de jeter un compliment, de baiser une main, ne savent même plus préférer parfois la soubrette à la maîtresse, soupent entre mâles et payent l'amour!

Il n'y a plus de femmes, affirme-t-on. Disons plutôt : « Il n'y a plus d'hommes pour qui les femmes désirent être séduisantes. »

Mais toutes ces qualités latentes qui, par notre faute, ne se développent plus dans l'air mondain des salons, n'existent pas moins, plus discrètes, cachées, profondes en bouton toujours prêt à s'ouvrir dès qu'un peu de soleil se montre chez cette femme française, la seule femme en qui soit le génie de sa race, car les autres savent aimer, savent se faire aimer; la Française seule sait être exquise.

Elles ne sont plus, en notre pays, les reines triomphantes de la société, soit! mais est-on sûr qu'elles ne soient point toujours les maîtresses invisibles des événements? Qui pourrait assurer que leurs petites mains délicates ont cessé de conduire la grosse charrette de la politique? Elles ont, je le sais, un rival terrible : l'argent. Les poètes jadis rimaient pour elles. Ils riment aujourd'hui à tant le vers! Cependant elles sont puissantes encore, puissantes toujours.

Entrons chez elles. Il est dans Paris des salons, des salons discrets souvent, des petits salons du quatrième où viennent aboutir bien des fils. Il est des femmes d'allure modeste, qui, par trois mots signés d'un petit nom, peuvent faire sauter des préfets, déplacer des généraux, agiter comme des fourmilières les vastes ministères pleins d'employés.

Il en est d'autres plus brillantes en qui demeure, quoi qu'on dise, toute la séduction légendaire de la Française. Il en est d'autres... Il en est d'autres encore.

Nous entrerons bientôt ensemble, si vous le voulez bien, dans quelques-uns de ces *Salons parisiens*.

(Gil Blas, 29 octobre 1881.)

L'ART DE GOUVERNER

Dans notre société démocratique, le mot « classe
dirigeante » est devenu un terme de mépris. C'est un
tort. C'est justement parce qu'ils ne sont nullement
« classe dirigeante » que nos gouvernants font à l'envi
de la politique de hannetons, se heurtent à Tunis, se
heurtent à Berlin, se heurtent à l'Italie, pour revenir, à
Paris, se heurter contre la démagogie. On ne peut être
fort à l'escrime qu'en la pratiquant dès l'enfance. On ne
peut savoir gouverner les autres que si l'on a été élevé
avec cette idée constante qu'un jour on sera appelé à
prendre le pouvoir. Alors on apprend, sans s'en douter,
toutes les petites ficelles du métier, tous les moyens
employés ; on devient enfin un homme pratique remarquable, sans être nullement un homme de génie. C'est
grâce à cette éducation séculaire que les classes diri-
geantes ont conservé si longtemps l'autorité en France,
malgré les effroyables abus de leur administration ; c'est
grâce à ce savoir héréditaire et subtil que la noblesse
anglaise reste si puissante et que la monarchie subsiste
en ce pays.

Qui n'a été frappé de ce phénomène que beaucoup de
rois ont régné d'une façon suffisante, sans déshonneur,
bien qu'ils fussent les plus médiocres des êtres ? C'est
qu'ils avaient, dès le berceau, appris l'art de manier les
peuples, et ils ne commettaient aucune de ces petites
maladresses qui démonétisent un homme bien plus vite
que les grosses sottises de la politique extérieure.

Un peu de cette science pratique ne nuirait point à nos grands hommes modernes, à nos meilleurs, à nos plus rusés ; et le voyage de M. Gambetta en Normandie vient d'en donner un exemple frappant.

**

Tout le monde a lu déjà le livre exquis d'Alphonse Daudet, *Numa Roumestan,* l'œuvre la plus personnelle peut-être du romancier, où coule, intarissable, son esprit si particulier, aigu, mordant et souriant. Il a mis en opposition constante, tout le long de cette œuvre remarquable, l'homme du Nord et l'homme du Midi : celui-ci abondant, éloquent, remuant les foules à son gré ; celui-là calme, froid, raisonneur et calculateur. M. Gambetta, s'il n'est pas absolument un Roumestan, est, du moins, un Méridional, un vrai.

Fort habile rhéteur, il a jusqu'ici triomphé, grâce à sa faconde entraînante ; car tous les hommes sont peut-être un peu du Midi, sauf les Normands, les Normands surtout de ce coin de terre dont Rouen est le centre. Paris, ville nerveuse, entraînable, changeante, enthousiaste, toujours ivre, est incontestablement sous le charme de la parole ardente de celui qui va, dit-on, nous gouverner. Paris est du Midi. Mais les industriels du pays de Caux, essentiellement pratiques, avec des chiffres au lieu de pensées, contempteurs de toute politique qui ne touche point aux affaires, ont échappé si absolument à l'éloquence méridionale de l'avocat Roumestan-Massabie qu'il n'a point su cacher sa mauvaise humeur et son impatience.

Tous les détails de ce voyage viennent de m'être racontés par un témoin, qui justement accompagna aussi le modeste roi Louis-Philippe dans une tournée à peu près semblable.

Il est intéressant de comparer les divers procédés politiques du prince et de l'éminent républicain dans leurs voyages.

M. Gambetta, homme sans doute supérieur à Louis-

Philippe, mais privé de cette éducation gouvernementale sucée avec le lait, arrive, conquérant audacieux, et il parle, espérant, selon l'admirable expression de Michelet, gagner les foules « de par la seule vertu d'une gueule retentissante ». Il parle avec de grands mots, jetant des sentiments généreux, des généralités entraînantes : « Patrie, République, industrie, progrès, démocratie, etc. » Une assemblée de voyageurs de commerce l'eût porté en triomphe. Les Normands attendaient des chiffres, des choses précises, des termes techniques. Ils ont gardé une froideur glaciale. A Quillebeuf, l'aventure est devenue réjouissante. Entraîné par son improvisation, l'illustre avocat, célébrant la Seine canalisée, proclame que, grâce à ce progrès, les pilotes cesseront d'être nécessaires. Or, à Quillebeuf, tout le monde est pilote : c'est la patrie du pilotage. Autant dire aux administrateurs de la Compagnie du gaz que, grâce à la lumière électrique, le gaz sera bientôt inutile. Immédiatement, une députation s'avance. En tête marche un gaillard à poitrine épaisse, qui se dandine sur ses jambes. Il arrête sans façon l'orateur en lui annonçant qu'il est pilote, maître pilote! Il montre ensuite l'armée qui le suit : tous pilotes ; et il proteste au nom du pilotage méconnu. Interdit d'abord, l'habile avocat se retrouve bientôt et s'écrie avec enthousiasme que le pilotage est le plus beau jour de sa vie. Mais le Normand n'est pas du Midi!

Quand Louis-Philippe vint à Rouen, il appela immédiatement auprès de lui tous les hommes spéciaux qui pouvaient lui donner les renseignements les plus précis sur toutes les industries qu'il allait parcourir. Alors, dans chaque visite, sans phrases, interrogeant toujours en souverain désireux de tout connaître, plein de circonspection et parlant sobrement, pour prouver qu'il savait déjà, il étonnait et ravissait ces Normands sérieux et pratiques, grâce à cette érudition spontanée qu'un compère lui soufflait dans le dos. Un exemple est frappant entre tous. Louis-Philippe apprend qu'à Rouen vit un savant de grand mérite, M. Pouchet, le père de M. Georges Pouchet, l'éminent professeur actuel du Muséum d'histoire naturelle. En deux heures, le roi connaissait les travaux, les ouvrages, les découvertes, les luttes scientifiques de cet homme, et, quand il entra dans le laboratoire du professeur, celui-ci put croire que, de sa vie, le souverain ne s'était jamais occupé que d'histoire naturelle et principalement des études spéciales de M. Pouchet. On raconte encore dans le pays ce voyage royal. Celui-là savait séduire sans charlatanisme, bien qu'il fût incontestablement fort médiocre. Il connaissait son métier de roi.

L'autre jour, quand le grand orateur républicain quitta la Normandie, comprenant son insuccès, il ne put retenir, dit-on, cette parole : « Je suis un homme politique, moi ; je n'entends rien à toutes les questions spéciales. » N'aurait-il pas dû faire en sorte de les connaître, au moins cinq minutes ?

**

C'est qu'il n'est pas facile, ce métier d'enjôleur, d'entraîneur de peuples. Il faut saisir avec un tact infini les courants d'idées qui vous entourent, trouver le mot juste, le compliment nécessaire, ne blesser personne, rallier les mécontents, séduire toujours. Ces dons si divers, un seul peut-être les eut de naissance et poussés jusqu'à la perfection. C'est Napoléon Ier (que le Destin pourtant nous préserve de ses semblables). Outre que, sans emphase, il savait toujours trouver la phrase infailliblement entraînante, il possédait encore l'art d'interroger de telle sorte, qu'il vidait un homme en quelques minutes, extrayant de lui tout ce qu'il voulait, tout ce que l'autre savait, par des questions brusques, inattendues, singulièrement précises, qui désarticulaient le mauvais vouloir et perçaient les résistances.

Il fallait, pour lui tenir tête, une force d'âme presque surhumaine. Il était bien rare que, devant lui, on ne perdit point toute présence d'esprit. Un Normand justement eut cette chance de ne se point troubler en lui parlant. L'anecdote est presque inconnue. C'était un préfet de Rouen, esprit indépendant, bien qu'acccompli, audacieux et railleur. Appelé à Paris avec tous ses collègues pour présenter ses compliments au roi de Rome qui venait de naître, il s'approcha, son tour venu, du berceau où bavachait l'enfant auguste, et, s'inclinant jusqu'à terre, il prononça ces paroles, au milieu du silence respectueux de l'armée des fonctionnaires qui venaient d'exprimer leurs vœux à cette larve impériale : « Monseigneur, je n'ai qu'une chose à vous souhaiter : puissiez-vous être plus tard aussi sourd aux compliments intéressés de vos flatteurs que vous l'êtes aujourd'hui à l'hommage de mon profond respect. »

**

L'empereur, présent, ne dit rien, mais n'oublia pas. Quelque temps après, se trouvant à Rouen, il se mit soudain à cribler son fonctionnaire de ces questions directes, terribles, dont il avait le secret et auxquelles il fallait répondre : « Combien de gens mariés dans votre département? » Le préfet, impassible, jeta un chiffre. — « Quelle est la longueur totale de vos routes? » Le préfet n'hésita point. « Combien passe-t-il d'eau par jour sous le pont de Rouen, monsieur le préfet? » L'autre indiqua la quantité d'eau. Alors, de cette voix ironique qui valait presque un arrêt de mort, l'empereur demanda : « Puisque vous savez tout, monsieur, combien avez-vous d'oiseaux de passage ici? »

Le fonctionnaire salua de tout son corps : « Un seul, Sire, un aigle! »

Napoléon ne continua pas.

C'étaient là, je ne le nie point, jeux de prince et de courtisan. Mais Napoléon, certes, n'aurait point oublié qu'il y a des pilotes à Quillebeuf!

(*Le Gaulois*, 1er novembre 1881.)

ADIEU MYSTÈRES

Honte aux attardés, aux gens qui ne sont pas de leur siècle!

L'humanité est toujours divisée en deux classes, celle qui tire en avant et celle qui tire en arrière. Les uns quelquefois vont trop vite; mais les autres n'aspirent qu'à reculer, et ils arrêtent les premiers, ils retardent la pensée, entravent la science, ralentissent la marche sacrée des connaissances humaines.

Et ils sont nombreux, ces ankylosés, ces pétrifiés, ces empêcheurs de sonder les mystères du monde : vieux messieurs et vieilles dames bardés de morale enfantine, de religion aveugle et niaise, de principes protesques, gens d'ordre de la race des tortues, procréateurs de tous ces jeunes élégants à cervelle d'oiseau, sifflant les mêmes airs de père en fils, pour qui toute l'imagination consiste à distinguer ce qui est *chic* de ce qui ne l'est pas. Un assassin, un soldat traître, tout criminel, quelque monstrueux qu'il soit, me semble moins odieux, est moins mon ennemi naturel, instinctif, que ces retardataires à courte vue, qui jettent entre les jambes des coureurs en avant leurs préjugés antiques, les doctrines surannées de nos aïeux, la litanie des sottises légendaires, des sottises indéracinables, qu'ils répètent comme une prière.

Marchons en avant, toujours en avant, démolissons les croyances fausses, abattons les traditions encombrantes, renversons les doctrines séculaires sans nous occuper des ruines. D'autres viendront qui déblaieront; d'autres, ensuite qui reconstruiront; puis d'autres encore qui redémoliront; et d'autres toujours qui rétabliront. Car la pensée marche, travaille, enfante; tout s'use, tout passe, tout change, tout se modifie. Les idées ne sont pas de nature plus immortelle que les hommes, les bêtes et les plantes. Et pourtant, comme elle vous tient souvent, cette tendresse coupable pour les croyances anciennes qu'on sait menteuses et nuisibles!

***

Ainsi qu'un temple des religions nouvelles, un temple ouvert à tous les cultes, à toutes les manifestations de la science et de l'art, le palais de l'Industrie montre chaque soir aux foules ahuries des découvertes si surprenantes que le vieux mot balbutié toujours à l'origine des superstitions, le mot « miracle », vous vient instinctivement aux lèvres.

La foudre captive, la foudre docile, la foudre que la nature a faite nuisible, devenue utile aux mains de l'homme; l'insaisissable employé comme force, transmettant au loin le son, le son, cette illusion de l'oreille humaine, qui change en bruit les vibrations de l'air. L'impondérable remuant la matière, et la lumière, une prodigieuse lumière, réglée, divisée, modérée à volonté, produite par cet inconnu formidable dont le fracas faisait tomber nos pères à genoux : voilà ce que quelques hommes, quelques travailleurs silencieux, nous font voir.

On sort de là plein d'une admiration enthousiaste.

On se dit : « Plus de mystères; tout l'inexpliqué devient explicable un jour; le surnaturel baisse comme un lac qu'un canal épuise; la science, à tout moment, recule les limites du merveilleux. »

Le merveilleux! Jadis il couvrait la terre. C'est avec lui qu'on élevait l'enfant; l'homme s'agenouillait devant lui; le vieillard, au bord de la tombe, frissonnait éperdu devant les conceptions de l'ignorance humaine.

Mais des hommes sont venus, des philosophes

d'abord, puis des savants, et ils sont entrés hardiment dans cette épaisse et redoutée forêt des superstitions; ils ont haché sans cesse, ouvrant des routes d'abord pour permettre à d'autres de venir; puis ils se sont mis à défricher avec rage, faisant le vide, la plaine, la lumière autour de ce bois terrible.

Chaque jour ils resserrent leurs lignes, élargissant les frontières de la science; et cette frontière de la science est la limite des deux camps. En deçà, le connu qui était hier l'inconnu; au-delà, l'inconnu qui sera le connu demain. Ce reste de forêt est le seul espace laissé encore aux poètes, aux rêveurs. Car nous avons toujours un invincible besoin de rêve; notre vieille race, accoutumée à ne pas comprendre, à ne pas chercher, à ne pas savoir, faite aux mystères environnants, se refuse à la simple et nette vérité.

L'explication mathématique de ses légendes séculaires, de ses poétiques religions, l'indigne comme un sacrilège! Elle se cramponne à ses fétiches, injurie les bûcherons, en appelle désespérément aux poètes.

Hâtez-vous, ô poètes, vous n'avez plus qu'un coin de forêt où nous conduire. Il est à vous encore; mais, ne vous y trompez pas, n'essayez point de revenir dans ce que nous avons exploré.

Les poètes répondent : « Le merveilleux est éternel. Qu'importe la science révélatrice, puisque nous avons la poésie créatrice! Nous sommes les inventeurs d'idées, les inventeurs d'idoles, les faiseurs de rêves. Nous conduirons toujours les hommes en des pays merveilleux, peuplés d'êtres étranges que notre imagination enfante. »

Eh bien, non. Les hommes ne vous suivront plus, ô poètes. Vous n'avez plus le droit de nous tromper. Nous n'avons plus la puissance de vous croire. Vos fables héroïques ne nous donnent plus d'illusions; vos esprits, bons ou méchants, nous font rire. Vos pauvres fantômes sont bien mesquins à côté d'une locomotive lancée, avec ses yeux énormes, sa voix stridente, et son suaire de vapeur blanche qui court autour d'elle dans la nuit froide. Vos misérables petits farfadets restent pendus aux fils du télégraphe! Toutes vos créations bizarres nous semblent enfantines et vieilles, si vieilles, si usées, si répétées! J'en lis chaque jour, de ces livres d'exaltés frénétiques, de bardes obstinés, de refaiseurs de mystérieux. C'est fini, fini. Les choses ne parlent plus, ne chantent plus, elles ont des lois! La source murmure simplement la quantité d'eau qu'elle débite!

Adieu, mystères, vieux mystères du vieux temps, vieilles croyances de nos pères, vieilles légendes enfantines, vieux décors du vieux monde!

Nous passons tranquilles maintenant, avec un sourire d'orgueil, devant l'antique foudre des dieux, la foudre de Jupiter et de Jéhova emprisonnée en des bouteilles!

Oui! vive la science, vive le génie humain! gloire au travail de cette petite bête pensante qui lève un à un les voiles de la création!

Le grand ciel étoilé ne nous étonne plus. Nous savons les phases de la vie des astres, les figures de leurs mouvements, le temps qu'ils mettent à nous jeter leur lumière.

La nuit ne nous épouvante plus, elle n'a point de fantômes ni d'esprits pour nous. Tout ce qu'on appelait phénomène est expliqué par une loi naturelle. Je ne crois plus aux grossières histoires de nos pères. J'appelle hystériques les miraculées. Je raisonne, j'approfondis, je me sens délivré des superstitions.

Eh bien, malgré moi, malgré mon vouloir et la joie de cette émancipation, tous ces voiles levés m'attristent. Il me semble qu'on a dépeuplé le monde. On a supprimé l'Invisible. Et tout me paraît muet, vide, abandonné!

Quand je sors la nuit, comme je voudrais pouvoir frissonner de cette angoisse qui fait se signer les vieilles femmes le long des murs des cimetières, et se sauver les derniers superstitieux devant les vapeurs étranges des marais et les fantasques feux follets. Comme je voudrais croire à ce quelque chose de vague et de terrifiant qu'on s'imaginait sentir passer dans l'ombre! Comme les ténèbres des soirs devaient être plus noires autrefois, grouillantes de tous ces êtres fabuleux!

Et voilà que nous ne pouvons plus même respecter le tonnerre, depuis que nous l'avons vu de si près, si patient et si vaincu.

(*Le Gaulois*, 8 novembre 1881.)

POLITICIENNES

La politique, quoi qu'en pensent beaucoup de gens,
convient merveilleusement à l'esprit souple des femmes.
Elles y ont souvent excellé. Leurs facultés, essentiellement subjectives, s'adaptent mal aux arts dits libéraux.
Et qu'on n'aille point objecter l'insuffisance de leur
instruction, car elles pratiquent autant que nous la
peinture et la musique ; toutes les filles de nos concierges
passent par le Conservatoire ; le Salon chaque année est
plein de toiles signées de petits noms féminins ; et si
quelques artistes en jupons arrivent à une habileté
remarquable d'exécution, aucun cependant n'a jamais
pu franchir la limite difficile qui sépare le maître de
l'amateur. Mais la politique, science de second ordre,
où le flair instinctif, la rouerie naturelle, la séduction,
l'habileté, les finesses et les subtilités triomphent sans
cesse des raisonnements les plus sains, se prête infiniment bien au développement complet de toutes les
qualités natives de la femme. Faible, mais armée de
ruse pour lutter contre notre force, cuirassée de charme
et de grâce pour combattre notre fermeté, insinuante
pour triompher de notre logique, subtile et pratique,
peu influencée par les grandes théories philosophiques,
humanitaires et ronflantes, elle a su être souvent la
conseillère cachée, utile et ferme de bien des grands
hommes qu'elle guidait, dans l'ombre, de ses conseils.

On pourrait même, je crois, prouver, l'histoire en
main, que fort peu de politiciens ont échappé aux

influences féminines. Dans notre patrie, principalement, pays de la loi salique, elles ont exercé plus que partout ailleurs leur pouvoir dirigeant sur les maîtres de l'Etat.

***

Celle dont je veux, discrètement, conter l'histoire vécut longtemps, jeune fille et jeune femme, dans une grande ville du centre de la France. Son père, vieux magistrat savant, la bourra d'histoire et surtout de mémoires. Elle connut, presque enfant encore, par Saint-Simon et tous les laisseurs de documents précis, les pratiques secrètes des gouvernements ; et au lieu de rêver aux amoureux masqués qui enlèvent les demoiselles au clair de lune, elle imaginait de grandes complications européennes, des difficultés inextricables où s'empêtraient tous les ministres et qu'elle parvenait seule à débrouiller par la puissance et la subtilité de ses conseils donnés en secret à l'homme d'Etat qu'elle avait su distinguer, et qui, grâce à elle, devenait providentiel pour sa patrie.

Elle lisait, chaque matin, les journaux, songeait à la Prusse comme on songe au ténébreux ennemi, se préoccupait de l'Italie, surveillait l'Angleterre, avait l'œil sur l'Espagne et comptait avec la Russie.

Ayant épousé, par force, un fonctionnaire d'un esprit trouble et borné, elle vécut correctement à son côté sans qu'il soupçonnât jamais ses dedans.

Peu jolie, inaperçue, elle acquit cependant une influence considérable dans son entourage, grâce à ses grandes qualités d'intrigue dissimulée, et d'obstination voilée. Son père mort, elle sut faire appeler son époux à Paris. Peu de temps après, il mourut aussi.

Elle resta seule avec un enfant. Elle n'était pas riche, peu séduisante, pas connue. La route serait longue et difficile pour arriver à gouverner par les moyens ordinaires. Elle se sentait forte, pourtant ! comment prouver sa force ? pénétrante, comment exercer sa pénétration ?

Elle se fit donner des places pour les séances de la Chambre, et, patiemment, elle étudia tous les hommes politiques en qui la France pouvait mettre son espoir. Enfin elle en choisit un. C'était un garçon déjà célèbre, plein d'un tempérament exubérant, d'une incontestable puissance, d'un avenir assuré. Elle lui écrivit une de ces lettres à triple fond comme les femmes savent en écrire. Elle ne cachait point son sexe, sûre de troubler l'homme, disait son admiration, puis, avec une prodigieuse habileté, elle intriguait cet esprit qu'elle avait su deviner, lui révélant ses propres pensées, indiquant ses tendances, éclairant même avec une pénétration singulière certains côtés obscurs de lui.

Quel est l'homme un peu célèbre qui n'a point reçu ces lettres d'inconnues, et qui n'a pas été pris à leur mystère? Est-il une femme un peu femme, souple et rusée, qui n'ait point obtenu ce qu'elle voulait par ce vieux moyen toujours bon? Ne pourrait-on pas même citer dans Paris trois ou quatre hommes de talent que des correspondances mystérieuses ont conduits jusqu'au mariage?

Il fut pris comme les autres, il répondit. Alors commença entre eux un marivaudage singulier de politique et de galanteries mêlées. Les mots d'amour étaient remplacés par des noms de peuples; et, de place en place, elle jetait habilement sur ses conseils et sur ses raisonnements un léger voile de tendresse.

Lui, nature méridionale, assez facile à l'exaltation, peu habitué d'ailleurs jusque-là aux succès où sa personne physique jouait un rôle, fut ému, séduit peu à peu par cet échange continu de lettres avec une femme qu'il supposait naturellement jolie, qu'il voyait exceptionnellement intelligente, et qu'il avait conquise de loin par la seule puissance de son talent.

Il voulut la voir; elle refusa. Cette résistance exaspéra son désir. Elle lui confessa qu'elle n'était pas jolie, et plus jeune déjà. Il fut ennuyé de cet aveu; il insista cependant, et chaque semaine il recevait une longue lettre semblable à un rapport d'ambassadeur, avec des réflexions sages et des aperçus très subtils sur la situation de l'Europe.

Parfois, dans ses discours à la Chambre, dans ses allocutions en province, dans ses toasts aux banquets publics, il répétait textuellement des pages entières de sa correspondante anonyme; et il s'étonnait souvent lui-même du succès qu'obtenait cette prose élégante et claire.

Ces jours-là les journaux proclamaient qu'il s'était surpassé. Le cœur pris, l'esprit enveloppé, l'intelligence séduite, il déclara enfin à son inconnue qu'il romprait toutes relations si elle ne consentait point à devenir son amie visible.

Elle le sentit mûr pour le cueillir. Elle consentit et lui assigna un rendez-vous.

Depuis longtemps déjà elle avait loué, meublé, préparé le petit appartement qui devait servir à ces entrevues.

Il y vint, le cœur battant; et, quand il entra, un peu essoufflé, car il était assez gros, il trouva devant lui une femme aux traits un peu durs, mais aimable, à l'œil large, vêtue en Parisienne qui désire plaire, émue aussi et les deux mains ouvertes, et qui disait : « Venez donc, mon ami, qu'on vous aime enfin de près ».

Et, tout d'un coup, ils se mirent à parler politique. Ils n'étaient point d'accord sur certains points, ils s'expliquèrent, s'animant, se querellant presque, et s'attachant mystérieusement l'un à l'autre par mille liens ténus de l'esprit.

Ils se quittèrent; se revirent; s'aimèrent d'une tendresse faite de raison, d'équilibre moral et européen, de géographie et d'accordances intellectuelles. Elle fut sa maîtresse cependant; mais si peu!

***

Et cela dure encore. Et grâce à cette ruse singulière qu'ont les femmes, à ce génie de la dissimulation, le

319

secret de leurs relations n'a point été complètement saisi.

Parfois, un journal annonce qu'on l'a reconnu, lui, l'homme d'Etat qui ne peut sortir sans recevoir au visage tous les regards de la foule, qu'on l'a reconnu dans l'obscurité profonde d'une loge au théâtre, et qu'une femme l'accompagnait. Mais quelle femme? On cherche; on jase, on nomme des actrices; on soupçonne des grandes dames; on désigne même des danseuses! Non point : c'est elle, la politicienne mûre, l'amie grave, la conseillère de tous les jours. Car chaque matin maintenant, il reçoit une lettre d'elle, une lettre où sont analysés, pesés, calculés tous les événements accomplis ou possibles!

Pour prouver sa puissance, elle a fait même un coup de maître. Elle l'a enlevé; elle l'a enlevé comme jadis les gentilshommes enlevaient au couvent les jeunes filles; et ils ont disparu, cachés quelque part dans cette Europe qui occupe toutes leurs pensées, qui remplace pour eux l'amour. Qu'ont-ils faits? Où ont-ils été? Nul ne le sait au juste. Les reporters fourbus sont revenus à leurs rédactions, sans nouvelles. Les hommes d'Etat se sont creusé la tête. Le mystère n'a point été percé.

Où vont les amoureux qui s'enfuient? Toujours vers la patrie poétique, la patrie radieuse de Roméo et de Juliette! Où pouvaient-ils aller, eux?

Où ils pouvaient aller? N'est-ce pas indubitablement vers la nation brumeuse et menaçante, vers la terre aux secrets politiques, aux éternels problèmes, la terre où médite celui qu'on appelle le chancelier de fer!

(*Gil Blas,* 10 novembre 1881.)

CONTEMPORAINS

Une lecture vient d'avoir lieu chez Mme Juliette Lamber. La maîtresse de maison est une des plus charmantes femmes qu'on puisse rencontrer aujourd'hui, et son salon, le plus rempli sans doute et le plus curieux des salons modernes, peut être considéré comme une galerie des contemporains, car tout le monde y passe. Parlons de la femme, de la maison et des visiteurs.

Un poète de talent, M. Jean Aicard, lisait avant-hier un drame en vers. Le drame est beau, mais je suis de ceux qui ne comprennent plus les vers au théâtre. Tant pis pour moi sans doute. Les vers, aujourd'hui, me semblent destinés uniquement à exprimer ce que la prose précise, claire, toujours exacte ne peut rendre, c'est-à-dire l'insaisissable rêve, les effleurements d'idées, les sentiments flottants, les choses exquisement fines, un peu vagues, et dont le vague fait le charme, l'au-delà de l'existence; ces sortes de visions brusques vers un monde de convention poétique, ces presque infixables lueurs de l'esprit qui semblent parfois se dédoubler, laissant voir derrière des voiles à peine transparents tout un monde de songeries surhumaines, d'interprétations idéales des choses réelles, d'images singulières et un peu confuses.

Quant aux actes de la vie, même de la vie ancienne, je

ne comprends pas le besoin de les entendre raconter avec des rimes, d'autant plus que les acteurs modernes, au lieu de scander, de marquer le vers, de le psalmodier presque, le démolissent, le prosifient, effaçant la rime et la césure, et ne laissant apercevoir que l'espèce de gêne imposée aux auteurs par les nécessités de la prosodie. J'en aurais long à dire là-dessus, mais on trouvera assurément que je blasphème, ce dont je prends d'avance mon parti.

***

Aussi bien, il ne s'agit point de vers, mais d'une maison parisienne, véritable musée Tussaud, où entrent les hommes de tous les mondes, ambassadeurs, politiciens, artistes de toutes les races.

C'est le vrai salon moderne aux portes ouvertes, où chacun se présente, salue, serre des mains, erre quelque temps et s'en va. Aujourd'hui qu'on ne cause plus, ces défilés sont de mode; et plus les régiments d'hommes connus paraissent nombreux, plus la maîtresse de maison se réjouit. Autrefois son rôle consistait à diriger les causeries, à en régler le cours, à les arrêter quand il le fallait, à mettre en lumière ses visiteurs de marque, à tisonner leur esprit. Elle les triait du reste sur le volet, et ne laissait point franchir sa porte à tous les errants douteux, sans mérite ou renom, qu'on rencontre aujourd'hui par le monde. Maintenant le rôle d'une femme, très simplifié, consiste à dire à chacun un mot aimable, sans confondre ses invités l'un avec l'autre, ce qui est difficile parfois, et sans tarir en gracieusetés.

Mme Juliette Lamber excelle à recevoir selon la manière présente, comme elle y aurait excellé selon la manière ancienne, car c'est une charmeuse. Personne mieux qu'elle ne sait trouver le mot qui chatouille les vanités, saisit les affections, descend aux cœurs. Politicienne consommée, son seul tort, à mon gré, est de croire à la politique, je veux dire à la politique gouvernementale.

— Comment, madame, vous la femme que vous êtes, pouvez-vous donner un instant d'attention à ces balivernes qu'on nomme relations internationales? vous amuser à ce jeu de colin-maillard où s'adonnent ces aveugles-nés, braillards vides, intrigants, craqueurs, bateleurs, farceurs, trompeurs, qu'on appelle les hommes politiques? Une seule opinion, soit dit en passant, me semble raisonnable, celle des anarchistes révolutionnaires. Ceux-là, du moins, quel que soit le gouvernement, sont ses ennemis, en vertu de ce principe que quiconque gouverne abuse des autres, les trompe et les pille. Quant à ses amis, Mme Juliette Lamber les traite en souveraine idéale, toujours prête à les obliger, à user pour eux de son influence si grande, car elle est devenue, selon son mot, la première solliciteuse de France. Exempte de tous les préjugés médiocres, elle se plaît infiniment à désarticuler les hypocrisies, à dire son avis bravement en face de gens armés de principes à double fond. Et je ne puis m'empêcher de croire que derrière cette invincible gracieuseté, cet accueil si charmant pour tous, il y a beaucoup de mépris, beaucoup de dégoût pour quelques-uns des êtres inclinés devant elle.

En ces jours de réception, elle va, souriante, de salon en salon, passe entre les hommes qui s'écartent, aussi grande qu'eux, promenant au milieu des habits noirs les plus beaux bras et les plus belles épaules qui soient.

Dans le premier salon se tiennent généralement les importants. Ils parlent de choses ennuyeuses. Une triste femme, parfois, est assise au milieu d'eux, tandis que le mari, debout devant elle, discute énergiquement. Par moments, comme une comète, sortant du grand salon pour y rentrer par une autre porte, un illustre traverse cette pièce, cueillant les regards. En ce lieu, on voit encore des brochettes sur les poitrines, solennisant l'altière niaiserie des hauts fonctionnaires français ou autres.

Cueillons quelques silhouettes.

— « Bonjour, général. » — C'est un petit homme
ciré, soigné, coquet, le plus aimable des généraux et qui
n'a point l'air officier pour un sou. La nature elle-même
l'avait désigné pour commander la maison militaire de
M. Grévy. Poète par surcroît, il ne doit avoir d'ennemis
ni dans les lettres, ni dans l'armée, tant il est affable et
courtois. Des généraux classiques, à grosses moustaches,
au crâne pelé, à l'œil envahisseur, à la dure parole,
forment auprès de lui un amusant contraste.

Pas plus grand, mais plus hérissé, avec des cheveux
qu'on dirait coupés à la faux et une barbe taillée à la
hache, un autre poète, pas général celui-là, dépourvu du
reste des avantages qui font les séducteurs, passe, muet,
au milieu des hommes. Il semble aimer les conversations
intimes, les tête-à-tête dans les coins tranquilles. On le
dit spirituel et mordant. A première vue, on ne le
croirait point le père de la très héroïque *Fille de Roland*.

Encore un poète, poète et militaire. Très grand, au
nez busqué, à la parole toujours aimable, l'auteur des
Chants du soldat enthousiasme toutes les femmes. Plaît-
il autant, comme poète, à ce petit monsieur d'aspect
modeste qu'on dirait un pierrot mûr et dégrimé, et qui
sourit sans cesse, d'un sourire amical, cachant bien des
malices! Sa bouche fine, rasée, remue sans cesse, agitée
par une secousse nerveuse presque invisible. Tous les
jeunes rimeurs, tous sans exception, l'appellent « cher
maître » car c'est un artiste, un grand artiste, le plus
consciencieux, le plus difficile, le plus justement exigeant
des manieurs de rythmes : Théodore de Banville.

Gras, calme, ses longs cheveux sur le cou, la tête
haute, le front dégarni, ressemblant à un abbé d'autrefois, un autre maître, impeccable aussi, Leconte de
Lisle, le vrai patron des Parnassiens, semble rêver
toujours au loin.

Et voici encore un poète, bien que ce soit un
romancier. Il domine de la tête tous les hommes qui

sont là. Ses longs cheveux blancs, d'un blanc luisant, se mêlent à sa barbe, toute blanche aussi, et donnent un aspect de Père Eternel à sa figure calme, douce et bonne. Un grand homme, au sens physique du mot ; un très grand homme au sens figuré, l'écrivain russe Ivan Tourgueneff. Il cause avec un Méridional ardent, dont la voix chante un peu et que tous connaissent, Alphonse Daudet.

Toujours des poètes : Armand Silvestre, grand, fort et gai, bien que son talent soit vibrant, gracieux et profond. Un vrai poète, celui-là, et qui aime les femmes non point seulement, sans doute, à la façon platonique des idéaux. Il suffit de le voir les regarder, pour saisir en son œil une admiration ardente, à qui la rime ne doit point suffire.

Anatole France, un délicat charmant ; et bien d'autres.

M. Henri Rochefort est un intime ami de Mme Juliette Lamber.

*
* *

Et le défilé des célébrités continue. Il en vient, il en sort, il en pleut : les uns osseux, d'autres ventrus, les uns poilus, les autres glabres. Parmi les figures aimables, l'éditeur Charpentier, Paul Bourget, Ganderax, et bien d'autres, des peintres, des savants, des mondains, et aussi beaucoup de ces gens qui vont partout parce qu'on les a plus ou moins présentés et qu'ils possèdent un habit noir.

(*Le Gaulois*, 16 novembre 1881.)

GALANTERIE SACRÉE

Les femmes aujourd'hui aiment la robe du moine. Le
moine a toujours aimé la robe des femmes, en tout bien
tout honneur.

La galanterie française est morte, dit-on. Les hommes
ne s'occupent plus des femmes, on ne cause plus, on ne
sait plus marivauder! Allez voir dans les parloirs des
couvents, dans les longs parloirs à cellules vitrées,
mystérieuses et sombres, si l'on ne sait plus marivauder.

La politique, les affaires, la Bourse, toutes les
préoccupations de la vie pratique ont pris les hommes,
les hommes en culottes. Alors, lentement, au nom de la
religion du Christ mort de tendresse, les hommes en
soutane blanche ont recueilli l'amour des femmes. Ils
s'occupent d'elles, consolent leurs tristesses, apaisent les
élans tumultueux de leurs cœurs affamés d'inconnu,
bercent avec les grands mots vides, les creuses théories,
les phrases mélodieuses, avec toute cette puérile philosophie de confessionnal les pauvres petites âmes des
femmes, troublées, voletantes, cherchant un point d'appui.

La femme aime la robe du moine! Elle l'aime parce
qu'il y a dans cet amour une vague odeur de sacrilège,
de profanation, parce qu'elle joue là son rôle biblique de
serpent, de tentatrice, parce qu'elle a pour mission, pour
devoir, de se faire aimer par l'homme, quel que soit cet
homme; parce que son triomphe de séductrice grandit

avec la difficulté de la conquête. Mais pour être aimé, le moine s'est fait aimable, mondain, séduisant.

**

Aucun Lauzun, aucun Richelieu n'a récolté plus ample moisson de cœurs que ces prédicateurs en vogue qui apparaissent soudain comme des comètes, disparaissent de même, et dont les noms sont répétés, chuchotés, murmurés, occupent toutes les causeries des réceptions de cinq heures, sortent doucement des bouches féminines dans les demi-ténèbres du jour tombant, avant que les lampes ne soient venues.

On le choisit avec soin dans le troupeau des néophytes, celui qui doit capter les femmes. Il est nécessaire qu'il soit beau, qu'il ait les yeux grands, le geste large, du charme, de l'onction. On le prépare à son rôle dans le silence du monastère, puis on l'essaye modestement en quelque petite église de Paris.

Il commence sa mission, expérimente son pouvoir. C'est aux femmes qu'il s'adresse; il parle à leur sentiment, et, s'il a la vocation qu'il faut, elles répondent tout de suite à son appel secret. Des jeunes filles, des bourgeoises accourent réclamer sa direction, deviennent ses amies, ses petites amies. On commence à le venir voir au couvent, dans les cases vitrées du parloir; lui-même se rend à domicile. De mystérieux complots ont lieu, dont il est l'âme, pour ramener à Dieu le cœur égaré de quelque petite camarade. L'amie dévouée ménage des entrevues avec ce convertisseur juré, en arrière du père de famille libre-penseur; et alors ce sont des après-midi délicieuses, des réunions hebdomadaires, où l'on parle de tout, et où le nom du Christ revient sans cesse. Le révérend père, chargé des pouvoirs du ciel, agit comme pour lui-même, recrute les fiancées de Dieu, exerce en son nom une sorte de droit de jambage moral, fait pour le mieux, enfin.

Mais il faut un prétexte à ces entrevues multipliées. Le prétexte, toujours le même, est bientôt trouvé. Toute fillette ayant reçu une éducation soignée a pris des leçons de dessin. On fait le portrait du père. C'est d'abord un modeste crayon, un essai. Mais il se prête si complaisamment à poser! Il est si bien, si beau en sa longue robe tombante!

On en fera par la suite, allez, des portraits de lui, à la douzaine, à la centaine. Elles en feront toutes, toutes celles qui auront le bonheur de manier le fusain, le pinceau, le crayon, l'ébauchoir. Et toujours, avec la même complaisance il posera, patient, majestueux, superbe, dans les salons, les boudoirs, les ateliers! Il posera tous les jours, chez dix pénitentes diverses, gardant le secret de cette multiplication de son image, suivant ses moyens obscurs, livrant sa tête, sa tête reproduite de toutes les façons, pour accomplir les voies de Dieu.

Il ne fait encore que débuter, mais il débute en maître. Pour aider l'artiste, il lui donne sa photographie. Une d'abord, puis deux, puis trois, puis dix. C'est une invraisemblable orgie de collodion répandu, une débauche de clichés. Le voici debout, assis, de face, de profil, de trois quarts; et toujours avec son air inspiré, son air d'apôtre, avec la grande robe blanche et le camail noir! Songez donc qu'il lui faut autant de poses qu'il y a de portraits commencés; mais il est habile, généreux, il donne à chacune toutes les épreuves qu'on a tirées de lui. Et c'est encore un moyen de prendre le cœur, d'être toujours présent, toujours maître.

Ne rirez-vous pas un jour, madame, quand, cette grande passion finie, vous retrouverez dans un tiroir cinquante figures diverses du révérend père qui vous a initiée aux joies du ciel?

On le consulte à tout moment.

Il reçoit des lettres de ce ton:

« Mon père, je souffre; la banalité de la vie m'oppresse; les lourdes réalités m'accablent. Il me semble que je me sens des envies de partir, de monter, je ne sais où, vers un idéal inconnu, l'idéal du rêve, etc. » — Cela raconté en quatre pages.

Il y répond dans ce goût :

« L'idéal! l'idéal! C'est le cri de toute âme, la soif inextinguible, l'éternelle aspiration! Où est l'idéal, dites-vous? Il est en Dieu! Il est en vous! Votre appel désespéré, l'élan furieux de votre cœur vers lui... c'est de l'idéal, cela, ma fille. L'idéal! il est dans l'infini que nous percevons sans le bien comprendre. Quand nous serons nous-mêmes mêlés à l'infini, c'est-à-dire à Dieu, nous jouirons pleinement de l'idéal! Tout existe, sauf le néant! L'idéal existe, puisque nous en avons l'obscure conscience! Le néant n'existe pas, puisque l'existence d'un seul être en constitue l'éclatante négation.

» Hors de là vous vous débattez dans le vide, les bras ouverts, le cœur altéré, haletante.

» Vous semblez un pigeon voyageur dont la route est perdue. Vous montez parfois jusqu'aux hauteurs du ciel pour retomber épuisée sur le sol. C'est à moi qu'il appartient de tendre la main dans la direction du salut. La voici, ma fille.

» Adieu, à bientôt. Vous savez qu'il y a dans mon cœur des souvenirs et d'ardentes prières pour vous. »

Et le papier, tout simple, à deux sous le cahier, est parfumé comme un lit de courtisane.

**

Sa réputation grandit. Il devient le Père à la mode, le Père des élégantes, le Père dont on ne doit jamais manquer les conférences.

Il n'a plus une heure à lui. Il est aimé aux quatre coins de Paris : et ce flot d'amour qui monte vers lui l'enveloppe, le laisse souriant, flatté, marivaudant toujours, effleuré sans doute par d'autres désirs, torturé peut-être, mais n'y cédant pas.

Il est l'apôtre des femmes, l'apôtre frotté de lubin, l'apôtre à la rose, l'apôtre à la bure délicate, odorante, souple comme du cachemire, aux mains fines, aux doigts caressants, à la peau soignée. Et si le ciel, parfois, gagne à ses conversions, l'enfer, à coup sûr, n'y perd jamais.

Il a des baumes pour toutes les plaies. Sur tous les détraquements cérébraux, il verse sa métaphysique nuageuse, souple, suivant les cas, mais frénétiquement idéaliste.

C'est alors que le même désir, pareil à une épidémie, s'empare de toutes ses clientes, qu'elles veulent faire son portrait à l'huile, à l'aquarelle, au fusain, à la sépia, son buste, son médaillon. C'est alors qu'en grand secret il pose en même temps pour vingt artistes enjuponnés, et qu'il inonde Paris d'un fleuve de photographies.

Mais des bruits vagues circulent. Une jeune fille, dit-on, s'est jetée à l'eau par amour pour lui, car il est inflexible aux tendresses vraiment charnelles. Il domine la femme, se laisse aimer, mais demeure inabordable aux baisers.

Cependant, c'est une fièvre autour de lui, une fièvre passionnée, générale. Les supérieurs enfin s'inquiètent. Il ne faut pas qu'un scandale arrive; et soudain, il disparaît; il rentre dans l'ombre, caché parfois dans un cloître lointain, parfois simplement relégué en la cellule de son couvent.

Alors un autre lui succède, déjà mûr pour recueillir cet héritage d'amour, pour conduire vers les paradis de convention le troupeau charmant des Parisiennes.

(*Gil Blas,* 17 novembre 1881.)

UN DILEMME

Voici M. Sardou qui reprend l'éternelle question du divorce. Un homme a épousé une femme qu'il croyait *honnête*. Elle le trompe. Il la chasse. Alors elle va traînant son nom d'infamie en infamie. La cause est belle à plaider; elle est, de plus, infiniment respectable et juste. Mais elle devrait, à mon avis, être prise d'un peu plus haut.

Quelle est la raison constante qui brise les unions et fait réclamer le divorce? L'adultère, n'est-ce pas? Chercher remède à l'effet produit, au lieu de chercher le remède avant que l'effet se produise, ne me paraît pas la preuve d'une absolue logique. Mais voilà : le divorce est un moyen tout indiqué, tandis qu'on ne prévoit guère celui qu'il faudrait employer pour empêcher l'adultère.

Je n'ai point la prétention d'indiquer des procédés pour obtenir dans les ménages une fidélité constante; je me contenterai de constater que cette fidélité, dans l'état actuel de notre monde, est anormale.

Je voudrais bien cependant ne point dire des choses qui paraîtront immorales! Mais les idées reçues sur ce point sont tellement enracinées qu'on n'y peut guère toucher sans faire hurler, et tellement fausses que pas une ne peut résister à un examen sérieux.

Considérons dans notre société, telle qu'elle existe, ce qu'on appelle les « ménages »; j'entends les ménages mondains. Le mariage a lié deux êtres qui se sont promis fidélité par un serment tout aussi sérieux que les serments politiques ; et les voilà partis, côte à côte, dans le monde. Il est admis, parfaitement admis par tous que la femme seule est tenue rigoureusement à ses devoirs. Quant à l'homme, il serait considéré comme un niais s'il ne continuait pas, après le mariage comme avant, son rôle d'homme galant. Il ne cesse point pour cela d'être considéré comme un galant homme.

Je signale seulement, après dix mille autres, cette odieuse anomalie.

Observons donc seulement la femme, qui, de l'avis de tous, doit rester fidèle à l'époux.

Demeure-t-elle fidèle en réalité ? Vais-je être lapidé si je réponds : « Non » en général. Pardon, mesdames !

Avouez-le, messieurs, dans le monde l'adultère, d'un côté comme de l'autre, est la règle presque constante, et la fidélité l'exception. Les hommes auraient tort de s'en plaindre. Les maris seuls ont le droit de réclamer, mais ils commencent presque toujours. Tant pis pour eux !

**

Comment d'ailleurs en serait-il autrement ?

Les jeunes filles, chez nous, en grande majorité, sont élevées loin de tout plaisir, sévèrement, chastement, SAINTEMENT, comme dit Mlle Valtesse, dont je partage tout à fait les idées sur l'éducation de la future compagne de l'homme. On les remet, en général, immaculées à l'heureux époux. Le contraire est assurément très rare.

Jusqu'ici tout va bien ; car, ainsi que l'a proclamé fort galamment l'immortel Ponsard, en termes plus délicats que je ne pourrais le faire :

> *Je trouverais mauvais qu'une fille peu sage*
> *Vécût avec un homme avant le mariage !*

Le mariage est pour elle l'émancipation. Je ne sais qui en a donné cette définition très spirituelle : « Une femme de plus, un homme de moins. » — L'homme est-il de moins? j'en doute. Mais assurément la femme est de plus. Elle entre en circulation, comme on dit dans le commerce.

Elle entre en circulation, et l'expression est juste à tous égards. Avant, elle ne sortait pas, n'allait pas au bal, au spectacle, ne dansait point, ne recevait point les hommages, les admirations des hommes. Elle vivait en recluse enfin. La coquetterie lui demeurait interdite.

La voici mariée, c'est-à-dire lâchée dans les salons. Et maintenant, d'après nos lois, nos usages, nos règles, il lui est permis d'être coquette, élégante, entourée, adulée, aimée. Elle est *femme du monde*. Elle est *Parisienne*. C'est-à-dire qu'elle doit être la séductrice, la charmeuse, la mangeuse de cœurs; que son rôle, son seul rôle, sa seule ambition de mondaine doit consister à *plaire*, à être jolie, adorable, enviée des femmes, idolâtrée des hommes, de tous les hommes!

Est-ce vrai, cela? N'est-ce pas le devoir d'une femme de nous troubler? Tous les artifices de la toilette, toutes les ruses de la beauté, toutes les habiletés de la mode, ne les considérons-nous pas comme légitimes? Que dirions-nous d'une Parisienne qui ne chercherait point à être la plus belle, la plus adorée? Ne sommes-nous pas fiers d'elles, même sans être leurs maris? Nous vantons leurs toilettes, nous célébrons leur grâce, nous louons leur coquetterie!

Et vous prétendez, moralistes stupides, que tous ces frais soient dépensés en pure perte. Vous voulez que ces femmes donnent tous leurs soins, toute leur intelligence, tous leurs efforts à l'art de plaire, et cela pour rien? Vous voulez qu'elles nous affolent d'amour sans jamais perdre leur sang-froid, sans jamais céder à nos obsessions, sans jamais tomber dans nos bras désespérément tendus? Mais, brutes que vous êtes, ô prêcheurs de fidélité matrimoniale, alors il faut supprimer du monde la Parisienne telle que l'a faite la civilisation, et n'admettre que la femme du foyer, la femme toujours occupée des soins du ménage, toujours chez elle à laver les enfants, à compter le linge, et simplement vêtue et modeste comme une oie.

Ce serait plaisant, assurément, une société qui n'aurait point d'autres femmes!

Sortez de ce dilemme : la femme du monde a-t-elle, selon nos idées, reçu pour mission de plaire aux hommes? Alors on ne peut prétendre qu'elle ne se brûle jamais à ce feu qu'elle allume sans cesse.

A-t-elle pour mission la popote et le foyer? Alors ne l'encouragez pas à la coquetterie, qui fait tout le charme des salons.

***

Je n'emploierai point les arguments philosophiques pour établir que la plus exorbitante de nos prétentions est celle de posséder une femme à soi tout seul.

On pourrait cependant raisonner ainsi, non sans justesse :

Le droit exclusif de propriété exercé sur un être égal à nous constitue une sorte d'esclavage, détruit en partie le libre arbitre de cet être, attente en tout cas d'une façon flagrante à l'intégrité de sa liberté. Or, si j'en crois Mlle Louise Michel et nos immortels principes, la liberté est le premier des biens, le plus sacré, le plus inviolable, etc. Je passe.

Un autre argument me touche infiniment plus. Il vient de loin et n'en est pas moins bon.

Je respecte le code Napoléon, qui cependant ne le mérite guère en beaucoup d'endroits; mais il est un autre code, non dépourvu également de sagesse, que nous a conservé un certain André le Chapelain dont bien peu de gens gardent aujourd'hui le souvenir.

Ce code a pour titre le « Code d'amour ». Il date du XIIe siècle. Il fait donc partie par son âge de ce qu'on appelle la tradition. Il appartient à la sagesse des nations.

J'y cueille ceci :

334

Quelqu'un — un époux peut-être — ayant posé cette question : « L'amour peut-il exister entre gens mariés ? », voici le jugement que rendit la comtesse de Champagne :

« Nous disons et assurons par la teneur des présentes que l'amour ne peut étendre ses droits sur deux personnes mariées. En effet, les amants s'accordent tout mutuellement et gratuitement, sans être contraints par aucun motif de nécessité, tandis que les époux sont tenus par devoir de subir réciproquement leurs volontés et de ne se refuser rien les uns aux autres...

» Que ce jugement, que nous avons rendu avec une extrême prudence et d'après l'avis d'un grand nombre d'autres dames, soit pour vous d'une vérité constante et irréfragable.

» Ainsi jugé l'an 1174, le troisième jour des calendes de mai. Indiction VII. »

Et vraiment, la main sur le cœur, n'a-t-elle pas un peu raison cette femme ? N'est-il pas aussi d'une vérité constante et irréfragable qu'on ne fait volontiers et bien que ce qu'on n'est point forcé de faire ? Le mariage ne peut-il pas être classé dans la catégorie des travaux forcés ? Mais alors ?... Alors, je n'ai plus rien à ajouter, laissant chacun tirer les conclusions qu'il voudra.

Cependant je dirai encore quelques mots. La lune de miel passée, l'amour dans le mariage devient presque toujours impossible, n'est-ce pas ? En tout cas, il est rare, bien rare. Mais l'amour en dehors du mariage est un crime, suivant la loi. Alors il faut renoncer à l'amour, que la nature bien souvent conseille encore, ou bien commettre une faute que condamne la morale humaine. Que faire ? Désobéir à la nature ou à la loi ? Ne se point marier, direz-vous ?... C'est bon pour l'homme ; mais la femme, dans ce cas, se trouve en dehors des conventions sociales, est mise à l'index par la Société.

Une seule solution reste encore. Celle que conseille l'infâme hypocrisie : sauver les apparences.

Cela ne me satisfait pas, et je voudrais avoir sur ce

point l'avis d'une femme, d'une femme sincère et sans trop de préjugés.

Si j'osais, je demanderais l'opinion de Mlle Hubertine Auclert.

A FIGARO

C'est à toi, barbier, que je m'adresse.

Tu vieillis donc, raseur illustre, et tes clients te trouvent la main lourde! Se seraient-ils plaints d'être trop rasés, ou mal rasés? Auraient-ils menacé de quitter ta maison pour aller se faire barbifier chez le merlan voisin par des mains plus agiles et plus jeunes? Tes antiques et solennels raseurs ont donc perdu la confiance de ce que tu appelles élégamment le *high life?* S'il n'en est point ainsi, pourquoi cet écriteau pendu depuis trois jours devant ta porte : « On demande des apprentis qui seront payés à l'égal du patron? »

En d'autres termes, en termes moins imagés, le *Figaro* demande du renfort. Voilà une nouvelle qui ne nous surprend pas, mais qui étonnera bien des gens.

Il est tout naturel, d'ailleurs, qu'un journal aussi parisien que le *Figaro* cherche à renouveler ses cadres : la façon dont il s'y prend est plus anormale, et le boniment destiné à engluer les rédacteurs nouveaux me paraît être un chef-d'œuvre de malice. C'est donc plein d'une admiration sincère pour ce morceau que je vais chercher à en découvrir les intentions secrètes.

Je note l'aveu du début : « Nous n'apprendrons certainement rien à nos lecteurs en leur avouant que la politique a un peu trop envahi le *Figaro;* et nous leur ferons probablement plaisir en leur annonçant que nous sommes décidés à donner une plus grande place à la littérature et à la fantaisie. »

Donc la politique endormait tes lecteurs, ô *Figaro,* et une inquiétude t'a saisi. Alors tu as pensé à la littérature qui ne s'y attendait guère. Merci pour elle, maître.

Je continue à citer : « D'autre part, nous avons la prétention de rendre au besoin inutile pour notre public la lecture d'un autre journal que le *Figaro.* » Ah! ah! on se met donc à en lire d'autres dans le *high life!*

Mais, voici le filet qui se tend, écoutez : « Les auteurs ne manquent pas sur le pavé de Paris, et, sans compter nos excellents collaborateurs, nous connaissions mainte porte où frapper pour obtenir ce que nous voulions. Mais, d'une part, les démarches personnelles que nous pourrions faire sont forcément limitées, et, d'autre part, on ne sait peut-être pas suffisamment dans le monde des lettres que les portes du *Figaro* sont toutes grandes ouvertes, que l'esprit de coterie et d'exclusion y est complètement inconnu, et qu'enfin les successeurs de M. de Villemessant entendent rester fidèles aux traditions d'hospitalité envers les nouveaux venus qui ont toujours existé dans cette maison. »

Suivent les conditions d'un concours de chroniqueurs, cotés ou non cotés.

Parfait! Mais je commence par protester. Les auteurs ne sont pas tant que ça sur le pavé, barbier, et j'espère qu'ils te le feront voir, ta plume a souvent des écarts.

Ainsi Paris est plein d'auteurs de talent que *Figaro* connaît, qu'il voudrait bien avoir dans ses rangs, mais qu'il n'ose solliciter. Pourquoi? On dira : « Il se trouve peut-être parmi les inconnus des chroniqueurs de grand mérite. Un concours peut les mettre en lumière et ouvrir les portes du journalisme à de jeunes écrivains vraiment remarquables. »

Ce n'est pas là ton calcul, barbier malin. Comme tous les autres journaux de Paris, tu reçois chaque jour des ballots de manuscrits. Si tu les lis, tu sais ce qu'ils valent. Si tu ne les lis pas, tu demeures inexcusable. Mais tu les lis. Ton concours ne fera point jaillir un chroniqueur de génie; et tu le sais. Les mêmes Ignorés doubleront leurs envois; les concierges, les cochers de fiacre, les garçons épiciers, les calicots, les sergents de ville voudront bien concourir pour décrocher la timbale; tu seras inondé de papier noirci, de prose équivalente à celle dont tes lecteurs ne veulent plus. Mais tu t'es dit ceci : « En dehors de M. Albert Wolff, qui est et demeure un des plus spirituels journalistes de notre époque, je n'ai personne, personne. Or, voici que des journaux voisins ont trouvé et su garder tout un bataillon de chroniqueurs qui ont du talent, des succès, qui font augmenter la vente; si je pouvais en souffler deux ou trois à mes confrères, je n'en serais point fâché. »

Comme ces gens se trouvent bien dans les journaux qui les ont amicalement accueillis, comme ils gagnent de l'argent et comme ils sont retenus par des traités, tu as imaginé le coup du concours avec un prix de cinq cents francs. Ne voilà-t-il pas la ficelle, madré racoleur?

***

Maintenant, c'est à vous, mes confrères, que je m'adresse. Puisque le *Figaro* connaît vos portes, que n'y va-t-il frapper? S'il venait vous dire : « Monsieur, je vous apprécie. Je vous offre un traité d'un an dans les conditions suivantes... » — alors, moi, je vous crierais : « Acceptez, acceptez! Le *Figaro* reste encore le plus répandu des journaux; sa publicité est la meilleure, etc., etc. »

Mais le procédé qu'il emploie aujourd'hui me paraît outrageusement attentatoire à la dignité des hommes de lettres, infiniment injurieux pour eux, et humiliant aussi. Je proteste. Il connaît vos noms et vos demeures, dit-il, et il se contente de mettre cinq cents francs au bout d'un bâton, en criant : « Au plus souple! » — Et vous allez sauter, caniches. Vous allez vous mettre sur les rangs avec toute la bohème des lettres, avec tous les écrivailleurs d'occasion, tous les ratés, tous les bâtards de la plume qui courent le monde.

Et puis, ce n'est pas tout. Relisez le boniment qui vous invite au concours. — Quant à moi.

Ce bloc enfariné ne me dit rien qui vaille.

... « On ne sait pas suffisamment dans le monde des lettres que les portes du *Figaro* sont toutes grandes ouvertes, que l'esprit de coterie et d'exclusion y est complètement inconnu. »

— Non, on ne le sait pas suffisamment. Et l'on connaît trop, par surcroît, les habitudes du lieu.

Oui, les portes sont ouvertes, toujours grandes ouvertes, car on vous invite à sortir avec autant de bonne grâce qu'on vous avait prié d'entrer, nous le savons. C'est une maison où l'on passe (sans allusions malhonnêtes), ce n'est point une maison où l'on reste.

Le *Figaro* manque de rédacteurs? Que n'a-t-il su garder About, que n'a-t-il su garder Sarcey, que n'a-t-il su garder Vallès, Rochefort, Zola, Lockroy, Mont-joyeux, Scholl, Chapron et bien d'autres qui ont traversé ses colonnes et qui sont aujourd'hui les maîtres du journalisme français!

About, Montjoyeux, Scholl et Chapron n'avaient-ils pas assez d'esprit pour la boutique du barbier?

Quand un journal laisse partir de tels rédacteurs, tant pis pour lui! Cela indique que l'on n'y peut rester, « bien que l'esprit de coterie et d'exclusion y soit complètement inconnu ».

Albert Wolff lui-même, la colonne de l'édifice, n'a-t-il pas été plusieurs fois contraint de l'abandonner?

Et nunc erudimini.

*
* *

A toi, barbier. Tu dis : « Ici est intervenu le vieux démon du *Figaro* qui nous a soufflé à l'oreille que, depuis longtemps, nous n'avions rien fait pour chatouiller l'épiderme de la curiosité publique... »

340

Que j'aime ce « vieux démon qui t'a soufflé à l'oreille!... » Et : « chatouillé l'épiderme de la curiosité publique! »

> *On se sent à ces mots jusques au fond de l'âme*
> *Couler je ne sais quoi qui fait que l'on se pâme.*
> . . . .
> *Mais en comprend-on bien, comme moi, la finesse!*

Et tu ajoutes, farceur... « pour donner à nos ennemis un prétexte à nous attaquer ». Parbleu! ainsi qu'on donne aux gendarmes un prétexte à monter à cheval, comme tu l'as prévu, matois!

Arrivons au concours.

Donc tu crois que tous les écrivains connus, tous les écrivains de réputation, tous les écrivains de valeur, abdiquant toute fierté légitime, toute dignité littéraire, vont se jeter éperdument sur leur plume, confectionner un morceau quelconque de *quatre à cinq cents* lignes, et le faire porter incontinent rue Drouot pour être soumis au *Jury d'honneur de lettres* qui va siéger dans ton logis!

Or, parlons-en, du jury d'honneur.

La plus belle fille du monde (c'est connu) ne peut donner que ce qu'elle a. Le *Figaro* non plus.

Nous allons donc lire quelque jour la composition de ce tribunal : Président, M. Saint-Genest; membre, M. Ignotus; secrétaire, M. Prével. — V'lan!

M. Saint-Genest est, paraît-il, un charmant homme, mais il n'est pas un écrivain. Devant la gueule d'un canon ou devant celle des lions à qui l'on jetait les martyrs chrétiens, au pied de la guillotine ou du gibet, en face des plus affreux engins de torture, bravant les supplices et la mort, je ne cesserai point de proclamer cette vérité : M. Saint-Genest n'est pas un écrivain.

Mon opinion reste exactement la même touchant M. Ignotus et M. Prével.

Et je t'enverrais de la COPIE! mais c'est grave, cela!

Songez donc; si j'étais rejeté par ce tribunal, quelle dérision! Et si j'étais couronné, quelle humiliation!

*

Ce n'est pas tout encore. Tu dis : « L'article primé sera payé *cinq cents francs!* » Bigre! c'est beau cela : et je te parierais Armand Silvestre contre Saint-Genest (avec la certitude de ne pas perdre, sans quoi je ne ferais point cette folie) qu'il y a déjà sous les toits de Paris plus de six cents chroniques paraphées à ton adresse. Cinq cents francs!!! Oh! — Mais réfléchissons un peu. Je voudrais savoir si M. Wolff, par exemple, est payé par toi cinq cents francs l'article? Si oui, comment cet écrivain accepterait-il l'égalité avec le premier venu? — Si non, à plus forte raison, comment supporterait-il l'infériorité où tu le placerais? Diable, cela est compliqué. Je vais relire ton prospectus. Tiens, parbleu, je trouve ceci : « L'article ne devra jamais dépasser un maximum de quatre à cinq cents lignes. » — *Cinq cents lignes!* miséricorde! un vrai roman! Je m'explique alors; tu en veux pour ton argent. Car enfin, tout journal qui se respecte paye aujourd'hui deux cents à deux cent cinquante francs une chronique de cent cinquante à deux cent cinquante lignes signée d'un nom en vedette. — Alors, où est la différence? — Financier, va!

(*Gil Blas*, 24 novembre 1881.)

STYLIANA

M. JOURDAIN

Et comme l'on parle, qu'est-ce que c'est donc que cela?

LE MAÎTRE DE PHILOSOPHIE

De la prose.

M. JOURDAIN

Quoi! quand je dis : « Nicole, apportez-moi mes pantoufles et me donnez mon bonnet de nuit », c'est de la prose?

LE MAÎTRE DE PHILOSOPHIE

Oui, monsieur.

* * *

C'est de la prose, en effet. Tout le monde, assurément, écrit et parle en prose, puisque, d'après le maître de philosophie de M. Jourdain, il n'y a que prose et vers.

Cependant, je serais bien près de penser tout autrement, et d'établir des distinctions infiniment plus subtiles que ne le faisait Molière. Ainsi, je ne démordrai jamais de ceci : que tous les discours politiques prononcés à la Chambre sont uniformément rédigés en charabia, et que les journaux, les trois quarts du temps, sont écrits en petit nègre, seule langue à la portée des foules. Donc, en général : ni prose ni vers; autour de nous tout est charabia et petit nègre. Est-il utile de le prouver?

Oui, sans doute, car tout homme qui sait remuer suffisamment sa langue pour demander une côtelette dans une gargote, ou pour s'informer comment se portent la « dame » et les « demoiselles » de son ami, nourrit la prétention outrageante et fantastique de parler français.

Quiconque est capable de griffonner une lettre pousse la vanité jusqu'à s'imaginer qu'il a du style. Tout reporter se croit homme de lettres, et tout concierge, lisant l'œuvre d'un écrivain, s'érige en juge, déclare le livre bien ou mal écrit, selon qu'il correspond plus ou moins à la plate bêtise de son esprit.

Qu'est-ce donc que le style? dira-t-on. Au fond je n'en sais trop rien; et je serais tenté de répondre encore à la façon de Molière : — « Pourquoi l'opium fait-il dormir? — *Quia habet virtutem dormitivam.* » De même du style, malgré l'outrecuidance des grammairiens et professeurs qui nous enseignent les règles du bien écrire et qui prosifient eux-mêmes à la façon des cuisinières.

Or, ces jours derniers, une petite discussion sur ce sujet, ouverte dans un grand journal du matin, m'a paru fort instructive. Un ménage qui s'intitulait bas-breton, mais que j'appellerais plus volontiers bas-bleu, écrivit à M. Francisque Sarcey pour lui demander son avis sur le sens d'une phrase d'Alphonse Daudet. Après avoir bien flairé l'alinéa comme on flaire un poisson de fraîcheur douteuse, désarticulé la construction, grammaire en main, pesé chaque mot, etc., ledit ménage éprouva le besoin de soumettre le cas à un juge compétent, et choisit M. Sarcey. L'éminent critique répondit en invoquant les privilèges du style moderne, qui ne ressemble plus à son frère classique; le ménage riposta; la querelle n'est pas finie.

M. Sarcey terminait son dernier article à peu près par ces mots : « Comme ces questions sont plus intéressantes que les vaines querelles politiques et que toutes les inutiles discussions qui nous passionnent! »

Je me garderai bien de nier que ces questions soient intéressantes; mais je les juge tout aussi vaines et tout aussi inutiles que les insupportables querelles politiques dont sont encombrés les journaux.

***

Pourquoi?

Parce qu'on n'apprendra jamais aux Français à parler ni à écrire leur langue! Parce qu'ils lisent chaque jour la prose stupéfiante dont les journaux sont pleins, et qu'ils la savourent avec délices; parce qu'ils considèrent M. Thiers comme un grand écrivain, et M. Manuel, auteur des *Ouvriers,* comme un poète!

J'entendais dernièrement un homme de lettres de vraie race définir le style à peu près ainsi : « Une chose qui blesse le public, qui indigne le plus souvent les critiques, et qui révolte l'Académie. » Il ajoutait : « Le style, c'est la vérité, la variété et l'abondance de l'image; le choix infaillible de l'épithète unique et caractéristique; la justesse absolue du mot pour signifier la chose; la concordance rythmique de la phrase avec l'idée. »

Il disait encore : « La phrase doit être souple comme un clown, cabrioler en avant, en arrière, en l'air, de toutes les façons; ne jamais faire deux culbutes pareilles, étonner sans cesse par la variété de ses poses et la multiplicité de ses allures. »

Il disait aussi : « L'idée est l'âme du mot; le mot, le corps de l'idée; la phrase forme l'harmonie de cette âme et de ce corps. »

Le lendemain même, j'ouvrais par hasard un volume de M. Thiers et je lisais ceci :

« La terre était si couverte de *neige* qu'on ne voyait nulle part le sol... le combat dura huit heures; et, le soir, six mille ennemis *mordaient la poussière.* » — Justesse de l'image!

Puis voici que, par hasard, j'ouvris, quelques jours

345

après, l'ouvrage de M. Troplong sur la propriété suivant le Code civil. La première phrase qui me frappa fut celle-ci :

« Au milieu de tant d'institutions qui tombent ou vieillissent, la propriété reste debout, assise sur la justice et forte par le droit. C'est même la propriété qui, d'accord avec la famille, tient aujourd'hui la société puissamment amarrée sur la surface mobile de la démocratie. »

O misère! Lire cela! Comme je voudrais connaître l'adresse du ménage bas-breton de M. Sarcey pour lui demander son avis!

.

— Bonjour, mon cher. Vous allez bien?
— Merci. Pas mal, et vous? Quel temps superbe!
— Oui, mais le fond de l'air est froid.

Qui n'a entendu vingt mille fois ce dialogue?

Or, dites-le-moi, s'il vous plaît, ce que c'est que le fond de l'air? Je connais le fond d'un plat, le fond d'une bouteille, les fonds de culottes, le fond de ma bourse; mais, malgré les efforts désespérés de mon imagination, je ne puis me représenter le fond de l'air!

Aussi, chaque fois que j'entends parler de ce fond invraisemblable, je reste rêveur et je *regarde le vent* comme on contemple ces gravures où il faut découvrir quelque visage dissimulé : « Cherchez le fond de l'air! »

Je ne nie point que je ne sois désespérément nerveux et susceptible, mais ces choses m'irritent comme une fausse note, comme le bruit d'une scie sur la pierre, comme le grincement d'une lime. Et voici que je n'ose plus ouvrir un journal, sûr que je suis de lire, chaque matin, dans toutes les feuilles, à quelque nuance politique qu'elles appartiennent, la superlativement étonnante figure suivante :

« Nous sommes autorisés à annoncer que cette nouvelle n'a pas l'ombre d'un fondement. »

Oh! messieurs les rédacteurs, que dites-vous là?

De quel fondement une nouvelle pourrait-elle avoir l'ombre? Et cette ombre même, dont vous parlez, l'avez-vous jamais vue? L'ombre d'un fondement! Stupéfaction! Songez aussi à l'opinion que les dames anglaises pourraient avoir de nous, si elles pénétraient toutes les finesses de notre langue! Ce fondement les ferait mourir de pudeur indignée, bien que vous ne parliez que de l'ombre de cet objet!

Et voici une phrase d'ambassadeur illustre : « Tous ces bruits sont dénués de fondement! »

D'où viennent-ils donc, ces bruits, monsieur l'ambassadeur? Je m'arrête, il n'est que temps. Mais, quand je songe que vous avez écrit cela sans y penser, et que votre ministre l'a lu sans rire, j'ai le droit de dire que vous employez l'un et l'autre un français de cabinet.

Quelle drôle de chose que jamais une comparaison ne marque son empreinte précise dans un esprit! Un mot n'a donc, pour la plupart des gens, qu'une valeur relative; il veut exprimer quelque chose, il est vrai, mais il n'éveille point brusquement une image nette et absolument exacte. On comprend à peu près le sens indiqué, on devine l'intention marquée, mais on ne VOIT donc pas la chose dite? D'où vient cela? Pourquoi ne perçoit-on point immédiatement la valeur d'une expression comme celle d'une pièce de monnaie?

Je répondrai : pourquoi faut-il de longues études pour discerner une faïence de quarante mille francs d'une faïence de quarante sous; un plat hispano-mauresque à l'émail d'or, rayé, tout simple et royalement beau, d'un plat de Gien couvert d'ornements?

Pourquoi faut-il des experts savants à la salle Drouot pour discerner péniblement un original d'une copie?...

C'est pour la même raison que M. Jourdain, qui fait, sans le savoir, de la prose du matin au soir, n'est point juge, bien qu'il en pense, en ces questions de style si délicates, infiniment difficiles et éternellement controversées.

P.-S. Dans ma dernière chronique sur la difficulté de mettre d'accord les lois humaines et les lois naturelles, l'amour et le mariage, je demandais l'opinion de Mlle Hubertine Auclert sans espérer beaucoup une réponse.

Je reçois la lettre suivante :

    Monsieur,

    Dans votre article du 22 novembre, vous me proposez une question. Voici ma réponse :

    Pour chasser le malheur et l'immoralité de la vie conjugale, il faut mettre les lois d'accord avec la nature, et les mœurs en harmonie avec l'honnêteté.

    Je me réserve, d'ailleurs, de développer cette thèse, en continuant dans la Citoyenne *mon étude sur le mariage.*

    Recevez, monsieur, mes empressées salutations.

                    Hubertine Auclert.

Je suivrai avec intérêt les développements de Mlle Hubertine Auclert, et je m'efforcerai de profiter des occasions qu'elle me fournira de reprendre cette thèse avec elle.

                        (*Le Gaulois*, 29 novembre 1881.)

LE DUEL

« Au lieu de regarder un homme comme viril en proportion des attributs moraux véritablement humains qu'il possède, on mesure sa virilité sur un attribut que possèdent à un bien plus haut degré des animaux dont le nom est pour nous un terme de mépris. »

Le philosophe à qui je prends cette citation parle du courage. Il dit aussi : « Le « diable de Tasmanie » mérite la plus profonde admiration ; il combat jusqu'au dernier souffle, et son dernier soupir est un grognement ; notre bull-dog aussi est admirable, bien qu'à un moindre degré. »

Les duellistes de nos jours ne poussent pas, il est vrai, l'acharnement à la lutte aussi loin que le « diable de Tasmanie », qui, « par sa structure et son intelligence est placé bien plus bas dans l'échelle animale que nos lions et nos bull-dogs ». Or n'ayant jamais vu un gentilhomme « friand de la lame » expirer sur le terrain, je ne puis dire si son dernier soupir correspond à celui du « diable de Tasmanie ».

Et voici encore une phrase du penseur anglais : « En prenant le sujet au point de vue le plus élevé, nous pouvons affirmer que l'homme ne peut commencer à sortir de la plus profonde barbarie que lorsque le devoir sacré de la vengeance du sang, qui constitue la religion du sauvage, commence à être moins sacré. »

Diable ! il me semble que nous sommes en ce moment jusqu'au cou dans la plus profonde barbarie ; et le bois du Vésinet est une région infiniment plus sauvage que le centre de l'Afrique ou le bord des Amazones !

Car elle sévit d'une effroyable façon, la vengeance du sang (pardon, des gouttes de sang) qui constitue la religion des nègres et des Indiens. Et vraiment on ne sait quand prendra fin cette grotesque habitude d'aller se faire des piqûres à la main dans les environs de Paris, avec des baguettes d'acier pointues qu'on agite éperdument au bout du bras, tandis que, la face pâle, les yeux agrandis, les lèvres pincées, on fait involontairement à son adversaire d'épouvantables grimaces. Cependant le grand philosophe que j'ai cité prend peut-être la chose d'un peu haut. Au lieu du mot « barbarie », le mot « niaiserie » serait peut-être suffisant ; car, en somme, ce qui sévit aujourd'hui, c'est la « niaiserie du point d'honneur ».

Au temps où les hommes bardés de fer, hérissés d'armes, ne connaissaient d'autre loi que celle de la force, ce combat singulier était logique et nécessaire. Plus tard, il devint une élégance. L'épée alors faisait partie du costume ; et du moment qu'on la portait sans cesse à son côté, il était bien naturel de la tirer quelquefois. Or, cet usage même de porter ouvertement des armes dans la rue est assez caractéristique ; l'élégance du duel alors ne l'est pas moins. La vieille coutume sauvage de la lutte corps à corps ne pouvant être déracinée encore, et devenant inutile, se faisait précieuse pour n'être point odieuse. A mesure que le duel apparaissait aux hommes intelligents et sérieux comme une chose stupide et méprisable, les hommes galants et écervelés en faisaient de plus en plus une chose coquette et mondaine. C'était alors l'époque des adorables folies, de la raison bafouée, le dernier quart d'heure des gentilshommes.

Aujourd'hui, la loi seule porte une épée. Les chevaliers de noble race sont remplacés par ceux d'industrie ;

l'élégance est trépassée; la galanterie n'existe plus. Il y a des sergents de ville dans les rues; le port des armes est prohibé; les tribunaux accueillent toutes les plaintes. Et voilà qu'on se bat plus que jamais. Pourquoi?

Pourquoi? Pour le point d'honneur, monsieur. Jadis on connaissait l'honneur. Aujourd'hui, il est enterré sous la Bourse; on ne connaît plus que l'argent. La fréquence des duels tient beaucoup à cela.

Le duel est la sauvegarde des suspects. Les douteux, les véreux, les compromis essayent par là de se refaire une virginité d'occasion. Aussi n'est-on plus difficile aujourd'hui sur les antécédents d'un adversaire.

L'honneur! oh! pauvre vieux mot d'autrefois, quel pitre on a fait de toi!

Comme on te blanchit, comme on te lave, comme on te répare, comme on te retape, comme on te déclare satisfait après les rencontres à main armée de Robert Macaire et de Bertrand!

Eh bien! malgré toutes ces réparations d'honneur, tous ces honneurs lavés, sauvés et satisfaits au dire des témoins compétents, il ne s'en porte pas mieux, l'Honneur! Mais ne parlons point des absents.

Le peuple anglais est un grand peuple, un vrai peuple, d'aplomb dans la vie, bien debout dans la réalité; un peuple de gentlemen, de commerçants irréprochables, un peuple sain, fort et honorable. Il est de plus aujourd'hui un peuple de philosophes; les plus hauts penseurs du siècle sont chez lui; il est un peuple de progrès et un peuple de travailleurs.

Mais le gentilhomme anglais ne se bat pas. Je veux dire qu'il ne se bat pas en duel et qu'il tient ce genre d'exercice en grand mépris, jugeant la vie humaine respectable, utile au pays. Il est vrai que la vie humaine ne court pas grands risques dans les rencontres dont nous parlent chaque jour les journaux.

L'Anglais comprend autrement le courage. Il n'admet

351

que le courage utile, soit à la patrie, soit à ses concitoyens. Il possède éminemment l'esprit pratique.

Chez nous, il existe une sorte de courant d'esprit fou, querelleur, léger, tourbillonnant, vide et sonore, qui circule de la Madeleine à la Bastille et qu'on pourrait appeler l'Esprit des boulevards. Il se répand de là par toute la France. Il est à la raison et au véritable esprit ce que le phylloxera est à la vigne.

Or, le boulevardier fait loi. Un bon mot lui tient lieu de logique, la raillerie chez lui remplace ordinairement la compréhension, selon l'expression de Balzac ; il adore le dieu CHIC, conserve religieusement les préjugés, blague invariablement ce qu'il ignore, et son ignorance n'a d'égale que l'assurance de ses jugements. Le boulevardier respecte le duel, déclare qu'il fait partie de l'héritage national, se pose en champion du point d'honneur. On ne saurait croire comme le point d'honneur est chatouilleux dans certain monde !

Dans ce « certain monde » on n'entend parler que d'assauts, de provocations, de témoins échangés, de rencontres passées ou prochaines. Je me demande quelquefois avec inquiétude combien de « cadavres » ces gens doivent avoir dans leur existence pour qu'on en déterre si fréquemment derrière eux. Car enfin on ne se bat pas pour rien. Si l'on se bat, c'est qu'on a été insulté, et quand on est insulté, c'est, la moitié du temps, parce qu'on l'a mérité. Un homme irréprochable ne va pas souvent sur le pré, comme on dit.

J'excepte, bien entendu, les hommes qui ont un tempérament batailleur. La nature les a faits ainsi. Nous ne pouvons rien contre elle.

Reste à savoir si les gens doués d'un tempérament batailleur sont doués aussi des qualités qui font les hommes supérieurs. Cela est douteux. Ceux qu'on appelle les fines lames sont quelquefois de fins esprits, rarement ou jamais de grands esprits.

La raison en est bien simple. Quand un homme passe son existence dans le travail, il ne peut pas la passer en même temps dans les salles d'armes. Quand un homme porte en son cœur une éternelle préoccupation de science ou d'art, il ne s'inquiète guère des histoires de femme, de Bourse, de vanité, ou de politique personnelle, qui amènent chaque jour le transpercement d'un bras nouveau.

* *

Il est encore un genre de duel devant lequel je m'incline, c'est le duel industriel; le duel pour la réclame; le duel entre journalistes.

Quand le tirage d'un journal commence à baisser, un des rédacteurs se dévoue et, dans un article virulent, insulte un confrère quelconque. L'autre réplique. Le public s'arrête comme devant une baraque de bateleurs. Et un duel a lieu, dont on parle dans les salons.

Ce procédé a cela d'excellent qu'il rendra de plus en plus inutile l'emploi de rédacteurs écrivant le français. Il suffira d'être fort aux armes. M. Veuillot, qui se servait mieux de sa plume que beaucoup d'autres, agissait tout autrement, il est vrai. Que voulez-vous? tout le monde n'a pas assez d'esprit pour laisser au visage de ses adversaires des traces ineffaçables d'ironie, car les blessures d'une épée se cicatrisent plus vite que celles d'une plume. Si on n'a pas l'Esprit qui tue, on se contente du bras. N'importe! quand deux hommes nourrissent la prétention, peu légitime, il est vrai, d'appartenir à la profession de Voltaire et de Beaumarchais, quand ils ont aux mains l'arme toute-puissante, l'arme féroce qui abat les ministres, détrône les rois, déracine les monarchies, crève les superstitions, il est infiniment drôle de voir ces spadassins de la phrase s'injurier comme des portefaix, jeter leur encrier, et dégainer des flamberges à la façon des soudards sans orthographe.

Vraiment l'insulte entre journalistes est un moyen trop facile de se passer de talent!

353

Qu'on n'aille point conclure de là que je méprise l'escrime, art subtil et charmant, auquel je ne reconnais qu'un tort, celui de manger bien des heures tous les jours, des heures perdues pour l'esprit.

L'escrime a encore un autre point faible : celui d'établir une disproportion de chances entre le bretteur désœuvré qui cherche querelle à tout propos, et l'honnête homme à qui le temps manque pour s'exercer aux armes, et qui se trouve à sa première affaire insulté et embroché sans savoir pourquoi ni comment.

Si l'escrime n'était qu'un exercice comme l'équitation, le trapèze ou la natation, il serait sans rival, car il demande de la force, de la grâce, une patiente étude, une infinie souplesse et autant de rapidité dans la pensée que dans la main.

Quant à moi, malgré le séduisant plaidoyer de mon confrère le baron de Vaux en faveur de l'art qu'il adore, et malgré l'intérêt de cette galerie écrite : *Les Hommes d'Epée,* dont on a déjà parlé ici, je tiens pour des exercices plus pratiques : la savate et la natation. Et comme il reste toujours en nous du sauvage, du vieil esprit féroce de nos pères, un besoin de lutte, de force déployée et d'ivresse du corps aux heures de danger, je ne connais point de joie plus véhémente que de se battre avec la vague qui roule, hurle, vous étreint, vous rejette et vous reprend. Et je ne sais point de triomphe plus délicieux qu'après avoir bravé cette bête furieuse à la crinière d'écume, la mer.

Et si vous avez du courage à revendre, il y a par les rues assez de chevaux emportés, de chiens enragés, de malfaiteurs embusqués, d'incendies où meurent des femmes et des enfants; assez de gens tombent dans la Seine, pour vous donner des occasions fréquentes d'exercer votre bravoure.

Un duel au sauvetage en vaudrait bien un autre; mais on s'y risquerait un peu plus.

(*Gil Blas,* 8 décembre 1881.)

DEUXIÈME BARBE

La montagne en travail enfante une souris! La grossesse de *Figaro,* qui avait donné à la France les plus riantes espérances, n'a pas produit davantage.

Le triste barbier, dans quelques lignes troussées à sa façon, commence par déplorer que « certains concurrents en aient vraiment pris trop à leur aise, et lui aient envoyé des élucubrations écrites, dirait-on, sur le coin d'une table de café, et qui indiquent de la part des auteurs une naïveté ou un sans-gêne extraordinaire. »

Parbleu, les cinq cents francs avaient tenté sans doute quelques citoyens retour de la Nouvelle. Tu ne peux cependant pas leur demander de mettre des gants pour t'écrire, ô barbier!

Puis voici : « Quelques articles gais par-ci par-là, mais alors presque tous trop gais et tombant dans la pornographie. »

Comment! on a osé envoyer rue Drouot des articles pornographiques! Oh!... Au fait, je comprends, et l'explication est bien simple : ce sont les messieurs et dames de la Petite Correspondance qui, à titre d'abonnés et de collaborateurs anonymes, se sont crus autorisés à concourir! Il fallait les prévenir qu'ils n'étaient pas admis, naïf commerçant!

Puis encore : « Il nous a paru que les articles envoyés se désintéressaient trop, non seulement de l'événement et de la babiole du jour — ce que d'ailleurs rend difficile la périodicité du concours — mais de la discussion des idées ambiantes ou des personnalités en vue. » Ouais! Qu'est-ce que je t'avais dit? Si tu m'avais consulté, tu n'aurais pas fait ce pas de clerc!

Nous arrivons à l'article couronné, qui, je le reconnais volontiers, n'est pas sans mérite. Il est, paraît-il, d'un jeune homme. Cela m'étonne. Il sent le vieux, le vieux! Il a une sorte de grâce d'académicien et, si on me l'avait fait lire sans nommer l'auteur, je l'aurais attribué à M. Manuel, ce professeur, le futur vainqueur de Coppée et Sully Prudhomme, ces poètes.

Oui, je retrouve là-dedans la manière bonassement attendrie des *Ouvriers,* la mièvre sentimentalité, la larme au coin de l'œil, la Jenny l'ouvrière poétique mariée à un rustre. Je vous dis que cela sent l'Académie à plein nez. L'homme devant son litre m'a rappelé les deux vers surprenants du candidat aux palmes immortelles :

*L'absinthe, ce poison couleur de vert-de-gris
Qui vous rend idiot sans qu'on soit jamais gris.*

Pourtant le début est gentil, avec une vague tendance vers l'école moderne : « Elle remonte vite, très ÉMOTIONNÉE... ce n'est rien, ça va passer... ça lui a porté un coup dans l'estomac, ses jambes s'en allaient. »

Mais pourquoi parler de *dragons* devant la porte de l'Institut? On croirait qu'on a voulu passer un rossignol de l'Empire!

Puis d'autres concurrents sont nommés, pas connus ou du moins insensiblement appréciés. D'où je conclus que tous les hommes arrivés, d'un talent éprouvé et d'une réputation faite, se sont abstenus, ainsi que je l'avais prévu. Quel four, mon vieux! Non, vraiment, tu ferais mieux d'aller sonner aux portes des hommes de lettres, dont tu connais si bien les adresses, que de leur faire « psitt, psitt », de ta fenêtre à lanterne.

Cependant, raisonnons. Je t'avais prédit six cents manuscrits, si je ne me trompe, tu avoues six cents manuscrits. J'ai eu de l'œil. Eh bien, tu ne me feras pas croire que sur ce nombre il n'y en ait pas au moins cinq cents supérieurs aux travaux de Saint-Genest et d'Ignotus!

Mais tu es malin. Tenant les cartes, tu pouvais faire le jeu. Et qui sait? s'il y en avait eu un bon, mais là, un vraiment bon, nous l'aurais-tu montré gaiement? Aurais-tu consenti à ce qu'on dit par l'univers : « Le nouveau venu a plus de talent qu'Eux; ils doivent s'effacer devant lui. »

Non, n'est-ce pas? Dormons tranquilles. Ils resteront les premiers Raseurs du monde.

P.-S. Encore un conseil. Si tu continues ce jeu-là, tu vas perdre autant d'abonnés ou de lecteurs que tu évinces de concurrents. A cinq cent quatre-vingt-dix-neuf par concours, cela fait quatorze mille trois cent soixante-seize au bout de l'an.

Songe à cela.

(Gil Blas, 9 décembre 1881.)

PENSÉES LIBRES

J'ai reproduit dernièrement une lettre que m'a adressée Mlle Hubertine Auclert, et où il est dit que « pour chasser le malheur et l'immoralité de la vie conjugale, il faut mettre les lois d'accord avec la nature et les mœurs en harmonie avec l'honnêteté ».

M. Henry Fouquier, citant cette phrase, rappelle fort spirituellement les conseils d'un vieil auteur dramatique à un débutant : « Pour faire une bonne pièce, dit-il, il faut mettre de l'intérêt dans l'exposition, du charme dans le développement, et du pathétique dans le dénouement. »

Avec cette recette le succès demeure assuré.

« Mettre les mœurs en harmonie avec l'honnêteté » est justement la tâche que se sont proposé tous les moralisateurs depuis que le monde existe. Aucun n'a réussi, même approximativement. Après une épreuve aussi prolongée, il paraîtrait assez logique de conclure que les mœurs et l'honnêteté se chamailleront toujours.

Quant à « mettre les lois d'accord avec la nature », c'est une besogne qui me semble encore infiniment plus malaisée, par cette raison bien simple que les lois ne sont faites que pour contrarier la nature.

La nature, en effet, nous a donné les instincts, qui sont les « lois naturelles ». Les anciens, comprenant la difficulté, avaient fait tout simplement des divinités de ce que nous appelons aujourd'hui des vices.

Mais la réglementation des rapports sociaux a

changé, et la morale s'est modifiée en même temps. La morale, en effet, est le corollaire, le complément idéal des lois civiles; et toutes ensemble constituent uniquement un obstacle aux lois naturelles, qui entraveraient sans cesse les conventions humaines... Or le mariage est justement la loi la plus indispensable de la société telle qu'elle est constituée; c'est, en même temps, celle que nos impulsions instinctives nous poussent le plus souvent à violer; et bien des législateurs éprouveraient un immense soulagement d'esprit si Mlle Hubertine Auclert, ou quelque autre, nous révélait un moyen de tout concilier. D'où je conclus, jusqu'à nouvel éclaircissement :

> *Fermons les yeux (bis)*
> *Ne gênons pas les amoureux.*

Puisque j'ai écrit ce mot « morale », parlons de cette expulsée. On raconte que, répondant à l'appel du ministre, un grand nombre de savants professeurs ont rédigé des projets de morale scientifique à l'usage des pensions et collèges.

Un nouveau catéchisme, quoi! Ces mots « morale scientifique » rappellent assez l'accouplement de la carpe et du lapin.

Qu'est-ce qu'une morale? C'est l'idéalisation des mobiles de nos actions. C'est l'art délicat de nous faire passer, vis-à-vis de nous-mêmes, pour meilleurs que nous ne sommes, en colorant nos intentions avec des nuances de dévouement, de grandeur d'âme, de générosité, etc. C'est la poétisation de la vie au profit de l'humanité. Comme le disait fort justement le directeur de ce journal, les religions sont indéracinables, car elles représentent l'idéal qui hante sans cesse les cerveaux humains; elles sont une des·formes de la poésie. Or la morale représente la poésie de la loi.

Quant à la morale scientifique, c'est la loi. Il semble impossible d'en concevoir une autre.

Parler de science, c'est réduire toute supposition aux vérités constatées.

Faisons donc une morale scientifique. Constatons, c'est-à-dire dépoétisons la morale, dont toute l'action, indispensable à l'organisation sociale, vient de son idéalité.

Quel est le seul mobile de nos faits toujours appréciable, toujours possible à retrouver sous les guirlandes des beaux sentiments ? — L'égoïsme.

En effet, est-ce que tout ne se rapporte pas au MOI, soit directement, soit indirectement ? Toute action humaine est une manifestation d'égoïsme déguisée. Le mérite de l'action ne vient que du déguisement. Certains acteurs se prennent parfois pour les personnages qu'ils représentent : ce sont les grands artistes. Certains hommes croient au déguisement que la morale met sur nos actes. Ce sont les honnêtes gens.

Prenons les morales les plus élevées. Quelle est la sanction de toute religion ? récompense des bonnes actions après la vie, et punition des mauvaises. Jamais on ne prévoit un acte sans retour assuré, un bienfait sans récompense. « Qui donne aux pauvres prête à Dieu. » Mais cette terreur du châtiment qui vous empêche de vous livrer à vos instincts nuisibles, et cette soif des joies futures qui vous fait vous priver des plaisirs plus passagers du monde, ne représentent-ils pas les deux pôles de l'égoïsme exploité habilement au profit de la morale et de l'humanité ?

Le cloître où se réfugient ceux qui sont revenus du monde, qu'est-ce, sinon l'enrégimentement de l'égoïsme, qui se prive de tout en cette vie pour obtenir davantage dans l'autre. N'est-ce pas là une compagnie d'assurances sur l'éternité ? On verse petit à petit à la caisse du ciel toutes les douceurs qu'on aurait goûtées dans l'existence, pour en toucher la somme en bloc après la mort, avec les intérêts accumulés et multipliés. Egoïsme raffiné d'avare.

Dépoétisons encore.

Que dirons-nous des services rendus ?

Voyons, là, du fond du cœur, lorsque vous rendez un service, n'avez-vous pas la conviction intime que vous placez votre générosité à mille pour cent? Celui que vous obligez ne devra-t-il pas, sous peine d'être considéré par vous comme un traître et un malhonnête homme, demeurer jusqu'à son dernier jour prêt à vous témoigner de toutes les façons une constante et infatigable gratitude?

Je n'ai pas inventé les deux aphorismes suivants, d'une incontestable vérité : — « On est reconnaissant aux autres des services qu'on leur a rendus » — et — « On aime son prochain en raison du bien qu'on lui a fait ».

Qu'est cela, sinon de l'égoïsme subtilisé?

**

Dépoétisons toujours. Faut-il d'autres exemples? En voici un à l'usage des dames.

Prenons l'amour, qui, au dire de tous les exaltés, est le père de l'abnégation, de l'héroïsme, des plus nobles dévouements et représente l'idéal du désintéressement.

Ça vraiment, quand vous aimez quelqu'un plus que vous même, qu'entendez-vous par là? — Tout simplement que vous éprouvez, à l'aimer, un plaisir tellement aigu, tellement véhément, tellement puissant que toutes choses, votre fortune, votre avenir, votre vie, vous deviennent moins chers que ce plaisir. C'est de l'égoïsme à l'état furieux.

Vous me répondrez, madame : — « Ce n'est pas vrai; je l'aime pour lui, et non pour moi. Je ne pense plus à moi; je suis prête à tout lui sacrifier, à mourir pour lui. » Cela prouve uniquement l'exaltation de bonheur que vous donne cet amour.

J'ai dit : de l'égoïsme furieux. Or, cela devient bientôt de l'égoïsme féroce. Attendez.

Quand l'un des deux amants a déroulé jusqu'au bout la bobine de sa tendresse, il casse le fil, et s'en va, sans davantage s'occuper de l'autre, dont il a plein le dos, comme on dit improprement, et il cherche une passion nouvelle. Est-ce de l'égoïsme ou du désintéressement, cela?

Mais que fait l'autre, aimant toujours? Il devient ce qu'on appelle vulgairement un crampon; et sans trêve, sans pitié, sans répit il s'attache au fuyard. Alors commence cette exaspérante persécution de la passion non partagée, les scènes, l'espionnage, les poursuites en voiture, la jalousie acharnée qui arme la main d'un couteau, d'un revolver ou d'une fiole de vitriol.

C'est là peut-être de l'abnégation et du désintéressement?

C'est la frénésie de l'égoïsme.

Oui, madame; si l'amour était le dévouement, à partir du jour où vous ne vous sentiriez plus aimée, vous sacrifieriez votre bonheur à celui de votre infidèle; et au lieu de le traiter d'ingrat (en quoi ingrat?) de traître (pourquoi traître?) de lâche (à quel sujet, lâche?) et de mille autres noms aussi injustes, vous lui diriez: « Puisque vous préférez une autre femme, que vous espérez être plus heureux avec elle, soyez libre; car, moi, je ne désire que votre bonheur! »

Agir ainsi serait peut-être un peu bête; mais cela constituerait assurément ce qu'on appelle de la grandeur d'âme et de l'abnégation.

***

Dépoétisons sans repos.

Quel sentiment plus utile au pays que le patriotisme? En est-il un plus élevé, plus noble? Eh bien, moralisateurs scientifiques, allez-vous enseigner aux enfants cette phrase d'un des plus grands penseurs vivants, d'un homme que, certes, vous ne renierez pas: Herbert Spencer: — « Le patriotisme est pour la nation ce qu'est l'égoïsme pour l'individu. Il a même racine et produit les mêmes biens accompagnés des mêmes maux. »

J'ai entendu dernièrement un homme de grande

réputation, parlant morale, dire ceci : « Toute la morale laïque est contenue dans cette phrase : *Ne faites pas à autrui ce que vous ne voudriez pas qu'on vous fît.* » C'est là l'origine de la loi, le principe de toute charité, la règle des rapports sociaux, la mesure de nos actions, la limite de la personnalité permise. Cela répond à tout.

J'y consens, mais en creusant ce précepte si magnifique on arrive à se convaincre qu'il constitue un habile tour de passe-passe. *Ce que vous ne voudriez pas qu'on vous fît,* c'est l'idéalisation de l'égoïsme.

Une morale scientifique ou philosophique? Mais la philosophie, qui est la science des phénomènes de l'esprit, n'est-elle pas la négation de la morale, puisqu'elle nous enseigne (le nierez-vous?) ses fluctuations, ses métamorphoses, ses incessantes et radicales contradictions?

Alors allez-vous enseigner l'égoïsme comme principe de toute action ou inventer un nouveau vêtement pour cacher la nudité de nos actes? Plus logique, un intransigeant disait : « Je supprime la morale. »

Or que serait la vie sans l'art, sans peinture, lettres, musique, sans l'élégance des femmes, l'esprit, la grâce, sans les palais, les marbres travaillés, l'ordonnance superbe des grandes villes, sans le voile de poésie à travers lequel nous apparaissent toutes les choses que nous aimons?

La morale est à l'honnêteté ce que l'art est à la vie.

(*Le Gaulois,* 14 décembre 1881.)

LA PITIÉ

M. le docteur de Cyon publiait dernièrement ici même une étude sur la vivisection et sur le ridicule attendrissement qui fait s'indigner les bonnes âmes devant les travaux cruels des physiologistes expérimentateurs. J'ai entendu dire souvent, depuis que cette question remue de nouveau l'opinion : « Cela devrait être défendu de martyriser ainsi les bêtes au nom d'une science féroce et souvent impuissante. » Or il ne serait pas difficile de citer les immenses résultats obtenus déjà au bénéfice de l'humanité. Le public, n'en percevant pas les avantages immédiats, les méconnaît. Simple ignorance de sa part. Mais, puisque nous avons une telle provision de commisération à dépenser, on la pourrait mieux employer.

Il est un misérable animal dont la vie entière n'est qu'un martyre, un horrible martyre, dont toutes les heures douloureuses sont données à notre service; qui ne connaît aucun repos, aucune gaieté, aucune gambade libre, aucun répit dans son effroyable existence de coups reçus, de fatigues torturantes, de labeur violent, incessant, meurtrier, que nous voyons dans les rues, saignant sous le collier qui le déchire, avec des plaies hideuses aux flancs, les jambes déformées par des travaux trop durs, geignant, râlant dans les rudes montées, sous les coups de lanière et de manche de fouet. C'est le cheval. Et nous trouvons naturel l'horrible sort de cette lamentable bête parce que du matin au soir sa souffrance nous est utile. Nous passons, le cœur tranquille, devant ces régiments de squelettes attachés à ces boîtes en sapin nommées fiacres; nous contribuons, par les gros pourboires pour les courses rapides, à hâter l'agonie de ce forçat du brancard. Et, quand nous voyons ces victimes de notre odieuse indifférence abattues sur le pavé, soufflant d'angoisse, l'œil navrant, les jambes inertes, nous nous arrêtons à regarder comme devant un spectacle plein d'intérêt. Eh bien, puisqu'il se trouve des gens pour demander une loi contre les vivisecteurs, ne s'en trouvera-t-il pas d'autres qui demanderont, réclameront, au nom de la pitié pour les bêtes que nous sacrifions férocement à nos besoins, que tout cheval ait droit à un mois de prairie chaque année, comme les employés ont droit au dimanche?

Cela va paraître absurde. Ça ne l'est pas autant que cet attendrissement déplacé pour des chiens qui sont moins martyrisés dans les laboratoires que les chevaux dans les rues, et qui, en tout cas, seraient le lendemain affreusement massacrés à la fourrière.

Nous confondons presque toujours la sensiblerie avec la sensibilité. Pour saisir dans la vie même le secret vivant de nos infirmités, on sacrifie quelques bêtes condamnées à la mort, et nous hurlons. Puis quand, pour satisfaire on ne sait quelles ambitions, on ne sait quels antiques préjugés de gloire et de vanité nationale, on envoie des milliers d'hommes combattre et mourir sur la terre inféconde d'Afrique, nous trouvons cela simple et naturel. La mort de ces bêtes nous est utile; celle de ces enfants français ne nous servira de rien; nous nous indignons de l'une; nous nous inclinons devant l'autre. Qu'est-ce donc qu'on appelle la Raison?

La commisération pour les bêtes est d'ailleurs un des sentiments les plus respectables qui soient. Elle est, de plus, la marque certaine des civilisations avancées. Le paysan confine à la brute; son cœur est dur aux animaux, sa main féroce. Les charretiers, ces sortes d'êtres à la jambe traînante, qui savent à peine parler, parce qu'ils ne pensent pas, assomment leurs chevaux lorsque ceux-ci sont impuissants à traîner de trop lourds fardeaux. Le peuple des villes est charitable aux bêtes. Je viens de nommer l'Afrique. C'est la terre de l'indifférence pour toute souffrance, du mépris de la vie, du stoïcisme odieux. J'ai ressenti là une des plus fortes émotions de pitié qu'on puisse avoir. L'image ineffaçable de cette courte et simple vision d'une bête agonisante me poursuit depuis lors, me hante ; et je revois tout, le paysage, la place, les moindres détails de cette scène qui m'a remué presque jusqu'aux moelles.

Depuis deux semaines nous parcourions à cheval d'immenses espaces de terre brûlée ; couchant sous la tente dans le voisinage des douars, puis repartant avant le soleil levé.

Pendant les premiers jours, nous avions traversé des plaines où l'on retrouvait encore, par places, des touffes d'herbe séchée, une sorte de paille hachée menu, cuite par six mois de soleil sans une goutte de pluie tombée du ciel. Là-dedans erraient des troupeaux. Tantôt c'étaient des armées de moutons de la couleur du sable. Tantôt à l'horizon se profilaient des bêtes singulières, que la distance faisait petites, et qu'on eût prises, avec leur dos en bosse, leur grand cou recourbé, leur allure lente, pour des bandes de hauts dindons.

Puis, en approchant, on reconnaissait des chameaux, avec leur ventre gonflé des deux côtés comme un double ballon, comme une outre démesurée, leur ventre qui contient jusqu'à soixante litres d'eau. Eux aussi avaient la couleur du désert, comme tous les êtres nés dans ces solitudes jaunes, Le lion, l'hyène, le chacal, le crapaud, le lézard, le scorpion, l'homme lui-même prennent là toutes les nuances du sol calciné, depuis le roux brûlant des dunes mouvantes jusqu'au gris pierreux des montagnes. Et la petite alouette des plaines est si pareille à la poussière de terre, qu'on la voit seulement quand elle s'envole.

Puis on ne rencontra plus même de petits oiseaux. Il n'y avait pas un puits, pas une source, pas une goutte d'eau, à deux cents kilomètres autour de nous. Cinq cents mètres en avant de notre petite troupe, un cavalier servant de guide nous dirigeait à travers la morne et toute droite solitude. Pendant dix minutes, il allait au pas, immobile sur la selle, et chantant, en sa langue, une chanson traînante, avec ces rythmes étranges de là-bas. Nous imitions son allure. Puis soudain il partait au trot, à peine secoué, son grand burnous voltigeant, le corps d'aplomb, debout sur les étriers. Et nous partions derrière lui, jusqu'au moment où il s'arrêtait pour reprendre un train plus doux.

Je demandai à mon voisin :

— Comment peut-il nous conduire à travers ces espaces nus, sans points de repère?

Il me répondit :

— Quand il n'y aurait que les os des chameaux.

En effet, de quart d'heure en quart d'heure, nous rencontrions quelque ossement énorme rongé par les bêtes, cuit par le soleil, tout blanc, tachant le sable. C'était parfois un morceau de jambe, parfois un morceau de mâchoire, parfois un bout de colonne vertébrale.

— D'où viennent tous ces débris, demandai-je.

Mon voisin répliqua :

— Les caravanes laissent en route chaque animal qui ne peut plus suivre; et les chacals n'emportent pas tout.

Et pendant plusieurs journées nous avons continué ce voyage monotone, derrière le même Arabe, dans le même ordre, toujours à cheval, presque sans parler.

Or, un après-midi, comme nous devions, au soir, atteindre une oasis, j'aperçus, très loin devant nous, une masse brune, grossie d'ailleurs par le mirage, et dont la forme m'étonna. A notre approche, deux vautours s'envolèrent. C'était une charogne encore baveuse, malgré la chaleur, vernie par le sang pourri. La poitrine seule restait, les membres ayant été sans doute emportés par les voraces mangeurs de morts.

— Une caravane nous précède, dit le lieutenant.

Quelques heures après, on entrait dans une sorte de ravin, de défilé, fournaise effroyable, aux rochers dentelés comme des scies, pointus, rageurs, révoltés, semble-t-il, contre ce ciel impitoyablement féroce. Un autre corps gisait là. Un chacal s'enfuit qui le dévorait. Puis, au moment où l'on débouchait de nouveau dans une plaine, une masse grise, étendue devant nous, remua, et lentement, au bout d'un cou démesuré, je vis se dresser la tête d'un chameau agonisant. Il était là, sur le flanc, depuis deux ou trois jours peut-être, mourant de fatigue et de soif. Ses longs membres qu'on aurait dit briscaillés, inertes, mêlés, gisaient sur le sol de feu. Et lui, nous entendant venir, avait levé sa tête, comme un phare. Son front rongé par l'inexorable soleil n'était qu'une plaie, coulait; et son œil résigné nous suivit. Il ne poussa pas un gémissement, ne fit pas un effort pour se lever; on eût cru qu'il savait; que, ayant déjà vu mourir ainsi beaucoup de ses frères dans ses longs voyages à travers les solitudes, il connaissait bien l'inclémence des hommes. C'était son tour, voilà tout. Nous passâmes. Or, m'étant retourné longtemps après, j'aperçus encore, dressé sur le sable, le grand col de la bête abandonnée regardant jusqu'à la fin s'enfoncer à l'horizon les derniers vivants qu'elle dut voir.

***

Une autre fois, ce fut un chien, tapi contre un roc, la gueule ouverte, les crocs luisants, incapable de remuer une patte, l'œil tendu sur deux vautours qui, près de là, épluchaient leurs plumes en attendant sa mort. Il était tellement obsédé par la terreur des bêtes patientes, avides de sa chair, qu'il ne tourna pas la tête, qu'il ne sentit pas les pierres qu'un spahi lui lançait en passant.

Une autre fois, ce fut un homme foudroyé sur la route par un coup de soleil. On le porta jusqu'au caravansérail (c'était en Kabylie) et on le laissa mourir sur une botte de paille, à l'ombre d'un mur.

Mais jamais, jamais, je n'ai eu le cœur aussi profondément remué qu'à la vue du triste chameau laissé derrière nous dans le désert.

(*Le Gaulois*, 22 décembre 1881.)

CHOSES DU JOUR

Les journaux semblent avoir envisagé déjà toutes les conséquences du procès Roustan-Rochefort. Il en est une, cependant, à laquelle ils n'ont point songé : c'est que le verdict du jury rend indispensable le remplacement immédiat de tout notre personnel diplomatique, auquel devra succéder un personnel nouveau, élevé selon d'autres principes.

Les vieilles règles de l'habileté internationale viennent d'être bouleversées de fond en comble par le jugement des quelques bourgeois chargés de sonder la conduite de notre ministre à Tunis. On affirme même qu'une vingtaine de secrétaires d'ambassade ont déjà donné leur démission, ou demandé par télégraphe des instructions détaillées et précises à leurs supérieurs.

Que vont répondre ceux-ci?

La question est fort difficile.

Jusqu'ici, quand un jeune homme voulait entrer dans la carrière diplomatique, il devait, avant tout, remplir les conditions suivantes :

Etre beau garçon;

Noble autant que possible;

Riche;

Avoir l'habitude des salons;

Savoir causer avec les femmes; et séduire, oh! séduire!

Le reste importait moins. Il faisait son stage au ministère.

Là on lui apprenait surtout à saluer. Ce salut des attachés d'ambassade (le même pour tous les peuples), est une des choses les plus difficiles à exécuter qui soient au monde.

On s'avance fièrement d'abord vers la personne à qui s'adresse l'hommage. Puis on s'arrête d'un mouvement brusque, les jambes droites, les pieds rassemblés, le claque tenu par les deux mains sur le ventre; et, soudain, le torse entier, depuis le point où il finit jusqu'au sommet du crâne, s'abaisse d'un seul morceau, de façon que le corps forme un angle absolument droit, et que l'être salué, s'il est assis, se trouve avoir le nez tout contre le sommet, soit poli, soit chevelu, de la tête inclinée.

On se redresse aussitôt sans faire semblant d'avoir vu celui ou celle qu'on a honoré ainsi, et l'on s'en va d'un air indifférent.

Cela n'a l'air de rien, n'est-ce pas? Eh bien, j'en sais peu qui l'exécutent en perfection, cette inclination savante.

Quand un jeune apprenti ambassadeur sait accomplir absolument bien cette manœuvre, son avenir s'annonce magnifique. En un mot le fond du sac de la rouerie politique à l'étranger est : séduire, plaire, capter. Le bataillon d'élite de nos représentants se recrutait exclusivement parmi les mondains, et parmi les mondains raffinés. Au moment de leur départ, le ministre des affaires étrangères, se penchant à leur oreille, leur confiait ces fameuses instructions secrètes dont tout envoyé ordinaire ou extraordinaire est dépositaire. Ces instructions, les voici en quatre mots : « Tout par les femmes ». Ce que le diplomate traduit quelquefois par : « Tout pour les femmes ».

Et dans chaque capitale nous entretenions — d'une façon insuffisante, il est vrai, pour leurs fonctions — un essaim d'élégants jeunes hommes à qui l'ambassadeur répétait sans cesse comme un vieux général encourageant des conscrits : « Séduisez, messieurs, séduisez! Suivez les vieilles traditions : imitez l'exemple de notre maître à tous, le duc de Richelieu ». Et on séduisait, morbleu, on séduisait ferme. Tous les secrets de cabinet devenaient des secrets d'alcôve, et réciproquement. Les traditions de galanterie ne se perdaient certes pas, et la France marchait en tête des puissances dans le cœur de belles étrangères.

Personne ne songeait à s'en plaindre.

**

Or, voilà qu'un de nos représentants envoyés en Orient, dans un des postes les plus difficiles, en un pays où tout le monde est véreux, où tout se paie, où tout s'achète, où tout se fait par ruse, découvre, trouvaille de génie digne du vieux Talleyrand, cet admirable ménage Elias que tous les représentants étrangers ont dû lui envier. Il se sert de l'homme, se sert de la femme suivant les principes reçus, paie l'un en honneurs, l'autre en fermant les yeux sur les pots de vins, qu'elle reçoit selon la mode orientale. Il accomplit parfaitement sa mission. Le ministre est content, le gouvernement est satisfait. Personne ne réclame. Un procès a lieu, et les honorables commerçants quelconques qui composent le jury flétrissent notre représentant dans un jugement solennel, parce qu'il a mis en pratique les fameuses instructions secrètes. « Tout par la femme. »

Aussitôt une panique se produit dans toutes les ambassades. Ce ne sont que ruptures, cheveux renvoyés, larmes amères, menaces de vengeances. Et tous les attachés, depuis le premier secrétaire jusqu'au dernier, n'osent plus même adresser à une jolie femme le fameux salut, dans la crainte de faire naître le soupçon d'une liaison.

Cela est d'autant plus grave que chaque capitale possède deux ou trois Mme Elias, des Mme Elias de la « haute », que les secrétaires partants lèguent régulièrement aux arrivants. Que vont-elles devenir, sans eux? Que pourront-ils savoir, sans elles?

Cette situation ne peut durer. Il est indispensable

qu'une circulaire renseigne exactement tous nos représentants à l'étranger sur des modifications apportées aux instructions secrètes par l'issue de ce retentissant procès.

*
* *

Ce qu'il y a encore de particulièrement amusant dans cette affaire, c'est l'indignation du public à cette révélation des « tripotages tunisiens ». Comment! on vous montre quelques médiocres filous de bas étage, et vous criez au scandale! Et vous vivez à Paris! Et vous trouvez tout simples les tripotages parisiens des hauts seigneurs de l'exploitation publique. Depuis des années, des valeurs fantastiques montent et descendent d'une invraisemblable façon. Des milliers d'êtres, confiants et naïfs, sont ruinés par quelques aventuriers. Un coup de bourse, préparé, combiné, organisé comme un truc de théâtre, engloutit plus de petites aisances, fait couler plus de larmes, se tordre plus de bras que Waterloo et que Sedan. Et vous trouvez cela tout simple et naturel!

On parle de pots-de-vin! Mais qui de nous ne pourrait raconter des histoires plus scandaleuses que la plus révoltante aventure révélée en ce procès? Pots-de-vin pour lancer des spéculations véreuses; pots-de-vin pour faire accepter des affaires honorables; pots-de-vin pour parler; pots-de-vin pour se taire; pots-de-vin pour tout, à propos de tout. Nous vivons sous le règne du pot-de-vin, dans le royaume de la conscience facile, à genoux devant le veau d'or.

Oh! crédules jurés, braves chercheurs d'honorabilité pure; quittez Paris, messieurs; allez, allez plus loin : vous n'avez que faire ici.

Mais, s'il fallait expectorer des révélations sur tout ce qu'on sait, sur tout ce qu'on devine, sur tout ce qu'on entrevoit : toutes les heures du jour ne suffiraient pas.

*
* *

Qu'y faire? Rien. C'est le courant de l'époque. Les mœurs américaines sont venues chez nous, voilà tout.

Oh! ce que je voudrais, par exemple, c'est qu'un financier foncièrement sceptique et spirituel écrivît ses mémoires, racontât tout, mais là tout, pour servir à l'histoire de notre génération. Quel invraisemblable musée on ferait sous ce titre : « les Hommes de Bourse », ou, si l'on préfère : « les Hommes de sac », ou encore : « les Hommes de proie ».

Pourquoi pas? Pourquoi la finance d'aujourd'hui (une certaine finance, du moins) n'aurait-elle pas son historien?

Ces galeries de contemporains, quand elles sont bien faites, intéressent d'une façon particulière, et elles ont, de plus, l'avantage de laisser des documents à l'avenir.

Un exemple vient d'être donné qui serait à suivre. Juste au moment où cette antique et surannée coutume du duel reprend une vigueur nouvelle, une vigueur de mode, périodique, violente et passagère, le baron de Vaux, avec un rare à-propos, fait paraître une intéressante série de portraits : « les Hommes d'épée », qui nous font passer sous les yeux les curieuses physionomies de tous les escrimeurs du jour, maîtres d'armes, hommes du monde, artistes, journalistes.

Il détaille le jeu de chaque tireur, ses ruses, ses habitudes, les juge en connaisseur expert.

Se figure-t-on les coulisses de la finance dévoilées ainsi, avec les trucs, les ficelles et les trappes, où se laisse prendre le pauvre monde?

(*Le Gaulois,* 28 décembre 1881.)

LES EMPLOYÉS

Comme je passais dans cette foule compacte, dans cette foule engourdie, lourde, pâteuse, qui coulait lentement dimanche, sur le boulevard comme une épaisse bouillie humaine, plusieurs fois ce mot me frappa l'oreille : « La gratification ». En effet, ce qui remuait si difficilement le long des trottoirs, c'était le peuple des employés.

De toutes les classes d'individus, de tous les ordres de travailleurs, de tous les hommes qui livrent quotidiennement le dur combat pour vivre, ceux-là sont le plus à plaindre, sont les plus déshérités de faveurs.

On ne le croit pas. On ne le sait point. Ils sont impuissants à se plaindre ; ils ne peuvent pas se révolter ; ils restent liés, bâillonnés dans leur misère, leur misère correcte, leur misère de bachelier.

Comme je l'aime, cette dédicace de Jules Vallès : « A tous ceux qui, nourris de grec et de latin, sont morts de faim ! »

Voici qu'on parle d'augmenter le traitement des députés, ou plutôt, voici que les députés parlent d'augmenter leur traitement. Qui donc parlera d'augmenter celui des employés, qui rendent, ma foi, autant de discutables services que les bavards du palais Bourbon ?

Sait-on ce qu'ils gagnent, ces bacheliers, ces licenciés en droit, ces garçons que l'ignorance de la vie, la négligence coupable des pères et la protection d'un haut fonctionnaire ont fait entrer, un jour, comme surnuméraires dans un ministère?

Quinze ou dix-huit cents francs au début! Puis, de trois ans en trois ans, ils obtiennent une augmentation de trois cents francs, jusqu'au maximum de *quatre mille*, auquel ils arrivent vers cinquante ou cinquante-cinq ans. Je ne parle point ici des très rares élus qui deviennent chefs de bureau. J'en dirai quelques mots tout à l'heure.

Sait-on ce que gagne aujourd'hui, dans Paris, un bon maçon? — Quatre-vingts centimes l'heure. Soit huit francs par jour, soit deux cent huit francs par mois, soit deux mille cinq cents francs environ par an.

Un ouvrier dans une spécialité quelconque? Douze francs par jour. Soit trois mille sept cents francs par an! Et je ne parle pas des habiles!

Or, messieurs les gouvernants, vous savez ce que vaut le pain, et le reste, n'est-ce pas, puisque vous vous trouvez insuffisamment rétribués? Vous admettez bien que les bureaucrates se marient comme vous, aient des enfants comme vous, s'habillent au moins un peu, sans fourrures, mais enfin aillent vêtus à leur bureau. Et vous voulez qu'aujourd'hui, avec deux mille cinq cents francs, moyenne des traitements, un homme ait une femme, deux mioches au moins — (un de chaque sexe, pour maintenir l'équilibre des unions futures et la population de la France, dont vous vous inquiétez), et que cet homme achète des culottes pour lui et son garçon, des jupes pour sa femme et sa fille. Calculons : loyer, cinq cents; habillement et linge, six cents; tous autres frais, cinq cents. — Il reste neuf cents francs justes, soit deux francs quarante-cinq centimes par jour pour nourrir le père, la mère et les deux enfants. C'est odieux et révoltant!

Et pourquoi donc, seuls, les employés demeurent-ils dans cette misère, alors que l'ouvrier vit à son aise. Pourquoi? Parce qu'ils ne peuvent ni réclamer, ni protester, ni se mettre en grève, ni changer d'emploi, ni se faire artisan.

Cet homme est instruit, il respecte son éducation et se respecte lui-même. Ses diplômes l'empêchent de clouer des tentures ou de racler du plâtre, ce qui vaudrait mieux pour lui. S'il quittait sa fonction, que ferait-il? Où irait-il? On ne change pas d'administration comme d'atelier. Il y a les fo-or-ma-li-tés. Il ne peut pas protester; on le chasserait. Il ne peut même pas réclamer. Voici un exemple : Il y a quelques années, les employés de la marine, las de mourir de faim, de voir les Expositions universelles et l'augmentation générale du bien-être faire tout renchérir, alors que leurs traitements demeuraient invariablement dérisoires rédigèrent humblement une requête à M. Gambetta, président de la Chambre. Il y eut dans les bureaux un soupir d'espoir. Tout le monde signait. Des députés avaient promis, dit-on, d'intervenir. Or, la requête fut dénoncée, saisie, au nom de la *discipline* et au mépris de tout droit. L'amiral quelconque, alors ministre, fulmina des menaces de révocation pour les signataires, terrorisa l'administration tout entière. Que pouvait-on faire? On se tut, et on continua à crever de misère.

Et quand on songe que ces pauvres diables d'employés trouvent encore quelquefois le moyen, par suite de je ne sais quels insondables mystères d'économie, d'envoyer leurs fils au collège, afin de leur faire obtenir, plus tard, ce ridicule et inutile diplôme de bachelier!

C'est à eux qu'on peut appliquer l'image hardie si connue, et dire : « Ils vivent de privations ».

*
**

Parlons de leur existence.

Sur la porte des Ministères, on devrait écrire en lettres noires la célèbre phrase de Dante : « Laissez toute espérance, vous qui entrez ».

On pénètre là vers vingt-deux ans. On y reste jusqu'à soixante. Et pendant cette longue période, rien ne se passe. L'existence tout entière s'écoule dans le petit bureau sombre, toujours le même, tapissé de cartons verts. On y entre jeune, à l'heure des espoirs vigoureux. On en sort vieux, près de mourir. Toute cette moisson de souvenirs que nous faisons dans une vie, les événements imprévus, les amours douces ou tragiques, les voyages aventureux, tous les hasards d'une existence libre, sont inconnus à ces forçats.

Tous les jours, les semaines, les mois, les saisons, les années se ressemblent. A la même heure on arrive; à la même heure, on déjeune; à la même heure, on s'en va; et cela de vingt-deux à soixante ans. Quatre accidents seulement font date : le mariage, la naissance du premier enfant, la mort de son père et de sa mère. Rien autre chose; pardon, les avancements. On ne sait rien de la vie ordinaire, rien même de Paris. On ignore jusqu'aux joyeuses journées de soleil dans les rues, et les vagabondages dans les champs : car jamais on n'est lâché avant l'heure réglementaire. On se constitue prisonnier à dix heures du matin; la prison s'ouvre à cinq heures, alors que la nuit vient. Mais, en compensation, pendant quinze jours par an on a bien le droit, — droit discuté, marchandé, reproché, d'ailleurs — de rester enfermé dans son logis. Car où pourrait-on aller sans argent?

Le charpentier grimpe dans le ciel, le cocher rôde par les rues; le mécanicien des chemins de fer traverse les bois, les plaines, les montagnes, va sans cesse des murs de la ville au large horizon bleu des mers. L'employé ne quitte point son bureau, cercueil de ce vivant; et dans la même petite glace où il s'est regardé, jeune, avec sa moustache blonde, le jour de son arrivée, il se contemple, chauve, avec sa barbe blanche, le jour où il est mis à la retraite. Alors, c'est fini, la vie est fermée, l'avenir clos. Comment cela se fait-il qu'on en soit là, déjà? Comment donc a-t-on pu vieillir ainsi sans qu'aucun événement se soit accompli, qu'aucune surprise de l'existence vous ait jamais secoué? Cela est, pourtant. Place aux jeunes, aux jeunes employés!

Alors on s'en va, plus misérable encore, avec l'infime pension de retraite. On se retire aux environs de Paris, dans un village à dépotoirs, où l'on meurt presque tout de suite de la brusque rupture de cette longue et acharnée habitude du bureau quotidien, des mêmes mouvements, des mêmes actions, des mêmes besognes aux mêmes heures.

**

Parlons des chefs maintenant.

Les quelques inconnus d'avant-hier qui, hier, se sont réveillés ministres n'ont pas pu ressentir un plus violent affolement d'orgueil qu'un vieil employé nommé chef. Lui, l'opprimé, l'humilié, le triste obéissant, il commande, il en a le droit, — et il se venge. Il parle haut, durement, insolemment, et les subordonnés s'inclinent.

Il faut excepter certains ministères comme celui de l'instruction publique, où d'anciennes traditions de bienveillance et de courtoisie ont été jusqu'ici conservées. D'autres sont des galères. J'ai cité celui de la marine; j'y reviens. J'y ai passé, je le connais. Là-dedans on a le ton de commandement des officiers sur leur pont.

Il n'est pas le seul; d'ailleurs, rien n'égale la morgue, l'outrecuidance, l'insolence de certains pions parvenus, dont l'ancienneté a fait des rois de bureau, des despotes au rond de cuir.

L'ouvrier insulté par le contremaître retrousse ses manches et frappe du poing. Puis il ramasse ses outils et cherche un autre chantier. Un employé un peu fier serait sans pain le lendemain, et pour longtemps, sinon pour toujours.

Dernièrement, un ministre prenant possession de son département prononçait à peu près ces paroles devant les « hauts fonctionnaires » de son administration, les chefs et les employés : « Et n'oubliez pas, messieurs, que j'exige votre estime et votre obéissance : votre estime, parce que j'y ai droit ; votre obéissance, parce que vous me la devez ».

Cela sent-il assez l'autoritaire parvenu ?

Et songeons à ce que deviendra un pareil discours passant de bouche en bouche jusqu'au sous-chef haranguant ses expéditionnaires !

Oh ! il y a bien des cœurs froissés dans ces vastes usines à papier noirci, et des cœurs tristes, et de grandes misères, et de *pauvres gens instruits, capables, qui auraient pu être quelqu'un, et qui ne seront jamais rien*, et qui ne marieront point leurs filles sans dot, à moins de leur faire épouser un employé comme eux.

(Le Gaulois, 4 janvier 1882.)

ÉMILE ZOLA

Il est des noms qui semblent destinés à la célébrité, qui sonnent et qui restent dans les mémoires. Peut-on oublier Balzac, peut-on oublier Hugo quand une fois on a entendu retentir ces syllabes courtes et éclatantes? Mais, de tous les noms littéraires, il n'en est point peut-être qui saute plus brusquement aux yeux et s'attache plus fortement au souvenir que celui de Zola. Il éclate comme deux notes de clairon, violent, tapageur, entre dans l'oreille, l'emplit de sa brusque et sonore gaieté. Zola, quel appel au public! quel cri d'éveil! et quelle fortune pour un écrivain de talent de naître ainsi doté par l'état civil!

Et jamais nom est-il mieux tombé sur un homme? Il semble un défi de combat, une menace d'attaque, un chant de victoire. Or qui donc, parmi les écrivains d'aujourd'hui, a combattu plus furieusement pour ses idées; qui donc a attaqué plus brutalement ce qu'il croyait injuste et faux; qui donc a triomphé plus vite et plus bruyamment de l'indifférence d'abord, puis de la résistance hésitante, du grand public?

Sa personne aussi répond à son talent. Agé de quarante et quelques ans, il est de taille moyenne, un peu gros, d'aspect bonhomme mais obstiné. Sa tête, très semblable à celles qu'on retrouve dans beaucoup de tableaux italiens du XVIe siècle, sans être belle, présente un grand caractère de puissance et d'intelligence. Les cheveux courts se redressent sur un front très développé; et le nez droit s'arrête, coupé net, comme par un coup de ciseau trop brusque, au-dessus de la lèvre supérieure, ombragée d'une moustache noire assez épaisse. Tout le bas de cette figure grasse, mais énergique, est couvert de barbe taillée près de la peau. Le regard noir, myope, pénétrant, fouille, sourit, souvent méprisant, souvent ironique, tandis qu'un pli très particulier retrousse la lèvre supérieure, d'une façon drôle et moqueuse. Toute sa personne ronde et forte donne l'idée d'un boulet de canon; elle porte crânement son nom brutal aux deux syllabes bondissantes dans le retentissement des deux voyelles.

*
* *

Que n'a-t-on pas dit de son œuvre? Que n'en doit-on pas dire encore? Il est brutal aussi, cet œuvre; il a déchiré, crevé les conventions du comme-il-faut littéraire, passant au travers ainsi qu'un clown musculeux dans un cerceau de papier. Ce qu'a eu surtout cet écrivain, c'est l'audace du mot propre (je vois sourire les gens d'esprit) et le mépris des périphrases. Plus que personne, il pourrait dire, après Boileau :

> *J'appelle un chat un chat...*

Il semble même parfois pousser jusqu'au défi cet amour de la vérité nue. Son style large, plein d'images, n'est pas sobre et précis comme celui de Flaubert, ni ciselé et raffiné comme celui de Théophile Gautier, ni subtilement brisé, trouveur, compliqué, délicatement séduisant comme celui de Goncourt. Il est surabondant et impétueux comme un fleuve débordé qui roule de tout. Fils des romantiques, romantique malgré lui dans ses procédés (il l'avoue avec regret) il a fait d'admirables livres qui gardent quand même des allures de poèmes sans poésie voulue, de poèmes sans conventions poétiques, sans parti pris, où les choses quelles qu'elles soient, surgissent égales dans leur réalité, et se reflètent.

élargies, jamais déformées, répugnantes ou séduisantes, laides ou belles indifféremment, dans ce miroir de vérité, grossissant, mais toujours fidèle et probe, que l'écrivain porte en lui.

Le Ventre de Paris n'est-il pas le poème des nourritures? *L'Assommoir* n'est-il pas le poème de la soûlerie? *Nana* n'est-il pas le poème du vice?

Qu'est donc ceci, sinon de la haute poésie, sinon l'agrandissement magnifique de la gueuse. — « Elle demeurait debout, au milieu des richesses entassées de son hôtel, avec un peuple d'hommes abattus à ses pieds. Comme ces monstres antiques dont le domaine redouté était couvert d'ossements, elle posait ses pieds sur des crânes; et des catastrophes l'entouraient, la flambée furieuse de Vandeuvres, la mélancolie de Foucarmont perdu dans les mers de Chine, le désastre de Steiner réduit à vivre en honnête homme, l'imbécillité satisfaite de La Faloise, et le tragique effondrement des Muffat, et le blanc cadavre de Georges, veillé par Philippe sorti la veille de prison. Son œuvre de ruine et de mort était faite; la mouche envolée de l'ordure des faubourgs, apportant le ferment des pourritures sociales, avait empoisonné ces hommes, rien qu'à se poser sur eux. C'était bien, c'était juste : elle avait vengé son monde, les gueux et les abandonnés. Et, tandis que, dans une gloire, son sexe montait et rayonnait sur ces victimes étendues, pareil à un soleil levant qui éclaire un champ de carnage, elle gardait son inconscience de bête superbe, ignorante de sa besogne, bonne fille toujours. »

Que de plaisanteries n'a-t-on point jetées à cet homme, de plaisanteries grossières et peu variées. Vraiment il est facile de faire de la critique littéraire en comparant éternellement un écrivain à un vidangeur en fonctions, ses amis à des aides, et ses livres à des dépotoirs. Ce genre de gaieté d'ailleurs n'émeut guère un convaincu qui sent sa force.

383

Je ne voudrais point avoir l'air de *rompre des lances* pour Zola — il suffit, du reste, à se défendre et l'a souvent prouvé — mais je m'étonne de voir cette théorie de l'hypocrisie tellement enracinée chez nous, qu'on injurie odieusement un romancier parce qu'il réclame avec énergie la liberté de tout dire, la liberté de raconter ce que chacun fait. Nous nous jouons vraiment à nous-mêmes une étonnante comédie. A l'aide de quelques grands mots, honneur, vertu, probité, etc., nous imaginons-nous sincèrement que nous sommes si différents de nous? Pourquoi mentir ainsi? Nous ne trompons personne! Sous tous ces masques rencontrés, tous les visages sont connus! Nous nous faisons, en nous croisant, de fins sourires qui veulent dire : « Je sais tout »; nous nous chuchotons à l'oreille les scandales, les histoires corsées, les dessous sincères de la vie; mais, si quelque audacieux se met à parler fort, à raconter tranquillement, d'une voix haute et indifférente, tous ces secrets de Polichinelle mondains, une clameur s'élève, et des indignations feintes, et des pudeurs de Messaline, et des susceptibilités de Robert Macaire.

Personne peut-être, dans les lettres, n'a excité plus de haines qu'Emile Zola. Il a cette gloire de plus de posséder des ennemis féroces, irréconciliables, qui, à toute occasion, tombent sur lui comme des forcenés, emploient toutes les armes, tandis que lui les reçoit avec des délicatesses de sanglier. Ses coups de boutoir sont légendaires. Si quelquefois, malgré son indifférence, les horions qu'il a reçus l'ont un peu meurtri, que n'a-t-il pas pour se consoler? Aucun écrivain n'est plus connu, plus répandu aux quatre coins du monde, plus incontesté même par ses adversaires, aucun ne jouit d'une plus large renommée.

Il est, du reste, un laborieux exemplaire. Levé tôt, il travaille, d'un trait, de huit heures du matin à une heure de l'après-midi. Et, dans le jour, il se rassied à sa table; et il recommence le soir. Ennemi du monde et du bruit, il ne quitte presque plus Médan, où il reste enfermé neuf mois sur douze.

Pour les gens qui cherchent dans la vie des hommes et dans les objets dont ils s'entourent les explications des mystères de leur esprit, Zola peut être un *cas* intéressant. Ce fougueux ennemi des romantiques s'est créé, à la campagne comme à Paris, les plus romantiques des demeures. A Paris, sa chambre est tendue de tapisseries anciennes, un lit Henri II s'avance au milieu de la vaste pièce éclairée par d'anciens vitraux d'église qui jettent leur lumière bariolée sur mille bibelots fantaisistes, inattendus en ce lieu. Partout des étoffes antiques, des broderies de soie vieillie, de séculaires ornements d'autel. A Médan, c'est plus étrange encore. L'habitation, une tour carrée au pied de laquelle se blottit une microscopique maisonnette, comme un nain qui voyagerait à côté d'un géant, n'a ni parc, ni charmille, ni belles allées ombreuses, ni vastes massifs de fleurs royales. Elle est tout simplement précédée d'un petit jardin potager, un petit jardin de curé, où on cherche un globe de verre. Une haie sépare cet enclos modeste de la ligne de chemin de fer. Mais quand on pénètre dans le *sanctuaire,* on demeure stupéfait.

Zola travaille au milieu d'une pièce démesurément grande et haute, qu'un vitrage, donnant sur la plaine, éclaire dans toute sa largeur. Et cet immense cabinet est aussi tendu d'immenses tapisseries, encombré de meubles de tous les temps et de tous les pays. Des armures du Moyen Age, authentiques ou non, voisinent avec d'étonnants meubles japonais et de gracieux objets du XVIIIe siècle. La cheminée monumentale, flanquée de deux bonshommes de pierre, pourrait brûler un chêne en un jour; et la corniche est dorée à plein or, et chaque meuble est surchargé de bibelots. Et pourtant Zola n'est point collectionneur : il semble acheter pour acheter, un peu pêle-mêle, au hasard de sa fantaisie excitée, suivant les caprices de son œil, la séduction des formes ou de la couleur, sans s'inquiéter, comme Goncourt, des origines authentiques et de la valeur incontestable.

Gustave Flaubert, au contraire, avait la haine du bibelot, jugeant cette *manie* niaise et puérile. Chez lui on

ne rencontrait aucun de ces objets qu'on nomme
« curiosités — antiquités », ou « objets d'art ». A Paris,
son cabinet tendu de perse manquait de ce charme
enveloppant qu'ont les lieux habités avec amour et
ornés avec passion. Dans sa campagne de Croisset, la
vaste pièce de cet acharné travailleur n'était tapissée que
de livres. Puis, de place en place, quelques souvenirs de
voyages ou d'amitié, rien de plus.

Les psychologistes n'auraient-ils point là un curieux
sujet d'observation?

*
* *

Je n'ai point la prétention de faire en ce court article
une étude sur Zola, l'*homme, sa vie, son œuvre*. La chose
est faite, d'ailleurs, et va paraître incessamment. Un de
ses plus intimes amis, Paul Alexis, a réuni en un petit
volume tout ce qu'il sait (et il sait tout) du maître
naturaliste. J'ai voulu seulement esquisser en quelques
lignes la silhouette de ce grand et si curieux écrivain, au
moment où *Le Gaulois* va publier son œuvre nouvelle,
Pot-Bouille, le roman qu'il a mis le plus de temps à
faire, et celui qui, dans le système qu'il semble avoir
adopté des contrastes de livre à livre, doit être le roman
calme, après cet éclatant roman *Nana*.

(*Le Gaulois,* 14 janvier 1882.)

LES CAUSEURS

Je lisais ceci, dernièrement, dans les lettres intimes de Berlioz qui viennent d'être publiées : « Je vis, depuis mon retour d'Italie, au milieu du monde le plus prosaïque, le plus desséchant. Malgré mes supplications de n'en rien faire, on se plaît, on s'obstine à me parler sans cesse musique, art, haute poésie; ces gens-là emploient ces termes avec le plus grand sang-froid; on dirait qu'ils parlent vin, femmes, émeute ou autres cochonneries. Mon beau-frère surtout, qui est d'une loquacité effrayante, me tue. Je sens que je suis isolé de tout ce monde par mes pensées, par mes passions, par mes amours, par mes haines, par mes mépris, par ma tête, par mon cœur, par tout ».

Cette violente et superbe boutade pourrait s'appliquer à tous ou du moins à presque tous les salons d'aujourd'hui, tant la conversation y est banale, courante, odieuse, toute faite, monotone, à la portée de chaque imbécile. Cela coule, coule des lèvres, des petites lèvres des femmes qu'un pli gracieux retrousse, des lèvres barbues des hommes qu'un bout de ruban rouge à la boutonnière semble indiquer intelligents. Cela coule sans fin, écœurant, bête à faire pleurer, sans une variante, sans un éclat, sans une saillie, sans une fusée d'esprit.

On parle, en effet, musique, art, haute poésie. Or il serait cent millions de fois plus intéressant d'entendre un charcutier parler boudin avec compétence, que d'écouter les messieurs corrects et les femmes du monde *en visite* ouvrir leur robinet à banalités sur les seules choses grandes et belles qui soient. Croyez-vous qu'ils pensent à ce qu'ils disent, ces gens? Qu'ils fassent l'effort de descendre au fond de ce dont ils s'entretiennent, d'en pénétrer le sens mystérieux? Non! Ils répètent tout ce qu'il est d'usage de répéter sur ce sujet. Voilà tout. Aussi je déclare qu'il faut un courage surhumain, une dose de patience à toute épreuve et une bien sereine indifférence en tout pour aller aujourd'hui dans ce qu'on appelle le monde, et subir avec un visage souriant les bavardages ineptes qu'on entend à propos de tout.

Quelques maisons, bien entendu, font exception, mais elles sont rares, très rares.

Je ne prétends point assurément que chacun puisse, dans le premier salon venu, parler poésie avec l'autorité de Victor Hugo, musique avec la compétence de Saint-Saëns, peinture avec le savoir de Bonnat; qu'on doive dégager, dans une causerie de dix minutes, le sens philosophique du moindre événement, pénétrer cet « au-delà » de la chose même qui en fait le charme, qui constitue la séduction profonde d'une œuvre d'art, et qui élargit jusqu'à l'infini tout sujet qu'on aborde. Non. Il faut savoir s'abstenir de traiter légèrement les grandes questions; mais il faudrait, pour que les salons actuels fussent abordables, qu'on sût au moins causer!

**
**

Causer! Qu'est cela? Causer, madame, c'était jadis l'art d'être homme ou femme du monde; l'art de ne paraître jamais ennuyeux, de savoir tout dire avec intérêt, de plaire avec n'importe quoi, de séduire avec rien du tout. Aujourd'hui on parle, on raconte, on chipote, on potine, on cancane, on ne cause plus, on ne cause jamais. L'ardent musicien que je citais s'écrie : « On dirait qu'ils parlent vin, femmes, émeute ou autres cochonneries ». — Eh bien, savoir causer, c'est savoir parler vin, femmes, émeute et... autres balivernes, sans que rien soit... ce que dit Berlioz.

Comment définir le vif effleurement des choses par les mots, ce jeu de raquette avec des paroles souples, cette espèce de sourire léger des idées que doit être la causerie? On s'embourbe aujourd'hui dans le racontage. Chacun raconte à son tour des choses personnelles, ennuyeuses et longues, qui n'intéressent aucun voisin. Remarquez-le, sur vingt personnes qui parlent, dix-neuf parlent d'elles-mêmes, narrent des événements qui leur sont arrivés, et cela lentement, laissant l'esprit retomber après chaque mot, la pensée des auditeurs bâiller entre chaque phrase, de telle sorte qu'on a toujours envie de leur dire : « Mais taisez-vous donc, laissez-moi au moins rêver tranquillement ».

Et puis toujours la conversation se traîne sur les choses banales du jour ou de la veille; jamais plus elle ne s'envole d'un coup d'ailes pour se percher sur une idée, une simple idée, et, de là, sauter sur une autre, puis sur une autre.

J'ai souvent entendu Gustave Flaubert dire (et cette observation m'a paru d'une singulière et profonde vérité) : « Quand on écoute causer les hommes, on reconnaît les esprits supérieurs à ceci : c'est que sans cesse ils vont du fait à l'idée générale, élargissant toujours, dégageant une sorte de loi, ne prenant jamais un événement que comme tremplin ».

C'est ce que font les philosophes, les historiens, les moralistes. C'est ce que faisaient, toute proportion gardée, les charmants causeurs du siècle dernier. Ils jabotaient avec des idées bien plus qu'avec des faits divers. Aujourd'hui tout est faits divers. Quand on arrête, par hasard, dans un salon, l'écoulement des phrases toutes préparées, des idées reçues et des opinions adoptées, c'est pour narrer, sans commentaires spirituels d'ailleurs, quelque aventure d'alcôve ou de coulisse.

Il ne reste maintenant que des monologueurs. Ceux-là sont des malins. Comprenant que personne ne pourrait leur donner la réplique, l'art de causer étant disparu, ils sont devenus des espèces de conférenciers pour dîners et soirées. On les connaît, on les cite, on les invite. L'Académie en compte même plusieurs en son sein. Celui-ci opère surtout en tête-à-tête, celui-là préfère la galerie. Ils ont leurs sujets préparés, leurs tiroirs à bavardage, leurs arguments, leurs ficelles.

Le plus célèbre de tous, fort aimable homme, du reste, s'est fait une telle spécialité dans la causerie sentimentale à deux, lui seul parlant, que ses rivaux trépignent de jalousie. Jamais, oh! jamais, il ne s'adresse aux hommes! Tout pour les femmes. Pour elles, la séduction sérieuse de son esprit, son savoir grave et doux, tous ses frais d'éloquence. Mais aussi comme il sait leur plaire, comme il les séduit, comme il possède leur âme! En voilà un qui doit mépriser Schopenhauer! Et comme Schopenhauer le lui eût rendu!

Beau? Non, il n'est pas beau, il est bien. Tout en lui est bien : sa figure, sa tenue, sa parole, sa science, sa position, tout. Il est presque trop bien; pour les hommes il serait mieux étant moins bien.

Pour les femmes, il est *l'idéal*. Il sait manœuvrer sans faire de jalouses. Il choisit l'élue du jour, et — comment fait-il? je l'ignore — mais bientôt ils sont seuls, dans un coin, tout seuls, causant. Il parle bas, très bas; personne autour de lui n'entend; il reste grave, toujours bien, souriant à peine; tandis qu'elle le regarde soit fixement, soit par secousses, gardant sur les lèvres un sourire ravi, le sourire des bienheureux. C'est le Donato de la parole!

On dit pourtant qu'il n'est pas ce qu'on appelle un homme galant, bien qu'il soit fort galant homme; il sait parler aux femmes, voilà tout.

Pourquoi l'ai-je cité? Parce que chacune, quand on le nomme, s'écrie : « Quel causeur! » — Eh bien, non, ce n'est point un causeur; il n'y a plus de causeurs, à part quatre ou cinq, peut-être; et ceux-là même, ne trouvant jamais personne qui leur tienne tête à cette charmante mais difficile escrime, deviennent peu à peu des monologueurs.

(*Le Gaulois*, 20 janvier 1882.)

A QUI LA FAUTE?

Relisons l'admirable farce de Rabelais : « Soubdain je
ne sçay comment, le cas feut subit, je n'eu le loisir le
consydérer, Panurge, sans autre chose dire, jette en
pleine mer son mouton criant et bellant. Tous les autres
moutons, crians et bellans en pareille intonation, commencèrent soy jecter et saulter en mer après, à la file. La
foule estoit à qui saulteroit après leur compagnon.
Possible n'estoit les en guarder. Comme vous savez estre
du mouton le naturel tous jours suivre le premier,
quelque part qu'il aille ».

On pourrait toujours dire, en cette dernière phrase :
« Comme vous savez être du Français le naturel, etc. ».

Voici en effet des choses bien étonnantes qui font en
ce moment grand bruit.

Un innombrable troupeau de moutons à deux pieds,
qu'on appelle les hommes d'affaires, vient de disparaître
dans le flot de la spéculation. Tous sont noyés. Le
berger (qu'il soit Bontoux ou Dindenault) a bien essayé
de les retenir ; peine perdue ! ils l'ont entraîné dedans le
lac. Et rien n'est plus.

C'est à la France seule qu'il appartient de jouer ces
prodigieuses comédies.

L'affaire présente est particulièrement instructive. Au
nom d'une religion dont le « tout-Paris spéculant » se
soucie assurément moins « qu'un poisson d'une
pomme » — pour emprunter l'image inexacte du grand

poète, — on a commencé une soi-disant guerre aux juifs sur une valeur nouvelle portant un drapeau de ralliement.

Au moyen d'agissements habiles, cette valeur a gravi des sommets fantastiques. Alors tous les porteurs de titres ont été invraisemblablement millionnaires; ils ont racheté d'autres titres encore, dans la naïve croyance que ces petits morceaux de papier colorié continueraient à représenter un fabuleux numéraire. Et soudain, je ne sais pourquoi, le petit papier a perdu tout son prix. Et tout le monde a été ruiné, même ceux qui n'avaient rien. — Voilà.

J'avoue qu'il y a dans ces mots : *affaires de Bourse, spéculation,* un mystère impénétrable pour mon esprit. Quant on achète des actions de chemins de fer ou de la Rente, c'est simple comme bonjour. La prospérité de l'entreprise ou celle des affaires publiques règlent les bénéfices. Rien de moins compliqué.

Mais on devient fou quand on veut se représenter comment une entreprise inconnue, qui demande l'argent du public pour des spéculations inavouées, dissimulées derrière un prétexte honnête, une entreprise qui représente un capital connu et limité, des bénéfices problématiques et des dangers de perte incontestables, peut, dans un coup de folie des agioteurs, atteindre à des taux fabuleux.

Les opérations sont fictives, les bénéfices sont fictifs, la valeur est fictive, c'est une simple convention; tout est fictif, et le premier venu se trouve fictivement riche à milliards, pour se trouver très réellement sans le sou quelques jours après.

Or, la débâcle des temps derniers était prévue, annoncée depuis des mois; on la voyait; on la sentait venir; elle était inévitable comme l'hiver après l'été. Cela n'a point empêché tout le monde d'y être pris. — Moutons de Panurge!

Mais où la farce devient inénarrablement drôle, c'est à la question de payement. Les enrichis d'hier, qui sont les ruinés d'aujourd'hui, n'étant millionnaires que fictivement, c'est-à-dire grâce au petit papier qui valait tant et ne vaut plus rien, se trouvent aussi fictivement ruinés; c'est-à-dire qu'ils ne peuvent pas payer. Quel tableau de féerie : *Le Royaume du Fictif!* On y verrait l'ombre d'un actionnaire de l'ombre de la Timbale verser l'ombre d'un milliard à l'ombre d'un banquier israélite.

Et nous entendrons bientôt des conversations comme celle-ci : « Je viens de gagner quarante millions à la Bourse; prêtez-moi donc quarante sous pour aller dîner. » Ou bien ceci : « Oh! mon cher, quel désastre; je viens de perdre en deux heures huit cents millions. » Et l'ami confident s'effondrera, sans réfléchir que, du moment qu'on ne paye pas, il est absolument indifférent de perdre huit cents millions ou deux cents francs.

Ce que je ne comprends pas du tout, par exemple, c'est le résultat de cette débâcle pour la prospérité générale. Car on a employé ces grands mots. Or voici des milliards perdus, ou bien ils sont en d'autres poches : alors que nous importe? Ou bien ils étaient fictifs : alors pourquoi ces cris?

Et que dire de cette invocation au gouvernement que les spéculateurs lyonnais appellent « papa » en s'asseyant sur ses genoux :

— Papa, paye mes dettes. Ne le ferai plus : te promets, te jure, paye mes dettes, serai bien sage.

En quoi la folie de ces gens regarde-t-elle le gouvernement? Ils sont ruinés, tant pis pour eux! il en viendra d'autres à leur place.

***

O moutons de Dindenault! Nous l'avons toujours été et le serons toujours. Jadis, quand un fou quelconque, que les sergents de ville aujourd'hui empoigneraient, s'en venait prêcher une croisade, toute la France partait en guerre contre l'infidèle, comme sont partis en guerre les actionnaires de M. Bontoux.

A peine en route, ils avaient regret, assurément; mais,

chez nous, quand un mouton a sauté, tous sautent. Puis, plus tard, les braves croisés revenaient éreintés, crevants, battus, aussi penauds que le sont aujourd'hui les actionnaires de M. Bontoux. La guerre aux infidèles, décidément, ne nous porte pas bonheur.

Pauvre M. Bontoux! C'est le seul à plaindre dans l'affaire. Il avait lancé son ballon *la Timbale,* et, monté dans la nacelle, il faisait devant la foule sa petite ascension captive. Mais voilà que la foule se met à crier : « Plus haut! encore plus haut! toujours plus haut! » Il ne veut pas, il proteste, essaye de calmer les spectateurs. Mais, bast! ils lâchent tout, coupent les cordes; et le ballon s'envole aux nuages, crève, retombe, écrasant tout le monde et jetant sur le pavé l'aéronaute les reins cassés. Alors quels cris, quelle fureur! « C'est la faute à Bontoux! — crapule! — canaille! — misérable! » En France, c'est toujours la faute à quelqu'un.

C'est aussi la faute à M. Lebaudy : à preuve qu'il a trahi un meilleur ami. L'ami proteste que c'est faux. Qu'importe? C'est la faute à Lebaudy! Gredin va! Et tous les niais qui se sont laissé ruiner montrent le poing au financier plus malin qu'eux.

Autrefois, en d'autres circonstances, ce fut la faute à Capet. Aussi on a guillotiné Capet, et la femme Capet, et fait mourir le petit Capet.

Et pour changer, on a crié : « Vive Napoléon! »

Et, vous rappelez-vous la guerre, la triste guerre de 1870?

Etait-ce assez la faute aux généraux? Et la faute aux espions? En a-t-on assez fusillé, de ces espions sans le savoir. Tant pis pour eux, c'était leur faute!

Attendez un peu. Vous allez voir maintenant comme ça va être la faute à M. Gambetta! Tout, vous dis-je, tout sera de sa faute. Les députés veulent une chose aujourd'hui, une autre demain. C'est la faute à Gambetta. Ils ne sont d'accord sur rien. C'est la faute à Gambetta; jamais la faute aux députés, car : « vous savez être du mouton le naturel, toujours suivre le premier, quelque part qu'il aille. »

Et dire qu'à chaque bêtise nouvelle nous continuerons à trouver le coupable, sans jamais convenir simplement que *c'est la faute à tout le monde.*

(*Le Gaulois*, 25 janvier 1882.)

Je ne connais presque rien de *Pot-Bouille,* je sais seulement, comme tout le monde, que le romancier étudie, dans cette œuvre, l'*Adultère bourgeois.* Cette question est éternelle et toujours actuelle. Le nouveau roman de Zola présentera cet intérêt très particulier que l'auteur, appartenant à la grande famille des écrivains observateurs, se gardera bien de faire un plaidoyer pour ou contre, et laissera la conclusion sortir des faits eux-mêmes, comme dans ce superbe livre, le plus remarquable qu'il ait écrit, à mon avis, *L'Assommoir.* Dès lors que je sens un plaidoyer dans une œuvre, je me mets en garde; dès lors qu'un écrivain cesse d'être un artiste, rien qu'un artiste, pour devenir un polémiste, je cesse de le suivre, m'estimant assez grand pour penser tout seul, et ne voulant de lui que l'œuvre d'art. Les idées changent sans cesse, mais l'instinct humain ne varie pas; la façon d'apprécier, seule, se modifie avec le temps et les mœurs. Un homme qui tricherait au jeu, qui vivrait aux dépens d'une femme et filouterait en outre les protecteurs de cette femme, serait aujourd'hui considéré comme le dernier des gueux.

Or, si l'abbé Prévost avait apporté dans son chef-d'œuvre *Manon Lescaut* cet esprit de plaideur, de philosophe prêcheur, de penseur dramatique que M. A. Dumas met en ses pièces, s'il eût cherché à nous montrer le chevalier Des Grieux à son point de vue, quel que fût d'ailleurs ce point de vue, notre manière de juger ayant changé, *Manon Lescaut* nous indignerait ou nous ennuierait. Mais ici l'auteur a été tellement sincère, tellement désintéressé, tellement vrai; il s'est tellement effacé pour nous présenter uniquement ses personnages, eux seuls, avec leurs amours, leurs mœurs (les mœurs de l'époque) et leurs physionomies lumineuses de réalité, que nous ne nous révoltons pas, nous, nous ne nous étonnons même point, nous subissons l'œuvre irrésistible et charmante dans sa sincérité brutale.

**

C'est donc d'adultère qu'il s'agit, dans *Pot-Bouille*. Le sujet n'est pas neuf; il n'en est que plus difficile; il n'en apparaît que plus intéressant, l'adultère ayant toujours été la grande préoccupation des sociétés, le grand thème des écrivains, le grand *joujou* de l'esprit des hommes. Et on ferait une bien curieuse étude en recherchant de quelle façon, tantôt plaisante et tantôt tragique, les générations successives ont jugé les manquements à cet accouplement légal qu'on nomme le mariage.

La loi, avec raison, n'est pas douce pour l'adultère. L'opinion publique se montre généralement plus clémente; bien qu'aujourd'hui elle n'en rie plus guère. Elle pardonne, excuse, oublie, ferme les yeux; elle n'a plus la vive gaieté de jadis. Les contes de la reine de Navarre, et ceux de Boccace, et les inimitables comédies de Molière nous montrent grotesques les maris trompés. Plus tard ils furent déshonorés; maintenant ils demeurent tout simplement trompés, ni grotesques ni déshonorés; et cette dernière manière de juger est bien la vraie.

Les opinions sur toutes choses changent tellement, qu'il était autrefois honorable et profitable en même temps d'être... coiffé par le roi. Les maris recherchaient avidement cet honneur. Un bourgeois même qu'un prince rendait père se fâchait rarement, bien que la bourgeoisie soit la seule classe de la société où l'adultère ait toujours eu de l'importance.

Dans la brillante aristocratie du XVIIIᵉ siècle, un ménage fidèle eût été souverainement grotesque. Chez les gens du commun seuls on pouvait rencontrer ce ridicule, ce manque d'usage et de goût.

Je trouve dans *La Femme au XVIIIᵉ siècle,* d'Edmond et Jules de Goncourt, un adorable tableau des commencements d'une union à cette époque. Voici quelques citations :

« ... Le plus souvent, la jeune fille rencontrait le jeune homme charmant du temps, quelque joli homme frotté de façons et d'élégances... Ce jeune homme, un homme après tout, ne pouvait se défendre, aux premières heures, d'une sorte de reconnaissance pour cette jeune femme, encore à demi vêtue de ses voiles de jeune fille, qui lui révélait dans le mariage la nouveauté d'un plaisir pudique, d'une volupté émue, fraîche, inconnue, délicieuse. Cependant, les tendresses, jusque-là refoulées, s'agitaient et tressaillaient dans la jeune femme...

» Mais quand toutes les distractions des premières semaines du mariage, présentations, visites, petits voyages, arrangements de la vie, de l'habitation, de l'avenir, étaient à leur fin; quand le ménage revenait à lui-même, et que le mari, retombant sur sa femme, se trouvait en face d'une espèce de passion, il arrivait qu'il se trouvait tout à coup fort effrayé...

» Un peu honteux, et tout cela l'échauffant, il tâchait cependant d'être poli avec ce grand amour de sa petite femme; et à ses plaintes il répondait avec une ironie câline et une indifférence apitoyée, prenant le ton dont on use avec les enfants pour leur faire entendre qu'ils ne sont pas raisonnables... Reproches, emportements, attendrissements, il essuyait tout avec un persiflage de sang-froid, l'aisance de la plus parfaite compagnie.

» La femme, au sortir de pareilles scènes, se tournait vers ses parents. Elle était tout étonnée de les voir prendre en pitié sa petitesse d'esprit, et traiter ses grands chagrins de misères. Sur la figure, dans les paroles de sa mère, il lui semblait lire qu'il y avait une sorte d'indécence à aimer son mari de cette façon. Et, au bout de ses larmes, elle trouvait le sourire d'un beau-frère, lui disant : « Eh bien! prenons les choses au pis : quand il aurait une maîtresse, une passade, que cela signifie-t-il? Vous aimera-t-il moins au fond?... » Le mari survenait alors, et glissait en ami ces paroles à sa femme : « Il faut vous dissiper. Voyez le monde, entretenez des liaisons, enfin vivez comme toutes les femmes de votre âge! » Et il ajoutait doucement : « C'est le seul moyen de me plaire, ma bonne amie. »

*

Quels sont les maris qui oseraient aujourd'hui, parler ainsi? Il est vrai que dans le monde élégant et raffiné, bon nombre d'époux indifférents et sceptiques ferment les yeux et vivent de leur côté. Le ménage est en partie double; il n'en va que mieux. La vengeance brutale est devenue bien rare; les procès en séparation dénouent les situations trop difficiles, en attendant le divorce.

Dans le peuple, on retrouve, à part quelques violences de passionnés, la même indifférence tranquille. Les extrêmes se touchent, dit-on. L'homme de la nature, avec son seul instinct, n'a point encore les susceptibilités que créent chez nous les conventions passées à l'état de religions; de même que chez le raffiné, devenu sceptique, les croyances à mille choses sont usées. Quiconque vit, par hasard, quelque temps au milieu du peuple reste abasourdi de la promiscuité des ménages, où l'inceste est presque aussi fréquent que l'adultère. Rapprochons cela de ce que les mémoires secrets nous racontent de Louis XV et du mot, rapporté par Mme de Rémusat, de Napoléon Ier à sa mère : « Eh! ma mère, est-ce que votre morale est faite pour des hommes comme moi? » Si ce ne sont point les paroles textuelles, c'est au moins le sens exact.

Dans la bourgeoisie moyenne, au contraire, tout cela change. L'adultère, tout aussi fréquent, est beaucoup plus grave; le drame est au bout des liaisons d'amour; les maris attardés, à embuscades et à revolvers, se trouvent bien plus fréquemment que dans la classe au-dessus et dans la classe au-dessous.

Mais c'est aussi dans la bourgeoisie moyenne qu'on rencontre le plus souvent ces étonnants ménages à trois qui ont toujours fait et feront toujours la stupéfaction et la joie des spectateurs.

Et toujours l'éternel doute se produit. Le mari est-il complice, témoin timide et désolé, ou invraisemblablement aveugle?

De tous les problèmes de la vie, celui des ménages à trois est le plus difficile à démêler. Si le mari est complice? Quelle ignominie monstrueuse! Que ne s'en va-t-il, s'il est témoin timide et désolé? Quelle faiblesse, quelle résignation dans l'abjection! S'il est aveugle? Quelle incompréhensible stupidité! L'*autre,* enfin, est installé dans le ménage en maître, il accompagne partout leur femme, lui donne le bras en public, tandis que le titulaire porte les manteaux. Il mange à leur table tous les jours; le concierge seul pourrait dire à quelle heure il s'en va et à quelle heure il arrive. Et le mari lui serre la main! Ils ont l'air de s'entendre, de se comprendre, de s'aimer! Et la femme, ce sphinx, reste impénétrable, entre les deux. Et pourtant on ne peut douter.

Cette étrange et fréquente situation a été mise spirituellement à la scène. Le mari alors était supposé aveugle. D'autres fois elle a été traitée dramatiquement. Mais a-t-elle jamais été observée dans sa simplicité compliquée, dans son audace éhontée et inconsciente? A-t-on jamais cherché à voir bien nettement ce qui se passe dans ces trois cœurs; par suite de quelle convention tacite et inconcevable ces trois êtres ont accepté les uns vis-à-vis des autres leur anormale situation, qu'ils semblent supporter, du reste, avec cordialité, bonne humeur et sérénité, pour la plus grande satisfaction de ces singuliers contractants?

Et voici où me paraît être l'intérêt puissant de l'œuvre nouvelle que commence aujourd'hui *Le Gaulois*.

(*Le Gaulois*, 23 janvier 1882.)

LES FEMMES DE THÉÂTRE

Quelques-unes de nos belles comédiennes ont dû protester contre l'espèce de conclusion du nouveau roman d'Edmond de Goncourt, conclusion qui semble contenue dans cette phrase de lord Annandale à sa maîtresse, la Faustin : « Une artiste... Vous n'êtes que cela... la femme incapable d'aimer ! » Elles ont dû s'écrier : « Comment ! nous, incapables d'aimer ? Mais nous ne faisons que ça ; nous en sommes plus capables que les autres femmes ! » Et elles se remémoraient sans doute leurs grrrrandes passions, oubliant qu'il ne faut pas confondre *aimer souvent* avec *beaucoup aimer*.

Elle est, au contraire, terriblement vraie, la subtile analyse du maître observateur qui a fouillé ces âmes d'actrices, suivi le labyrinthe compliqué de leurs tendresses, et ouvert au public les coulisses de leurs cœurs. Et celle qu'il a choisie pour modèle est une grande artiste, une sincère, une géniale ; et non la comédienne quelconque, telle que nous en voyons, chaque jour, en nos théâtres. Et elle aime, cette Faustin, elle aime ardemment ; mais elle aime en comédienne qu'elle est. C'est-à-dire qu'elle reste, malgré tout, fatalement, inconsciemment, cabotine jusque dans ses élans de passion les plus violents et les plus vrais.

Et le romancier a indiqué là, avec une rare discrétion d'ailleurs et une singulière perspicacité, la part que le *métier* reprend fatalement dans les passions des femmes de théâtre. Quelque capté que soit leur cœur, quelque sincère que soit leur étreinte, n'y a-t-il pas toujours un peu de mise en scène dans leurs manifestations, un peu de déclamation dans leurs ardeurs? Ne jouent-elles pas, malgré elles, une comédie ou un drame d'amour avec des réminiscences de pièces, des intonations apprises? Et je voudrais savoir si chaque homme sur qui tombe leur tendresse ne leur rappelle pas involontairement un personnage qu'elles ont joué, et si une partie de leur affection ne vient pas de là?

Est-il bien certain qu'elles disent « Je t'aime! » comme les autres femmes; qu'elles n'aient jamais de « mots d'auteur », d' « effets » et de « gestes »?

Et j'en appelle aux hommes qui ont connu des comédiennes, qui ont assisté à la représentation à domicile de leurs tendresses, tout, en cette petite aventure de leur vie qu'on nomme un « amour », n'a-t-il pas une odeur de planches, de coulisses, jusqu'à la rupture qui est fatalement plus dramatique, plus déclamatoire, plus machinée qu'avec d'autres?

Et comme il est vrai cet amant, lord Annandale, qui vit près d'elle comme un époux fou d'amour, et qu'elle adore (il n'en peut douter), et qui cependant demeure sans cesse inquiet, soupçonneux, vaguement jaloux et troublé, sentant que, même en ses bras, même éperdue de bonheur, elle joue toujours, elle fait une sorte d'adaptation à la vie réelle des intrigues passionnées et des scènes ardentes répétées chaque soir devant la foule.

Du reste, les Faustins sont rares, et nos comédiennes d'aujourd'hui traitent l'amour d'une façon beaucoup plus simple et plus pratique.

Exceptionnellement placées pour plaire aux hommes, pour qui elles ont un attrait puissant et particulier, sur qui elles exercent une sorte de fascination; debout sur les planches comme sur un piédestal d'où elles dominent la foule, elles se trouvent exposées en montre comme des objets aux vitrines des marchands, offertes pour ainsi dire aux désirs des spectateurs.

Elles apparaissent au public comme des femmes d'amour et de plaisir dont les journaux enregistrent les aventures galantes. De là à faire métier de soi, à devenir des objets de vente courante, il n'y avait pas loin.

Il existe assurément des exceptions, des femmes de théâtre fort honorables dont leurs camarades se moquent d'ailleurs; d'autres qui ne sont point vénales et que leurs camarades méprisent. Les premières sont des poseuses qui « la font à la vertu »; les autres sont des jobardes.

Quant à celles — le plus grand nombre — qui font le commerce de galanterie, je crois, vraiment, qu'elles ne tarderont pas à avoir leur Petite Bourse du soir, où l'on verra les amoureux surenchérir à pleine voix, comme on fait chaque jour à la grande Bourse.

Car elles sont cotées, comme des valeurs; elles ont des hauts et des bas, des fluctuations de cours, des dépréciations et des vogues, selon les caprices des amateurs, les mouvements de la mode et leurs succès de planches.

Et cela nous semble tout simple! Mais, en vérité, ces marchandages d'amour de femmes qui ne sont pas des filles, et qui devraient être des artistes, cette abdication du sentiment devant l'argent, du caprice devant la cote, cette réclame que fait le théâtre pour l'alcôve, cette valeur commerciale exploitée même quelquefois par un mari légitime au profit de la communauté, ces agences de location des divas à la nuit ou à la semaine, ces agences où le premier Anglais millionnaire peut se présenter tranquillement un chèque à la main, disant : « Je volé soupé demain avec mademoiselle Machin », passent un peu les limites de la prostitution permise.

Ne les verrons-nous pas bientôt, ces agences que tout le monde connaît, mais qui se cachent encore, ouvrir leur porte sur la rue, avec un encadrement de photographies et la carte des tarifs qu'on consultera, en passant, comme le dernier cours de la rente.

Et n'assisterons-nous pas à des émotions publiques, pareilles à celle qui suit la chute de la Timbale, quand on apprendra que par l'effet d'on ne sait quelles manœuvres, Mlle X..., du Vaudeville, et Mlle Y..., du Gymnase, viennent, en un soir, de tomber à cinq louis?

N'ai-je pas connu un riche Américain qui, partant pour la France, télégraphia de New York pour retenir son Etoile, qui l'attendit à l'hôtel, sans embarras et sans révolte?

*
* *

Jadis les actrices furent des femmes à toquades, à escapades, à fantaisies. Aujourd'hui, elles rappellent les commerçants à deux boutiques, qui vendent de ceci dans l'une, de cela dans l'autre. Tout dépend de la porte par où l'on entre.

Je ne veux point, bien entendu, parler de morale, car j'estime que leur situation exceptionnelle leur doit donner les mêmes privilèges qu'aux hommes. Je ne parle que de dignité féminine, ce qui est fort différent.

A ce sujet, on chuchotait, ces jours-ci, une aventure qui serait arrivée dernièrement, en Angleterre, à une grande comédienne française.

Un lord, un très noble lord, séduit par la grâce merveilleuse de cette femme charmante autant que par son talent exceptionnel, l'invita chez lui, à une soirée dont sa femme faisait les honneurs.

L'actrice, qui est mère, amena son fils avec elle, et, lorsque la grande dame anglaise, rigide et prude comme toutes ses maigres compatriotes, s'avança pour la recevoir, elle présenta le jeune homme : « Mon fils, milady. » L'Anglaise rougit d'indignation, et, d'un ton sec : « Je vous demande pardon, madame; jusqu'ici, je vous avais appelée *mademoiselle,* je vois que je m'étais trompée. » L'actrice ne se troubla point devant la réponse insolente; elle sourit, au contraire, et, de sa voix exquise, si douce qu'elle prend tous les cœurs, elle reprit : « Oh! non, milady, caprice d'amour. » L'Anglaise aussitôt s'enfuit et ne reparut plus.

L'histoire est-elle vraie? En tout cas, celle à qui on l'attribue est capable de cet esprit. Ce mot charmant n'a-t-il pas, en même temps, préservé sa dignité et affirmé les libertés que lui donne son talent?

(*Le Gaulois*, 1ᵉʳ février 1882.)

LES SCIES

Dire que Paris vient d'être remué, pendant cinq jours, par les péripéties d'une partie de billard!

Les journaux enregistraient les résultats; et, chaque soir, sur la place de l'Opéra, la foule, cette bête à mille têtes, ce tas grouillant d'humanité badaude, contemplait avidement les cadres transparents où les points étaient marqués. Et on criait, on applaudissait, on huait. Toute la bêtise populaire était secouée patriotiquement. Qui l'emporterait sur le billard, de l'Amérique ou de la France? Lutte héroïque. Les deux Républiques, celles qu'on appelle les deux grandes Républiques, luttaient comme Roland et Olivier dans la *Légende des Siècles!* Et chaque soir le dur combat recommençait; et des paris étaient transmis par le câble transatlantique; et, dans les salons élégants, les jeunes femmes aux yeux divins demandaient avec angoisse aux hommes qui revenaient du cercle : « Savez-vous qui a gagné ce soir de Slosson ou de Vignaux? »

Voilà trop longtemps que dure cette insupportable scie. Ce duel ridicule au carambolage qui prend les proportions d'un événement public, qui recommence périodiquement à la façon de la querelle ancienne des Capulets et des Montaigus, a cela d'odieux qu'il remue le fond de bêtise que tout peuple, porte en lui; il la fait monter en écume à la surface, l'étale au grand jour! Le duel de l'Amérique et de la France sur un tapis ceint de bandes! Le championnat pour le billard de la France et de l'Amérique! Oh!

Que MM. Vignaux et Slosson s'amusent à jouer au billard, c'est leur droit incontestable. Que les combinaisons des carambolages constituent le grand intérêt de leur vie, le grand effort de leurs pensées, produisent la plus forte tension de leur intelligence, personne n'a rien à y voir; personne n'a le droit de les en blâmer. Mais qu'ils fassent interrompre la circulation sur le boulevard en ameutant les badauds, sous leurs fenêtres; qu'ils favorisent, par là même, l'accroissement de la niaiserie en France, c'est trop.

Vaincu, M. Vignaux a, paraît-il, refusé la main que lui tendait M. Slosson. On ne l'a pas trouvé chevaleresque!... Parbleu! Et on l'a hué. Miséricorde! La foule est impitoyable. Comme Olivier fut plus magnanime, plus vraiment grand avec Roland, en lui offrant la main de sa sœur pour terminer la lutte!

Quel enthousiasme dans le public si cette partie acharnée avait pris fin héroïquement comme le poème de Victor Hugo.

Plus de queue en leurs mains, de cheveux sur leurs têtes,
Ils luttent maintenant, sourds, effarés, béants,
Avec des pieds de chaise ainsi que des géants.
Pour la cinquième fois voici que la nuit tombe.
Et, tout à coup, Vignaux, aigle aux yeux de colombe,
S'arrête et dit : « Slosson, nous n'en finirons point.
» Tant que nous garderons un bout de queue au poing
» Nous lutterons ainsi que lions et panthères.
» Ne vaudrait-il pas que nous devinssions frères?
» J'ai ma sœur, Madeleine, au nez taché de son.
» Epouse-la,
*   — Parbleu! je veux bien, dit Slosson.*
» Et maintenant, buvons, car je suis hors d'haleine.
C'est ainsi que Slosson épousa Madeleine. »

Et nous serions, nous, débarrassés de cette scie carambolo-patriotique.

Mais les scies sont éternelles. Et M. Vignaux vient d'être provoqué par un nouveau champion. A bientôt cet intéressant tournoi, où l'honneur national se trouve encore intéressé. La place de l'Opéra étant désormais insuffisante pour contenir le public anxieux, ne pourrait-on mettre le palais de l'Industrie à la disposition des combattants, et annoncer chaque point du champion français par un coup de canon tiré des Invalides, comme on annonçait, en d'autres temps, les victoires?

On raconte aussi qu'un défi vient d'être lancé par un célèbre joueur de biribi de Montmartre à tous les amateurs de l'univers. Encore un championnat. Puis nous assisterons aux passionnantes rivalités des joueurs de loto, de pigeon-vole, de toupie hollandaise, de tonton, de bilboquet, etc.

Résignons-nous.

Déjà nous avons pris notre parti de bien d'autres scies, qui pour être plus anciennes, n'en sont pas moins insupportables. Nous les subissons d'une façon régulière, tantôt avec un enthousiasme de bon goût, tantôt avec une patience muette.

La plus terrible de toutes n'est-elle pas le changement de ministères? Songez donc, trois fois par an on remplace M. Goblet par M. Timbale ou M. Timbale par M. Goblet. Cela ne change rien, il est vrai, et nous laisse froids. Mais chaque fois tous les journaux, tous nos parents, tous nos amis, tous nos voisins, au restaurant, en chemin de fer, en omnibus, recommencent la même discussion sur la manière d'appliquer en France le régime républicain. Avec une gravité prudhommesque et sereine, ils répètent invariablement les mêmes arguments que les faits, trois mois après, viennent invariablement démentir. Et nous ne sommes pas encore enragés ou anarchistes guillotineurs?

Il faut avouer que l'oubli recouvre vite les ministres dégringolés. Qui sait leur nom trois jours après la chute? Ne serait-il pas bien amusant de demander soudain à toutes les personnes réunies en un salon de nommer tous les membres du Grand Ministère défunt? Combien les pourraient retrouver?

En vérité, de tous les ministres qui se sont succédé depuis dix ans, un seul est immortel, incontestablement. Il s'appelle le général Farre. Et pourquoi sa renommée apparaît-elle, dès aujourd'hui, impérissable? Pour une chose bien simple : il a supprimé les tambours! Il est l'Erostrate du siècle! Il peut crier : *Eureka!* il a trouvé un moyen pour l'immortalité, le vrai, le seul, le moyen à la Mangin et à l'Alcibiade. Et dans mille ans, alors que personne ne citera plus les noms de MM. Devès, Raynal et Cie, on parlera encore avec étonnement de l'homme qui a supprimé les tambours dans l'armée française, comme on parle aujourd'hui de celui qui brûla jadis le temple d'Ephèse.

***

Des scies? Mais il en pleut toute l'année. Tenez : les œuvres de bienfaisance envers l'étranger, la charité par l'exportation, l'aumône-réclame, la pitié dansante, l'apitoiement sur des infortunes lointaines, au plus grand avantage des *imprésarios,* de la fête, et au réel détriment de notre pays.

Inondés de Hongrie, inondés d'Espagne, incendiés de Vienne et autres. Tout l'argent ramassé passe invariablement aux frais d'organisation. Mais peu importe.

L'Espagne a-t-elle donné un combat de taureaux; l'Autriche-Hongrie a-t-elle offert une tombola pour les centaines de morts de Perrégaux? Et là-bas le pays est ravagé, le grand barrage fécondant la plaine est détruit, douars et gourbis et maisons sont emportés par l'eau. Bast! c'est en Algérie. Quel bénéfice, quelles décorations, quels honneurs, quelles prérogatives pourraient revenir aux gens généreux qui se mettraient en avant?

Mais la plus tenace et la plus horrible des scies indestructibles est peut-être la « question de l'Opéra ».

L'Etat nomme périodiquement un directeur à cet établissement financier. Celui-ci, dès qu'il entre en fonction, n'a qu'une idée, très compréhensible : monter le moins d'opéras et gagner le plus d'argent qu'il pourra. La musique, bien entendu, est le moindre de ses soucis. Le public et les critiques de la presse, qui attendaient tout du nouveau fonctionnaire, avec une crédulité que rien ne décourage, se mettent alors à hurler derrière lui comme les chiens à la lune, avec autant de succès, du reste, que ces animaux auprès de l'astre nocturne. Car ils ne le font pas plus tomber que les chiens ne font choir la lune. Ils n'arrivent qu'à ranimer cette plaie qu'on appelle la *question de l'Opéra*.

Le remède est pourtant bien simple : supprimer l'Opéra. Tout le monde y gagnerait : les indifférents, qu'on n'énerverait plus ; le public, dont on sauvegarderait le goût et l'intelligence ; l'art, en la personne des musiciens, qui, débarrassés du désir de gagner beaucoup d'argent, feraient enfin de vraie musique. Le directeur seul y perdrait. Mais, avec les capacités financières que montrent généralement ces élus, il pourrait fonder une nouvelle Union Générale, plus prospère que celle de M. l'ingénieur Bontoux.

Oui, l'art y gagnerait ; car je ne sais rien de plus monstrueusement révoltant que ces personnages ornés de vêtements ridicules qui s'en viennent, avec des gestes inénarrablement grotesques, mugir leurs sentiments et hurler leur histoire devant une foule en toilette.

L'intrigue, d'ailleurs, est si stupide que personne ne la comprend jamais. La prose rimée qui la raconte donne des attaques d'épilepsie aux poètes et aux prosateurs ; sans compter que les acteurs sentent si bien comme est anormal et burlesque ce récit en musique, qu'ils ne prennent même pas la peine de mimer les rôles. Ils s'avancent, élèvent le bras droit, le bras gauche, font trois pas à droite, trois pas à gauche, ou bien tendent les deux mains vers la foule comme s'ils lui présentaient un enfant nouveau-né. C'est tout.

Exprimer des sentiments en roulades me semble

d'ailleurs une idée de sauvages. Certes ce genre de spectacle est plus enfantin que les mystères du Moyen Age ; et, si l'on reprend par hasard une de ces œuvres dans cinq cents ans, par curiosité historique, la salle se roulera en des accès de gaieté folle, tant sont irrésistiblement comiques ces représentations. Nous ne nous en apercevons pas, accoutumés à ces choses grotesques ; et pourtant un opéra quelconque devrait soulever en nous plus de rires que *Divorçons!* ou n'importe quelle farce extravagante.

Alors, que voulez-vous ? dira-t-on. De la musique toute simple, où la voix humaine ne sera qu'un instrument. Ou bien, si vous vous destinez à mettre de la littérature en musique, je demande qu'on en fasse autant pour la peinture. Mais que ferait-on de l'Opéra ? A quoi pourrait-on employer ce médiocre monument ?

A quoi ? Qu'on le livre à MM. Vignaux et Slosson pour y donner leurs représentations, et qu'on écrive sur le fronton : « Académie nationale de billard ». L'enseigne, au moins, ne mentira pas.

***

Parmi les scies, citons pour mémoire les manifestations politiques sur la tombe des citoyens trépassés, les enfants prodiges, les déclamations des journaux religieux sur le prétendu dîner à charcuterie de Sainte-Beuve... et que d'autres encore !

(Le Gaulois, 8 février 1882.)

PHOQUES ET BALEINES

C'était un curieux spectacle, ces jours derniers, dans la grande cour qui précède le laboratoire d'anatomie comparée, au Muséum d'histoire naturelle.

Les lourds camions du chemin de fer de l'Ouest venaient de décharger des caisses longues semblables à de grands cercueils, et aussi des ossements monstrueux, des têtes d'animaux colossales, pareilles à d'étranges instruments d'industrie, compliquées comme des machines agricoles. Sur tout cela adhéraient encore des lambeaux de peau, des morceaux de chair. Et lorsqu'on eut ouvert la plus petite boîte, une odeur forte de cimetière s'exhala, une odeur de cadavre avancé, et dans cette boîte un corps s'allongeait tout déformé par la décomposition.

Alors des hommes alignèrent les vertèbres énormes, mirent en place chaque morceau des squelettes comme s'ils eussent joué à un nouveau jeu de patience, et ils reconstruisirent les carcasses des gigantesques baleines que le professeur d'anatomie comparée du Muséum, M. Georges Pouchet, est allé chercher cet été dans les mers du Nord, sur l'aviso de l'Etat le *Coligny*.

Le récit de ce voyage, que nous lirons quand le rapport du jeune et savant professeur sera publié, nous donnera de singulières sensations que peuvent déjà faire pressentir les photographies et les objets qu'il a rapportés de ce pays des baleines.

Les côtes sont encore ourlées de glaces ; la mer charrie

des cristaux gelés gros comme des montagnes, elle les roule, les balance et les heurte, cette mer froide où vivent les monstres, les plus vastes bêtes créées.

Là-bas, sur le rivage, s'élève un grand bâtiment de bois tout simple, des cloisons de planches et un toit, rien de plus; le flot vient en battre le pied; et des treuils, des grues pareilles à celles des gares aux marchandises, se dressent devant l'entrée. C'est la grande usine où l'on travaille la chair des baleines. C'est de là que partent, c'est là que reviennent les bateaux pêcheurs.

L'ancienne baleine franche n'existe presque plus. Beaucoup plus grosse que la baleine bleue, elle vaut quarante à cinquante mille francs. La baleine bleue, moins grosse et beaucoup plus longue que sa sœur, très nombreuse encore, vaut environ sept mille francs. La baleine franche, mortellement frappée, surnageait; l'autre coule; aussi emploie-t-on pour la chasser de légers bateaux à vapeur qui la hissent à fleur d'eau et la remorquent ensuite jusqu'à l'établissement où l'industrie s'empare du corps.

Quand le *Coligny* vint mouiller en face du vaste hangar où sont disséqués ces monstres, il en arrivait chaque jour en si grand nombre que les ouvriers ne suffisaient plus. A peine la bête amarrée à terre, les hommes se jetaient dessus, enlevaient rapidement la peau et la graisse, puis on repoussait à l'eau l'animal écorché et on l'ancrait comme un navire, pour le reprendre, son tour venu, et fabriquer du guano avec sa chair. Le travail de la décomposition le faisait alors flotter; et bientôt ils furent deux, puis quatre, puis six, puis huit, amarrés ensemble, pourrissant côte à côte, ces corps immenses, remués par la vague. C'était une île de baleines mortes, longue de cent mètres, large de cinquante; et l'infection était si grande que tout le monde à bord du *Coligny* avait des haut-le-cœur, chaque matin, en se levant.

Parmi les objets rapportés par M. Pouchet est une espèce de grossière arbalète, primitive en sa forme, faite de bois à peine dégrossi et qu'un hercule seul peut

415

bander. Chaque paysan là-bas possède une de ces armes, et, quand une baleine est jetée par la tempête dans un de ces petits lacs peu profonds qui bordent les côtes, chacun sort de sa maison et crible la bête de courtes flèches dont le fer porte les initiales du propriétaire. Puis, lorsque le gigantesque poisson expire d'ennui dans cette baignoire où il ne peut s'ébattre, on examine les coups supposés mortels, et les lettres gravées sur les lances désignent le propriétaire du cadavre.

⁎

Chose singulière, la Méditerranée, cette mer chaude, cette mer d'huile, possède aussi des baleines et un nombre considérable de phoques. J'ai eu moi-même l'étonnement de me trouver nez à nez avec un de ces derniers animaux... et j'ai fui.

Voici dans quelles circonstances.

Je voulais voir ce sauvage et dangereux détroit de Bonifacio qui sépare la Corse de la Sardaigne, et la ville singulière qui donne son nom à ce passage, redouté surtout depuis le naufrage de la *Sémillante*.

J'étais parti d'Ajaccio sur le *Rhône,* un vapeur-tortue que la vague secoue d'une invraisemblable façon; et, après neuf heures de traversée, on pénétrait dans le détroit. A gauche, la haute falaise blanche se dressait comme une muraille. Soudain, sur le sommet, une petite ville apparue, bâtie sur un abîme qui la dévorera, car le roc qui la supporte est tellement rongé par la mer qu'il forme comme une gigantesque caverne sous la cité suspendue, restée en l'air sur cette voûte que les flots creusent de jour en jour.

Le navire longeait la côte, et bientôt il se trouva vis-à-vis d'une fente étroite dans la muraille de pierre. C'était un tortueux corridor naturel où le bâtiment s'engagea. Cet étroit couloir ondulait comme un serpent pour déboucher dans un joli bassin d'eau profonde d'un bleu merveilleux : le port de Bonifacio; la ville basse, aux constructions élevées, l'entoure.

Je grimpai d'abord jusqu'à l'ancienne ville, celle qui surplombe le gouffre. Les maisons restent accrochées on ne sait comment au-dessus de cette falaise minée; et là, certes, s'accomplira une de ces catastrophes dont le souvenir ne s'efface pas. Un jour viendra, proche ou lointain, où la mer ayant achevé de creuser la pierre et d'ébranler la montagne engloutira tout un coin de la cité avec ses habitants.

De là on voit la Sardaigne, et tout l'effrayant détroit hérissé de rocs, qui sortent leurs têtes à fleur d'eau, comme des bêtes méchantes attendant une proie.

Puis, redescendant au port, je louai une barque pour visiter les grottes marines qu'on m'avait dit pouvoir être comptées parmi les plus belles du monde.

La plus curieuse est la *Dragonale*.

La mer étant un peu houleuse, nous eûmes grand' peine à franchir l'entrée, porte basse où la vague, s'engouffrant violemment, menaçait de briser notre embarcation. Nous pénétrâmes enfin dans une vaste chambre éclairée du haut par une échancrure naturelle qui traverse toute l'épaisseur de la colline et présente exactement, comme si elle eût été taillée par l'homme, la configuration de l'île de Corse. Sous nous, l'eau profonde, où pénétrait une lumière plus vive venant du dehors par l'entrée sur la pleine mer, une lumière de fond comparable à un rayon électrique, était tantôt rouge, tantôt azurée, tantôt violette, tantôt rose comme un pâle corail.

Des centaines de colombes s'envolant à notre approche, s'enfuyaient par le trou qui traversait la côte, et on voyait leur ombre monter, tournoyer, sur le petit morceau de ciel aperçu du fond de cette chambrée.

A droite, à hauteur d'homme au-dessus de la barque, s'ouvrait une excavation où les marins m'engagèrent à grimper pour contempler toute la grotte en me plaçant au fond. J'obéis; mais à peine eus-je mis le pied sur le rocher qu'une grosse pierre, lancée comme une catapulte, m'effleura la tête, et un grand bruit, un bruit de course, se fit devant moi, dans l'ombre impénétrable à l'œil. D'un bond je rentrai dans la barque, sans comprendre ce qui se passait, sans savoir quel être j'avais dérangé dans son refuge, quel ennemi m'avait jeté ce caillou.

Aussitôt les deux hommes s'écrièrent : « Le phoque! le phoque! » et ils se réfugièrent promptement dans une cavité de la grotte pour éviter, disaient-ils, les pierres que la bête lançait à ceux qui la troublaient.

Et soudain le *clouf* d'un énorme plongeon fit vibrer l'air calme de la caverne; l'écume rejaillit jusqu'à la voûte et j'aperçus distinctement un gros corps noir et allongé qui filait sous l'eau vers la sortie. C'était l'habitant de ce lieu, le phoque lui-même qui nous cédait la place.

***

De retour à Ajaccio, on me raconta que souvent ces animaux allaient jusqu'aux vignes qui bordent la mer, pour y manger du raisin. J'en doute un peu cependant et je ne me figure pas bien un phoque un peu pochard dansant un cancan sur la berge. On m'a affirmé aussi qu'ils lançaient toujours des pierres à ceux qui les surprenaient. C'est possible à la rigueur. Voici comment : La bête, en s'enfuyant, rame pour marcher comme pour nager avec ses puissantes nageoires, et si une pierre est rencontrée par ces membranes qu'elle agite désespérément, elle se trouvera sans doute lancée en arrière avec violence justement vers la personne devant qui se sauve l'animal.

Cette explication, d'ailleurs, que je donne sous toutes réserves, aurait besoin d'être soumise à M. le professeur d'anatomie comparée du Muséum.

(*Gil Blas*, 9 février 1882.)

L'HONNEUR ET L'ARGENT

Nous assistons, certes, depuis quelques années, à un déplacement de la conscience. La morale change. La morale est pareille aux bancs de sable des rivières : elle se promène; elle est tantôt ici et tantôt là, s'élève en montagne au-dessus du courant des mœurs et des instincts, forme des obstacles infranchissables en certains points; puis soudain tout s'aplanit et l'onde humaine se remet à couler librement, barrée plus loin par la dune mouvante.

L'immense catastrophe financière de ces temps derniers vient de prouver d'une façon définitive (ce dont on se doutait un peu, d'ailleurs, depuis pas mal d'années) que la probité est en train de disparaître. C'est à peine si on se cache aujourd'hui de n'être point un honnête homme, et il existe tant de moyens d'accommoder la conscience, qu'on ne la reconnaît plus. Voler dix sous est toujours voler; mais faire disparaître cent millions n'est point voler. Des directeurs de vastes entreprises financières font chaque jour, à la connaissance de la France entière, des opérations que tout leur interdit, depuis les règlements de leurs sociétés jusqu'à la plus vulgaire bonne foi; ils ne s'en considèrent pas moins comme parfaitement honorables. Des hommes à qui leurs fonctions et le mandat qu'ils ont, et les dispositions mêmes de la loi, interdisent tout jeu de Bourse, sont convaincus d'avoir trafiqué sans vergogne, et, quand on le leur prouve, ils font en riant un pied-de-

419

nez, et en sont quittes pour aller manger en paix les millions que leur ont donnés des opérations illicites!

Quant au fretin des agioteurs, il se fait un devoir de manquer de conscience, et presque une gloire de mettre dedans les naïfs. Le courant de la spéculation a passé sur l'antique probité et a dispersé sa montagne de sable.

On a gardé, il est vrai, dans le monde une sorte de probité extérieure, d'honnêteté relative. Ce qui a disparu surtout c'est la scrupuleuse intégrité, cette minutieuse propreté de la conscience, cette fine délicatesse de l'homme qui ne se serait laissé salir par aucun douteux contact d'argent.

Dans la crise que nous traversons, on a pu sonder exactement toutes les profondeurs de l'improbité; et, tandis que les petites gens, atteints par la débâcle, payaient jusqu'au dernier sou, tandis que la modeste bourgeoisie d'un côté et quelques grandes familles de l'autre n'hésitaient pas à tout sacrifier, à tout donner, d'autres, qui sont riches, on le sait, ne se sont point fait scrupule de garder en même temps leur fortune et leurs dettes.

La probité pourtant était peut-être la seule vraie propreté morale de l'homme, la seule vraie qualité de l'âme constituant l'honorabilité.

Les progrès de l'indélicatesse sont faciles à suivre. Il y a vingt ans, on s'étonnait que les domestiques ne fussent plus honnêtes. Aujourd'hui on s'ébahit quand ils le sont.

Il y a quinze ans, on s'indignait quand un fournisseur vous avait trompé. On serait bien surpris aujourd'hui de n'être point mis dedans par les plus scrupuleux négociants.

Et voilà que la contagion a gagné partout. Encore quelques années, et ce sera fini. Il n'existera plus un homme vraiment intègre, un de ceux à qui il ne suffisait pas d'être probe en apparence, d'être probe vis-à-vis des autres, mais qui voulaient le rester vis-à-vis d'eux-mêmes.

La probité, jusqu'ici, était demeurée le plus fixe des sentiments humains, le plus sérieux des obstacles dressés par la morale à nos instincts. Tout change. Tout passe.

Un sentiment, par exemple, dont les déplacements sont vraiment surprenants : c'est la pudeur.

Je n'ose point affirmer que la pudeur n'a été inventée par les femmes que pour donner du prix et du charme à l'amour; mais, au fond, je le crois. Donc, rechercher en quoi les femmes, dans tous les temps et chez tous les peuples, ont fait consister la pudeur nous révélerait sans doute ce qu'aimaient les hommes de leur époque et de leur pays, et nous donnerait l'histoire universelle de l'amour dans l'humanité.

Ajoutons que la pudeur et la mode sont sœurs et marchent ensemble.

Sait-on que c'est à une question de pudeur que les Espagnoles doivent leur gracieuse démarche.

En Espagne, jadis, il était, paraît-il, déshonorant pour les femmes de montrer leur pied, j'entends leur pied chaussé, ce petit pied dont la finesse est demeurée légendaire; il leur fallait s'y prendre de telle sorte qu'elles allassent par les rues sans jamais laisser voir aux passants le bout même de leurs chaussures.

Que faisaient-elles? Elles portaient de longues, de très longues robes; et, au lieu de marcher, elles glissaient. Elles glissaient d'une façon particulière, frôlant la terre de la semelle, le bout de la bottine toujours enseveli sous l'étoffe tombante de la jupe; et, de cette habitude devenue universelle dans le pays, de cette habitude prolongée pendant plusieurs générations, est résultée presque une modification anatomique de la race, une démarche souple, singulièrement gracieuse, comparable au flottement d'une barque, une sorte de léger effleurement du sol par les pieds.

Il est regrettable que les aïeules des Anglaises errantes qu'on rencontre par toute la terre n'aient pas eu le même sentiment de pudeur que les ancêtres des Espagnoles.

Car est-il rien de plus désolant, pour quiconque adore la grâce des femmes, que de voir sautiller ces grands corps sur les échasses que sont leurs jambes?

***

Mais pour nous, la plus singulière des pudeurs est assurément celle des femmes arabes.

On le sait, jamais un homme, sauf l'époux, ne doit apercevoir leur visage. Quant au reste, elles ne le cachent guère.

Aussitôt qu'on avance dans le sud, le costume de la femme arabe devient des plus primitifs. Elle porte presque toujours une espèce de sac de laine blanche, ouvert du haut en bas des deux côtés, quelquefois noué à la ceinture, et quelquefois même flottant librement, de sorte que, de profil, on voit la femme nue de la tête aux pieds, tandis que son visage est voilé de façon qu'on distingue à peine ses yeux eux-mêmes.

Elles sont d'ailleurs, en général plus jolies de figure que de formes, étant dès l'enfance employées à tous les rudes travaux, et fatiguées à quinze ans comme si elles étaient vieilles.

Voici une petite aventure qui donnera de leur pudeur une idée fort exacte.

J'étais alors à Boukhari, et je partis un matin avec deux amis pour aller passer la journée et la nuit chez un caïd voisin.

Nous traversions la vaste forêt qui s'étend derrière le fort de Boghar, et, mes compagnons étant restés à causer quelques minutes avec un officier qui nous avait rencontrés, je continuai, seul, mon chemin. Je marchais sans bruit, lentement. Tout à coup, derrière une roche, je surpris une jeune Arabe dont le visage était nu. A ma vue, elle fut effarée, se leva d'un bond et, perdant tout sang-froid, elle saisit à deux mains le lambeau de laine qui tombait de sa gorge à ses chevilles, pour s'en couvrir la figure. Elle le releva tout entier d'un mouvement convulsif, et s'enveloppa la tête dedans; et elle demeurait dressée devant moi, sans un voile de la tête aux pieds, absolument immobile, et satisfaite sans doute de la manière dont elle avait sauvegardée sa pudeur et sa dignité de femme.

Osera-t-on dire à présent que les manifestations de la morale ne dépendent point des latitudes?

Nous étions là dans le pays des autruches!

La nature n'a-t-elle pas manifestement donné le même instinct aux femmes et aux oiseaux du désert?

Il leur suffit de se cacher la tête.

(*Le Gaulois*, 14 février 1882.)

VENGEANCE D'ARTISTE

Le drame Jacquet-Dumas émeut la ville et la province.

Parlons-en comme tout le monde.

On sait le fond de l'affaire.

M. Dumas ayant acheté un tableau à M. Jacquet l'a revendu avec bénéfice. De là, grande colère du peintre. Cette colère vient-elle du bénéfice, ou du procédé de l'écrivain?

M. Jacquet affirme que le procédé seul l'a touché; ne se pourrait-il pas que le bénéfice l'eût effleuré aussi quelque peu?

En tout cas, il résulte des explications fournies par l'un et par l'autre (explication contradictoires, bien entendu, mais concluantes cependant) que M. Dumas avait le droit absolu de revendre ce tableau. Donc le peintre a montré sans doute une susceptibilité exagérée; et sa vengeance peut-être n'était pas d'un goût parfait.

Oh! ne piquons jamais l'amour-propre des artistes!

Cette vengeance, on la connaît.

Il a mis la tête de M. Dumas sur les épaules d'un marchand juif et a exposé l'aquarelle vengeresse dans la nouvelle galerie que M. Georges Petit vient d'ouvrir au public.

Alors, grande colère de M. Dumas, qui s'empresse de téléphoner à son avoué de poursuivre.

Le téléphone ayant M. Dumas à un bout, l'homme de loi à l'autre bout, et portant à celui-ci la fureur indignée

424

de celui-là met une gaieté de plus dans ce drame tragi-comique.

Là-dessus, le gendre de M. Dumas part en guerre, la canne à la main, et livre contre l'aquarelle coupable un combat à la Don Quichotte. L'aquarelle est vaincue et jonche la terre d'éclats de verre.

Immédiatement, M. Jacquet monte à cheval et va frapper de l'étrier à la porte de M. Dumas qui n'ouvre point.

Le cheval de l'homme de pinceau fait un pendant remarquable au téléphone de l'homme de plume.

Et les hommes de loi se frottent les mains.

*
* *

L'affaire en est là. Les avocats vont plaider pour les deux parties avec un égal talent et des raisons excellentes.

Il n'est pas impossible de prévoir ce qu'ils vont dire.

Examinons donc l'un et l'autre cas.

L'avocat de M. Dumas prend la parole :

« Messieurs, est-il une propriété plus indiscutable, plus sacrée, que la tête d'un homme? Sans sa tête, messieurs les juges, qui de vous pourrait vivre, parler, penser? Mais la tête ne se compose pas uniquement de ce qui est au dedans; elle se compose aussi de ce qui est au dehors, et la preuve c'est que vos amis, votre femme, vos enfants vous reconnaissent dès qu'ils vous voient. Cette partie de la tête se nomme le visage. Elle commence encore et se termine au-dessus des cheveux. Quand on rencontre mon client dans la rue, on se dit : « Tiens, voici Alexandre Dumas. » Alexandre Dumas lui-même et pas un autre. C'est au visage qu'on le reconnaît : donc son visage est sa propriété indiscutable.

» Eh bien, messieurs les juges, pour satisfaire une rancune que je ne veux pas qualifier, notre adversaire, M. Jacquet, a mis la tête de M. Dumas sur les épaules d'un brocanteur juif et a ensuite exposé son œuvre à la risée de tout Paris. L'ironie est patente, le dommage réel, puisque mon client est ridiculisé. Or les blessures du ridicule sont plus cruelles, tout aussi profondes et plus difficiles à cicatriser que celles d'un bâton... »

Ici, l'avocat adverse interrompt :

« Je ferai remarquer à mon éminent adversaire que les blessures d'un bâton sur une aquarelle laissent des traces encore plus ineffaçables. »

(Rires dans l'auditoire.)

La parole est à l'avocat du peintre :

« Messieurs les juges, je vais déployer d'abord un moyen de défense qui serait, je crois, irréfutable, mais que dédaigne mon client. Je pourrais dire :

» M. Dumas a-t-il la prétention d'avoir un nez spécial, une bouche unique, des yeux introuvables, un menton phénoménal, des cheveux sans pareils? — Non, n'est-ce pas? — Vous m'objecterez que la réunion de ce nez, de cette bouche, de ces yeux, de ce menton et de ces cheveux, forme une tête unique, étant donné surtout ce qui est dedans; je ne le nie pas, mais je vais vous présenter cinq individus, dont l'un possède un nez, l'autre une bouche, l'autre des yeux, l'autre un menton, et le dernier (c'est un nègre) des cheveux crépus, ressemblant à s'y méprendre aux choses équivalentes chez M. Dumas.

» Or, me contesterez-vous le droit de former un visage avec des traits pris à cinq autres? Non, n'est-ce pas? Ce qui constitue M. Dumas, c'est sa cervelle et sa profession. Je ne les ai pas reproduits dans mon œuvre, puisque j'ai fait de mon personnage un marchand juif. M. Dumas n'est pas juif. Il n'est pas marchand non plus, bien qu'il ait revendu mon tableau.

» Il ressemble à la figure que j'ai peinte : tant pis, c'est un hasard !

» Dans le cas de M. Zola et de M. Duverdy, le tribunal s'est basé sur un semblant de similitude de profession. Ici, le pouvez-vous? Non. Alors laissez-moi tranquille! Reste la question de ressemblance. Je vous avouerai qu'elle n'est peut-être pas tout à fait due au hasard. Non pas qu'il y ait de la malveillance de ma part : il y a simplement abus de photographie.

» Je m'explique. M. Duverdy arguait qu'il n'a jamais livré son nom au public. M. Dumas peut-il en dire autant de sa tête? Elle est partout. Chaque marchand de photographies en exhibe dix exemplaires différents; tout le monde peut l'acheter; et moi, j'ai fait comme tout le monde. L'ayant achetée elle est à moi, n'est-ce pas? Balzac cherchait sur des enseignes les noms de ses personnages; moi, je prends sur des photographies des physionomies intéressantes. J'ai trouvé celle-là dans un tas au rabais, à deux sous; elle m'a donné l'idée d'un marchand juif; je m'en suis servi comme de document, et, grâce à elle, j'ai fait un tout des cinq modèles que je vous présentais à l'instant.

» Cela ressemble à M. Dumas. Tant pis! Il faudrait détruire tous les tableaux si on voulait effacer toute ressemblance de personnages. A qui l'homme ressemblerait-il si ce n'est à un autre homme? A qui nos figures ressembleraient-elles si ce n'est à celle des hommes?

» Sous l'Empire, messieurs, dix mille citoyens ressemblaient à s'y méprendre à l'empereur, tant ils avaient copié exactement sa tête. Les a-t-on condamnés? Non, bien qu'ils fussent les caricatures de Napoléon. Pourquoi ne les a-t-on pas condamnés? Parce qu'ils étaient inoffensifs. Ainsi de mon marchand juif. Il ne cherche pas à être M. Dumas homme de lettres; il se contente de lui ressembler comme les dix mille citoyens ressemblaient à l'empereur, sans prétendre prendre sa place.

» Si on condamnait toutes ces ressemblances, il faudrait démolir la porte Saint-Martin, sous prétexte qu'elle ressemble à la porte Saint-Denis, brûler tous les romans-feuilletons qui se ressemblent les uns les autres, et décrocher toutes les étoiles qui nous semblent pareilles.

» Je sais bien qu'on a condamné les dominicains sous prétexte qu'ils ressemblaient aux jésuites, et les jésuites sous prétexte qu'ils ressemblaient à feu les *Carbonari*. Mais ce sont là des raisons politiques, et tout le monde sait que les raisons politiques n'ont ni rime ni raison.

427

» Voilà, messieurs, ce que je pourrais vous dire ; mais je ne vous le dirai pas.

» Mon client dédaigne ces subterfuges. Oui, il a visé M. Dumas, oui, il a voulu ridiculiser M. Dumas. Eh bien, après !

» Ne voyez-vous pas tous les jours, des journalistes, des hommes de lettres employer leur métier, leur talent, leur ironie contre les gens dont ils ont à se plaindre ? Faites-vous alors brûler les journaux ou les livres en place publique ?

» Est-ce que tout Paris n'a pas cru reconnaître dernièrement, dans une spirituelle comédie, la caricature d'un homme de talent et d'esprit, qui ne s'est point adressé à vous, et qui ne s'en porte pas plus mal ?

» Cela ne se voit-il pas tous les jours ?

» M. Jacquet a, pour arme, son pinceau, M. Dumas avait sa plume. Nous attendions, messieurs, des coups de plume et non des coups de canne dans un morceau de papier.

» Je termine, messieurs.

» Que ne sommes-nous encore au siècle des Médicis, au siècle où Michel-Ange peignait ses ennemis sous les traits des damnés de son *Jugement dernier ?* Et ses ennemis étaient des princes, des cardinaux, des grands seigneurs. Lisez les catalogues des musées italiens, et partout, messieurs, vous trouverez cette indication : « Dans la tête du criminel, le peintre a fait le portrait exact d'un ennemi, etc., etc. »

» Autres temps, autres esprits. Et je conclus : mon tableau vient d'être détruit, sans qu'on ait attendu votre jugement ; le mal est donc irréparable. Vous auriez pu me condamner à changer la tête de mon marchand, comme on a condamné M. Zola à changer le nom de M. Duverdy. Avec quelques modifications, j'en aurais fait M. Rochefort qui possède assez d'esprit pour ne point se fâcher ; et j'aurais vendu mon aquarelle quarante mille francs à quelque très riche réactionnaire, s'il en existe encore de riches après la débâcle de l'Union.

» Je demande donc quarante mille francs à M. Dumas, et je lui livre mon œuvre. »

Après ces plaidoyers, si le tribunal appréciait comme moi, il condamnerait M. Dumas ou son gendre à payer 20 000 francs l'aquarelle en question.

Et si l'affaire se résout ainsi, on rira de l'écrivain, car, en France, on est toujours pour l'esprit contre les coups de bâton.

Mais si, par hasard, M. Dumas revendait 40 000 francs à quelque riche Anglais l'œuvre devenue historique comme le manuscrit de Longus taché d'encre chez Paul-Louis Courier. C'est alors qu'on rirait de M. Jacquet!

(*Le Gaulois*, 20 février 1882.)

FINI DE RIRE

Depuis de longues années, nous assistons à l'agonie des réjouissances publiques et populaires. Et les gens à traditions, les éternels regretteurs du passé se lamentent : « On ne sait plus s'amuser », disent-ils. C'est que les peuples, c'est que l'humanité tout entière, comme chaque homme en particulier, ont leur vie marquée, dont chaque période est distincte. On ne s'amuse plus à vingt ans avec les mêmes jouets que dans l'enfance; les masques, les travestissements, les farces en plein air, la grosse gaieté bruyante et niaise sont des jeux de peuples jeunes. Dès qu'une nation vieillit, elle passe à d'autres délassements, elle joue alors à la politique, fait cache-cache avec ses rois; comme paillasses elle a ses députés, les révolutions comme jours de liesse.

Les masques attardés en notre époque font peine à voir; ils semblent déplacés dans la foule morne, mal à leur aise dans l'air même de la cité moderne. Et la plèbe vient les regarder comme elle regarde des étrangers venus de loin, des Chinois bleus, des Arabes blancs, des Lapons vêtus de peaux, et les animaux singuliers qui vivent sous d'autres climats.

C'est un spectacle très curieux de voir passer sur les boulevards les quelques charretées de têtes en carton qui osent encore sortir par les rues. La cohue du populaire grouille sur les trottoirs. C'est une foule d'employés, de marchands endimanchés, de bourgeois pauvres, sédentaires, malhabiles à circuler, encombrant la voie, formant chaîne avec la femme et les enfants pâles, les enfants maigres, mal nourris, manquant d'air et de jeux, au sang pauvre, les futurs employés. C'est la masse des insignifiants, de ceux qui ne comptent que par le nombre, qui pensent d'après les formules enseignées par leurs pères ou par leurs prêtres, qui disent éternellement, sur les mêmes choses, les mêmes bêtises inconscientes, et qui, après avoir vécu comme tous le monde, meurent de même, sans laisser plus de traces que les feuilles d'une saison ou les mouches d'un été. Au Carnaval, tous ces gens-là sortent pour obéir à la coutume, et, au lieu de profiter du premier soleil pour aller promener les mioches rachitiques hors les murs, ils vont regarder les masques.

Quels masques! Sur une grande voiture une vingtaine d'êtres innommables, mâles et femelles, se sont réunis pour avoir froid. Leurs hideux accoutrements font loucher; et, quand ils passent, on croit sentir de loin la crasse amoncelée des magasins de costumes. Ils sont assis bien sagement les uns en face des autres, les mains sur leurs genoux; ils ne font pas de farces, ils ne rient pas.

— Pourquoi sont-ils là? — Le savent-ils au juste? — Au milieu d'eux, quatre valets d'écurie, habillés en piqueurs, sonnent du cor. Et les ahuris du trottoir regardent tristement les mornes fantoches de la voiture.

Voilà le plaisir!

Songeons aux fêtes anciennes du peuple rieur et naïf; aux gaietés colossales des foules en délire, aux cris, aux contorsions, à la folie, passant en certains jours, comme un ouragan, sur les villes et les campagnes, et secouant les esprits, ainsi que des grelots, et faisant bondir les corps sans raison, crier les bouches, rendant la France entière pareille à un hôpital de fous.

**

Et on appelait en effet « fête des fous » la plus ancienne peut-être des réjouissances publiques, celle dont, sans doute, est sorti le « Carnaval ».

Elle remonte à peu près à l'an 633. C'était une étrange saturnale qui rappelait les orgies sacrées de l'Antiquité en ce sens que le clergé surtout y prenait part.

Et voici bien là un des signes particuliers du Moyen Age, de cette singulière, grandiose et puérile époque, où les hommes semblaient doués d'âmes enfantines, poétiques et grossières, capables indifféremment d'actes stupides ou héroïques.

La fête des fous commençait par l'élection d'un abbé du clergé. Cette élection était faite par les chanoines mêlés aux enfants de chœur et à tous les oints du Seigneur.

On portait ensuite l'abbé dans la maison du chapitre; et là, on commençait à godailler, à boire à plein gosier, à bâfrer à plein ventre. Puis on chantait des chants burlesques et immondes.

Le jour des Innocents avait lieu l'élection de l'Evêque des fous, qui, revêtu des ornements sacrés, chapé, mitré et crossé, assistait à l'office. Les prêtres et les clercs l'entouraient, vêtus en costumes de bouffons et de femmes, chantaient des refrains obscènes, mangeaient sur l'autel, y jouaient aux dés, etc.

A la fin de l'office, l'aumônier, coiffé d'un petit coussin, offrait les indulgences.

> *De par mossenhor l'Evesque*
> *Que Dieu vous done grand mal à bescle,*
> *Aves une plena balasta de pardos*
> *E do dés de raycha de sot lo mento.*

« De par monseigneur l'évêque, que Dieu vous donne grand mal au foie, avec une pleine panerée de pardons et deux doigts de gale sous le menton. »

Ces formules variaient d'ailleurs. L'Evêque distribuait aussi des panerées de mal de dents, de queues de rosse, etc. Ces sottes plaisanteries amusaient follement le peuple. Il suffit, du reste, de relire les traits d'esprit, gaudrioles, épigrammes et gauloiseries, même des meilleurs poètes des XVe ET XVIe siècles, pour s'assurer que nos pères avaient le rire facilement excitable. C'était de la gaieté lourde, sans dessous malins. Au XVIIIe siècle apparaît l'ironie; le rire devient sec, perfide, amer, féroce. Au lieu de chatouiller, l'esprit blesse, il tue même.

Aujourd'hui, le plaisir n'est plus gai, nous sommes vieux. On ne rit plus de rien, on sourit seulement, et pas longtemps encore. L'éclatante gaieté de nos grands-pères, la spirituelle raillerie de nos pères ont fait place à l'indifférence. Fini de rire.

Voici, d'après Naudé, ce qu'était la fête des Innocents qui succéda vers le XVIe siècle à la fête des Fous. Quel mépris indigné nous aurions pour ces grossières réjouissances, ces incompréhensibles enfantillages :

« Les frères lais occupaient, à l'église, la place des religieux tonsurés et récitaient une manière d'office entremêlé d'extravagances et de profanations... Ils faisaient semblant de lire avec des lunettes dont les verres étaient remplacés par des écorces d'oranges, et marmottaient des mots confus en poussant des cris accompagnés de contorsions. »

*
* *

C'est seulement quelque temps avant la révolution de 1789 que le Carnaval français parvint à tout son éclat, et eut même une réputation presque aussi grande que celle du fameux Carnaval de Venise. Tous les nobles y prenaient part et se faisaient traîner dans les rues sur des chars à huit chevaux; c'était surtout une fête de l'élégance. C'était en même temps une sorte de fête de l'égalité entre grands seigneurs et manants.

La *Terreur* arrêta ces jeux et les remplaça par d'autres. La guillotine devint le hochet du peuple. Puis tout le monde se déguisa en militaire; ce fut alors l'époque des uniformes extravagants, des généraux aux cheveux tressés. En 1805, le bœuf gras reparut.

Le bœuf gras! Il a fait dire assurément plus de

solennelles niaiseries aux savants chercheurs de riens que la pierre philosophale elle-même.

Des livres se sont entassés sur les livres, pleins de raisonnements et d'érudition, pour démontrer que les Parisiens, ayant adoré le bœuf zodiacal, celui du Carnaval n'était qu'un descendant du céleste animal.

D'autres ouvrages, non moins dignes de foi, affirment que cette religion carnavalesque nous vient en droite ligne des Egyptiens, qui célébraient le bœuf Apis par une procession, vers le printemps.

Et dire qu'il suffit d'écrire trois volumes sur un sujet pareil, pour entrer à l'Académie!

Comme est plus sensé le bon Panurge, « lequel fit quinaud un grand clerc de Angleterre qui arguoit par signes. »

La descente de *la Courtille* était, il y a une cinquantaine d'années, le plus curieux moment du Carnaval. Le peuple, qui avait passé la nuit au milieu des saladiers à la française, rentrait le mercredi matin, dans Paris, par le faubourg du Temple. Et c'était une cohue d'hommes et femmes encore ivres, hurlants et trinqueballants. Une autre foule l'attendait, celle des masques élégants ayant passé la nuit dans les restaurants à la mode, et les deux légions de pochards se regardaient, s'engueulaient et fraternisaient.

Aujourd'hui, pour tous les vrais Parisiens, le Carnaval n'a de bon que l'instant où il finit; et pendant ces jours bruyants, à cornets et à trompes de chasse, on entend dire à tout instant : « Mon Dieu, que ces fêtes sont horribles! » — Fini de rire.

(Gil Blas, 23 février 1882.)

TABLE

Achevé d'imprimer en septembre 1994
sur les presses de l'Imprimerie Bussière
à Saint-Amand (Cher)